OSTWALDS KLASSIKER
DER EXAKTEN WISSENSCHAFTEN
Band 299

Max Planck
23.4.1858– 4.10.1947

OSTWALDS KLASSIKER
DER EXAKTEN WISSENSCHAFTEN
Band 299

Über Thermodynamische Gleichgewichte

von

Max Planck

Herausgegeben
und eingeleitet von
Werner Ebeling
und
Dieter Hoffmann

Verlag Harri Deutsch

Quellenangabe für das Portrait von Max Planck auf der Schmutztitelrückseite:
Archiv der Max-Planck-Gesellschaft, Berlin

Bibliografische Information Der Deutschen Nationalbibliothek

Die Deutsche Nationalbibliothek verzeichnet diese Publikation in der Deutschen Nationalbibliografie; detaillierte bibliografische Daten sind im Internet über http://dnb.d-nb.de abrufbar.

ISBN 978-3-8171-3299-7

1. Auflage 2008
Druck: Rosch - Buch Druckerei GmbH, Scheßlitz
Printed in Germany

Inhalt

Die originalgetreue Wiedergabe der Artikel wurde weitgehend gewahrt. So wurden die Titel der Zeitschriften innerhalb des Textes in der ursprünglichen Schreibweise übernommen, deshalb kann es zu Uneinheitlichkeiten in der Rechtschreibung kommen. Die Seitenüberschriften und die Seitenzahlen wurden durch neue ersetzt. Zum Aufsuchen von Anmerkungen und Hinweisen sind daher statt der in den Arbeiten zitierten Seitenzahlen der Originalschriften analog die hier rechtsstehenden Seitenzahlen zu benutzen.

Lebensdaten

Max Planck
(1858–1947)

1858	geboren am 23. April in Kiel
1874	Abitur am Maximilians-Gymnasium München
1874–79	Studium der Physik in München und Berlin
1879	Promotion an der Universität München mit der Arbeit „Über den zweiten Hauptsatz der mechanischen Wärmetheorie“
1880	Habilitation mit der Untersuchung „Gleichgewichtszustände isotroper Körper in verschiedenen Temperaturen“
1880–85	Privatdozent an der Universität München
1885–89	a.o. Professor für theoretische Physik an der Universität Kiel
1887	Heirat mit Marie Merck (1861–1909)
1889	Extraordinarius und Direktor des Instituts für theoretische Physik an der Universität Berlin
1892	Ernennung zum Ordinarius
1894	Mitglied der Preußischen Akademie der Wissenschaften (1912–38 deren beständiger Sekretar)
1894	Beginn der Arbeiten zur Wärmestrahlungstheorie
1900	Vorträge vor der Physikalischen Gesellschaft in Berlin zum Planckschen Strahlungsgesetz mit der Quantenhypothese $E = h\nu$
1911	Heirat mit Marga von Hoeßlin (1882–1949)
1913–14	Rektor der Universität Berlin
1918	Nobelpreis für Physik (verliehen 1920)
1926	Emeritierung
1930–37	Präsident der Kaiser Wilhelm-Gesellschaft
1947	am 4. Oktober in Göttingen gestorben

Vorwort

Max Planck gilt gemeinhin als der „Vater der Quantentheorie", der mit seinem Strahlungsgesetz und der Quantenhypothese $E = h\nu$ den Anstoß für die Entwicklung der Quantenphysik und damit einer neuen physikalischen Denkart gab. Dass diese revolutionäre Entdeckung in ein umfangreiches thermodynamisches Schaffen eingebettet und nachhaltig von diesem geprägt war, ist heute vielen meist nicht bewusst. Mit fundamentalen Arbeiten über den zweiten Hauptsatz und zum Entropiebegriff hatte Planck im ausgehenden 19. Jahrhundert maßgeblich zur Entwicklung der Thermodynamik beigetragen und sich damit zu einem der führenden Physiker seiner Zeit profilieren können. Diese Seite des Planckschen Lebenswerks, die Piniercharakter besaß und ihn zu einem der bedeutendsten Thermodynamiker macht, ist selbst bei Vertretern dieses Forschungsgebietes fast vergessen. Trotz ihrer zentralen Bedeutung für das physikalische Schaffen Plancks gibt es bisher keine zusammenfassenden Untersuchungen zu dessen thermodynamischen Arbeiten. Martin Klein, Hans Kangro oder Hans-Georg Schöpf haben zwar in ihren wegweisenden Untersuchungen die Bedeutung von Plancks Entropieverständnis für die Formulierung des Planckschen Strahlungsgesetzes und der Quantenhypothese herausgestellt, doch geschah dies immer nur in Hinblick auf diesen konkreten Kontext, und bei keinem stand der Thermodynamiker Planck im Mittelpunkt der Betrachtungen.

Insofern betritt die vorliegende Edition Neuland. Sie fasst die wichtigsten Arbeiten von Max Planck zum Problemkreis thermodynamisches Gleichgewicht, verdünnte Lösungen und

Elektrolyttheorie zusammen und versucht so, einen repräsentativen Einblick in zentrale Teile seines thermodynamischen Schaffens zu geben. Diese Arbeiten knüpfen unmittelbar an Plancks Dissertation an und fast sechs Jahrzehnte später beschließen sie faktisch auch das wissenschaftliche Schaffen des Physikers. Die zwanzig aufgenommenen Aufsätze aus den Jahren zwischen 1880 und 1935 umspannen so nicht nur inhaltlich, sondern auch zeitlich das Plancksche Lebenswerk. Im Mittelpunkt stehen dabei die Untersuchungen über thermodynamische Gleichgewichte, für die er in seinen Arbeiten eine allgemeine Theorie entwickelte, deren Fruchtbarkeit sich nicht zuletzt bei der Anwendung auf verdünnte Lösungen und Elektrolyte zeigte.

Die Wiedergabe der Beiträge erfolgt nach der Jubiläumsausgabe der „Physikalischen Abhandlungen und Vorträge" von Max Planck aus dem Jahre 1958, wodurch jedoch die originalen Seitenzählungen und -umbrüche der jeweiligen Zeitschriftenaufsätze verlorengegangen sind; auf diese wird aber im Inhaltsverzeichnis und auch in den Fußnoten verwiesen.

Abschließend sei dem Harri Deutsch Verlag, namentlich Christine Bönisch und Martin Kegel, für die Möglichkeit gedankt, den Thermodynamiker Max Planck mit diesem Band der Reihe *Ostwalds Klassiker der exakten Wissenschaften* anlässlich seines 150. Geburtstages angemessen zu würdigen.

Berlin, im Februar 2008

Werner Ebeling und Dieter Hoffmann

Max Planck und die Thermodynamik

Werner Ebeling und Dieter Hoffmann

„…tief durchdrungen von der Bedeutung dieser Aufgabe, (setzte ich) das Studium der Entropie, die ich neben der Energie als die wichtigste Eigenschaft eines physikalischen Gebildes betrachtete, weiter fort. Da ihr Maximum den Gleichgewichtszustand bezeichnet, so ergaben sich aus der Kenntnis der Entropie alle Gesetze des physikalischen und des chemischen Gleichgewichts. Das führte ich in den folgenden Jahren mit verschiedenen Arbeiten im Einzelnen durch. Zunächst für Aggregatszustandsänderungen, in meiner Münchener Habilitationsschrift vom Jahre 1880, dann für Gasmischungen. Überall zeigten sich fruchtbare Ergebnisse."[1]

Dies liest man in der wissenschaftlichen Selbstbiographie von Max Planck, die dieser im Winter 1944/45 für die Deutsche Akademie der Naturforscher Leopoldina in Halle verfasst hatte.[2] Planck beschrieb damit ein Forschungsprogramm, das er als junger Privatdozent in München sowie als Extraordinarius in Kiel und Berlin zwischen 1880 und der ersten Hälfte der 1890er Jahre durchführte und das für seine physikalischen Forschungen zentral wurde. Zuvor hatte der am 23. April 1858 in Kiel Geborene an der Münchner Lud-

1 M. Planck. Wissenschaftliche Selbstbiographie. In: M. Planck: Physikalische Abhandlungen und Vorträge. Braunschweig 1958 (im folgenden PAV), Bd. 3, S. 378f.

2 M. Planck: Wissenschaftliche Selbstbiographie. Acta Historica Leopoldina Nr. 19, 1990. In: PAV, Bd. 3, S. 374–401

wig-Maximilians-Universität im jugendlichen Alter von gerade 21 bzw. 22 Jahren promoviert und sich habilitiert. Bereits mit seiner Dissertation und der Habilitation fand Planck das Thema, das sein wissenschaftliches Schaffen bestimmen sollte: die Thermodynamik und insbesondere den zweiten Hauptsatz mit dem Entropiebegriff.

Seine Inauguraldissertation, „Über den zweiten Hauptsatz der mechanischen Wärmetheorie“[3] von 1879 war im wesentlichen eine Exegese der Schriften von Rudolf Clausius, die jedoch in einigen Punkten weit darüber hinausgeht. Clausius hatte 1850 eine erste Formulierung des zweiten Hauptsatzes gegeben, die besagt, dass Wärme spontan immer vom wärmeren zum kälteren Körper fließt. In nachfolgenden Arbeiten wurde diese Aussage präzisiert bis hin zur Einführung des Entropiebegriffs im Jahre 1865. Unabhängig von Clausius hat auch der englische Physiker William Thomson, der spätere Lord Kelvin, dieses Naturgesetz entdeckt und ihm die Form gegeben, dass Prozesse, die mechanische Arbeit nur auf Kosten der Abkühlung eines Wärmereservoirs erzeugen, unmöglich sind.[4] Planck knüpfte an Clausius an und stellt in seiner Dissertation mancherlei Widersprüche und Unklarheiten klar, die die Clausiusschen Schriften noch in großer Zahl durchziehen. Bei seiner intensiven Beschäftigung mit den Clausiusschen Gedankengängen drang Planck tief in das Wesen des Entropiebegriffs ein und machte deutlich, dass der zweite Hautsatz nicht allein für eine spezielle Gruppe physikalischer Prozesse Gültigkeit beanspruchen kann, sondern als Naturgesetz von allgemeiner Bedeutung ist. Schließlich verfasste er den zweiten Hauptsatz als Prinzip der Entropievermehrung, womit Planck den modernen Formulierungen des

---

3 PAV, Bd. 1, S. 1–61.

4 Vgl. W. Schreier (Hrsg.): Geschichte der Physik. Berlin 1988, S. 244ff.

zweiten Hauptsatzes, die die Positivität der Entropieproduktion postulieren, bereits sehr nahe kam. Damit hatte die Plancksche Promotionsschrift nicht nur rezeptiven Charakter, sondern sie drang bereits zu wesentlichen neuen Schlussfolgerungen vor, die Planck in seinem folgenden Schaffen immer mehr erweiterte und auf einen größeren Kreis von Phänomenen angewendete. Ein zentrales Postulat der Planckschen Dissertation lautet:

> „Wie das Princip der Energie, so ist auch das der Entropie ursprünglich aus der Beobachtung gewisser Kreisprocesse hervorgegangen, doch beschränkt sich seine Bedeutung ebenso wenig auf solche, wie die des ersten Princips; vielmehr findet es unmittelbare Anwendung auf jeden in der Natur vor sich gehenden Process ... (erstreckt sich) auf alle uns bekannten physikalischen und chemischen Erscheinungen.“[5]

Ein solch universelles Verständnis des zweiten Hauptsatzes stieß in der zeitgenössischen Physik keineswegs auf ungeteilte Zustimmung. Wie sich Planck in seiner Selbstbiographie erinnert, lehnte Gustav Kirchhoff, neben Hermann von Helmholtz damals der bedeutendste und einflussreichste Physiker in Deutschland, seinen Inhalt ausdrücklich ab und meinte, dass der Entropiebegriff und damit der zweite Hauptsatz nur auf reversible Vorgänge und thermische Prozesse angewendet werden dürfe.[6] Darüber hinaus stellte Planck in seiner Arbeit heraus, dass neben der Energie die Entropie die wichtigste Eigenschaft eines physikalischen bzw. thermodynamischen Systems ist und diese nicht nur seinen Ordnungszustand charakterisiert, sondern vor allem auch ein Maß für die Irreversibilität eines Prozesses darstellt. Irreversible Pro-

5 PAV, Bd. 1, S. 196f.
6 PAV, Bd. 3, S. 378.

zesse sind immer mit Entropieerzeugung verbunden, wogegen in reversiblen Prozessen die Entropie konstant bleibt; in isolierten Systemen kann die Entropie niemals abnehmen.

Zu den Kernpunkten des Planckschen Entropieverständnisses gehörte, dass das Maximum der Entropie den Gleichgewichtszustand kennzeichnet und sich daher aus der Kenntnis der Entropie alle Gesetze thermodynamischer Gleichgewichtszustände ergeben – eine Auffassung, die die Grundlage unseres modernen Verständnisses von thermodynamischen Gleichgewichten ist. Diesen widmete Planck auch seine erste, die Anwendungen des zweiten Hauptsatzes behandelnde wissenschaftliche Forschungsarbeit, die Habilitationsschrift „Gleichgewichtszustände isotroper Körper in verschiedenen Temperaturen“[7]. Sie knüpft ebenfalls unmittelbar an die Schriften von Clausius und dessen Versuche an, den zweiten Hauptsatz auf die Lösung von Problemen der Phasengleichgewichte und chemischen Gleichgewichte anzuwenden. Die Habilitationsschrift war weniger grundsätzlich orientiert als die Dissertation und widmete sich vielmehr ganz konkreten Anwendungen. Aus heutiger Sicht ist interessant, dass Planck von der Elastizitätstheorie ausgeht und diese in thermodynamische Betrachtungen einbettet. Er behandelte Festkörper, Flüssigkeiten und Gase und kam zu konkreten Aussagen über Phasengleichgewichte und die Koexistenz von Aggregatzuständen. Es finden sich zwar verschiedene Hinweise auf relevante experimentelle Untersuchungen, doch die verwandten Arbeiten von Johannes Diderik van der Waals und Josiah Willard Gibbs kannte Planck damals noch nicht.

Ausgehend von seiner Habilitationsschrift folgte er in den folgenden Jahren seinem Forschungsprogramm „Thermody-

7 M. Planck: Gleichgewichtszustände isotroper Körper in verschiedenen Temperaturen. München 1880, im vorliegenden Band S. 1–63.

namisches Gleichgewicht" und untersuchte in weiteren Arbeiten systematisch die thermodynamischen Gleichgewichtsprozesse verschiedener physikalisch-chemischer Systeme. Seine erste Arbeit in dieser Serie, „Die Theorie des Sättigungsgesetzes"[8], steht in enger Beziehung zu den Arbeiten des holländischen Physikers van der Waals über den Phasenübergang vom dampfförmigen in den flüssigen Zustand. Sie wurden von Planck kurz referiert und boten die Grundlage, um die bereits von Clausius vorgeschlagene, aber nur in Worten dargestellte Zustandsgleichung für Kohlensäure exakt zu formulieren. Davon ausgehend, berechnete Planck verschiedene Eigenschaften des Wassers auf sehr elegante Weise, darunter den Gleichgewichtsdruck gesättigten Wasserdampfes und insbesondere die Verdampfungswärme. Planck ist damit einer der ersten theoretischen Physiker, der sich eingehend mit den Eigenschaften des Wassers beschäftigte. Die erhaltenen Werte wurden in einer Tabelle zusammengefasst und mit den von Thomas Andrews kurz zuvor experimentell ermittelten Daten verglichen, wobei ihre Übereinstimmung nach den Worten Plancks „so gut (ist), wie man nur erwarten kann"; den heutigen Leser irritiert in diesem Zusammenhang das Fehlen jeglicher Fehlerbetrachtung oder gar Fehlerrechnung.

Plancks nächster Aufsatz „Verdampfen, Schmelzen, Sublimiren"[9] ist nicht nur wesentlich länger, sondern hat auch einen sehr viel grundsätzlicheren Charakter. Er enthält eine umfassende Theorie der Phasengleichgewichte von einkomponentigen Systemen. Planck fasste zunächst den aktuellen Forschungsstand zusammen, wobei er vor allem die Arbeiten von van der Waals und Kirchhoff, aber auch die des amerika-

---

8 M. Planck: Die Theorie des Sättigungsgesetzes. Annalen der Physik (im folgenden: AdP) 13(1881) S. 535–543, im vorliegenden Band S. 64–72.

9 M. Planck: Verdampfen, Schmelzen, Sublimiren. AdP 15(1882) S. 446–475, im vorliegenden Band S. 73–102.

nischen Physikers Gibbs würdigte. Von letzterem, seinem großen Konkurrenten auf diesem Gebiet, entlehnte er einige geometrische Methoden der Darstellung von Phasengleichgewichten, allerdings ohne dabei von einem anderen, ebenfalls sehr fruchtbaren Konzept, den Gibbsschen chemischen Potentialen, Gebrauch zu machen. Plancks Interesse war in diesem Artikel auf das Wasser fokussiert und er verglich seine Berechnungen mit den vorhandenen experimentellen Daten für die entsprechenden Phasenübergänge. Wie oben schon erwähnt, zählt Planck damit zu den Pionieren der Physik des Wassers, das heute ein umfangreiches und gut erschlossenes Forschungsfeld ist – mit unzähligen Monographien und Tabellenwerken, die die Eigenschaften des Wassers beschreiben.[10] Planck selbst interessierte sich vor allem für die „drei kritischen Punkte, in welchen je zwei Aggregatzustände identisch werden ... und es entsprechen ihnen je ein Werth der kritischen Temperatur, des kritischen Drucks und des kritischen Volumens.“[11] Alle Berechnungen zum Tripelpunkt – wie wir in moderner Terminologie sagen würden – wurden ungemein exakt und detailliert ausgeführt. Zum Schluss stellte Planck nochmals heraus:

> „Alle im Vorhergehenden ausgesprochenen Sätze sind strenge Folgerungen aus dem einen Satz, dass das stabile Gleichgewicht dem Maximum der Entropie entspricht, und dieser Satz wiederum folgt aus dem allgemeineren, dass durch jeden Naturprozess die Summe der Entropien aller an demselben betheiligten Körper vergrössert wird. Auf die Erscheinungen der Wärme angewendet, bildet dieses Gesetz den allgemeinsten Ausdruck des zweiten

10 Vgl. F. Franks (Edt.): Water – A comprehensive treatise. Vol. 1–6. New York 197279.

11 AdP 15(1882) S. 459, im vorliegenden Band S. 86.

Hauptsatzes der mechanischen Wärmetheorie und ist für diesen Fall von mir ausführlich bewiesen worden.“[12]

Darüber hinaus hat Planck in diesem Aufsatz nochmals explizit darauf hingewiesen, dass er bei der von ihm angestrebten Begründung der „ausnahmslosen Gültigkeit des zweiten Hauptsatzes“ den Gebrauch irgendwelcher spezieller Hypothesen und namentlich des Atomismus sowie die Anwendung wahrscheinlichkeitstheoretischer Methoden ablehnte. Daher wählte er bei seinen grundlegenden Überlegungen zum zweiten Hauptsatz und dem Entropiebegriff einen konsequent phänomenologischen Ansatz und versuchte, diesen auch in den meisten seiner frühen thermodynamischen Arbeiten auszuführen. In diesem Sinne stellte er fest, dass:

> „der zweite Hauptsatz der mechanischen Wärmetheorie, consequent durchgeführt, unverträglich mit der Annahme endlicher Atome ist ... verschiedenartige Anzeichen (scheinen mir) darauf hinzudeuten, dass man trotz der grossen bisherigen Erfolge der atomistischen Theorie sich schliesslich doch noch einmal zu einer Aufgabe derselben und zu Annahme einer continuierlichen Materie wird entschliessen müssen.“ [13]

Planck irrte in diesem Punkt. Seine späteren Forschungen zur Wärmestrahlungstheorie und vor allem die Begründung seiner Strahlungsformel haben ihm schließlich selbst die Bedeutung des wahrscheinlichkeitstheoretischen Konzepts nahegebracht und gezeigt, dass nur auf atomistischer Grundlage und mit Hilfe der kinetischen Gastheorie ein schlüssiges Verständnis von Entropie und Irreversibilität zu erzielen war. Bis dahin hat er aber noch mit einer Fülle von Arbeiten eindrucksvoll die große Leistungskraft der phänomenologischen

12 Ebenda, S. 473, im vorliegenden Band S. 100.

13 Ebenda, S. 475, im vorliegenden Band S. 102.

Thermodynamik bei der Lösung konkreter physikochemischer Probleme demonstriert. In diesem Zusammenhang verdient ebenfalls seine Aufsatzserie aus dem Jahre 1887, „Über das Prinzip der Vermehrung der Entropie"[14], Erwähnung, da sie neben allgemeinen Ausführungen zur Entropievermehrung auch die Behandlung ganz konkreter physikalischer Phänomene umfasst und beispielsweise erstmals eine theoretische Erklärung der 1886 von François Raoult und Jacobus Henricus van 't Hoff empirisch gefundenen Bedingungen für die Gefrier- und Siedepunkt-änderung verdünnter Lösungen lieferte. Mit all diesen Arbeiten trug Planck zur theoretischen und begrifflichen Fundierung der physikalischen Chemie bei und hat darüber hinaus die weitere Ausgestaltung der phänomenologischen Thermodynamik entscheidend gefördert.

In einem Aufsatz aus dem Jahre 1883, „Über das thermodynamische Gleichgewicht von Gasgemengen"[15], untersucht Planck das thermodynamische Gleichgewicht von Gasreaktionen und wendet dabei erstmals die von Helmholtz kurz zuvor eingeführte thermodynamische Funktion der freien Energie erfolgreich an. Die Planckschen Arbeiten führen unmittelbar in das Gebiet der chemischen Thermodynamik hinüber und die Anwendung der thermodynamischen Methoden und Erkenntnisse auf chemische Prozesse ist ohne Berücksichtigung der freien Energie kaum möglich. Gerade die in der zweiten Hälfte des 19. Jahrhunderts expandierende chemische Industrie und insbesondere die Großproduktion von Düngemitteln waren an solchen Erkenntnissen dringend interessiert, da ohne dieses Wissen chemische Großprozesse nicht oder nur unzureichend beherrschbar waren bzw. ineffi-

---

14 M. Planck: Über das Prinzip der Vermehrung der Entropie. AdP 30(1887) S. 562–582; 31(1887) S. 189–203; 32(1887) S. 462–503 (PAV, Bd.1, S. 196–273).

15 AdP 19(1883) S. 358–378 (PAV Bd. 1, S. 164–184).

zient abliefen. Insofern folgten Plancks Untersuchungen wohl nicht allein der „göttlichen Neugier“, sondern wurden sicherlich auch von diesen praktischen Kontexten getragen – allerdings lassen sich konkrete Belege dafür in den Planckschen Publikationen oder in seiner nur spärlich überlieferten Korrespondenz nicht finden.

Eine besondere Rolle spielte in Plancks frühen Arbeiten die Theorie der verdünnten Lösungen. Unmittelbar nachdem van 't Hoff und Svante Arrhenius 1887 ihre Hypothesen über die Dissoziationsvorgänge in Lösungen und Elektrolyten vorlegten, entwarf Planck die thermodynamische Theorie, welche die physikalische Erklärung dieser Hypothesen lieferte.[16] Er formulierte u.a. die Massenwirkungsgesetze für die Dissoziation von Molekülen in Ionen. Plancks Theorie wurde allerdings von Arrhenius nicht anerkannt, weil er die Auffassung vertrat, dass die Thermodynamik und damit der Entropiebegriff nicht auf Ionen anwendbar wären. Planck machte deutlich, dass die thermodynamischen Gesetze unabhängig davon gelten, ob es sich nun um geladene oder ungeladene Teilchen handele, d.h. eben universellen Charakter besitzen. Der größte Teil seiner Fachkollegen folgte Plancks Argumenten. Jahrzehnte später, im Jahre 1924, kam Planck noch einmal auf das Gleichgewicht von Ionen und neutralen Molekülen zurück, indem er die Gleichungen für das Ionisations-gleichgewicht in Plasmen formulierte.[17]

Als Planck seine Theorie der Gleichgewichte in verdünnten Lösungen und Elektrolyten formulierte, war er noch ein junger und aufstrebender Professor an der Universität Kiel. Die Aufmerksamkeit und Anerkennung, die diese Arbeiten

---

16 M. Planck: Das chemische Gleichgewicht in verdünnten Lösungen. AdP 34(1888) S. 139–154, im vorliegenden Band S. 109–124.

17 M. Planck: zur Quantenstatistik des Bohrschen Atommodells. AdP 75(1924) S. 673–684 (PAV, Bd. 2, S. 572–583).

u.a. bei Helmholtz erfuhren, der damals ehrfurchtsvoll-ironisch als „Reichskanzler der Physik" bezeichnet wurde[18], haben dazu beigetragen, dass Planck in diesem einen einflussreichen Förderer und Mentor fand. Helmholtz beschäftigte sich seit den frühen 1870er Jahren mit verwandten Problemen, die ihn sowohl zur Einführung des schon erwähnten Begriffs der freien Energie führten, als auch den Zusammenhang der Wärmetönung chemischer Reaktionen mit den elektromotorischen Kräften galvanischer Batterien untersuchen ließen. Ebenso wichtig waren Anwendungen der Theorie auf elektrische Doppelschichten an elektrischen Grenzflächen, da sie sowohl wichtige Grundlagen für die moderne physikalische Chemie und Biophysik als auch für die heutige Halbleiterelektronik legten.

Wie die Untersuchungen Plancks über die thermoelektrischen und elektromotorischen Kräfte zeigen[19], lagen diese Probleme auch im Fokus von Plancks damaligen Forschungsinteressen. Diese bildeten einen speziellen Schwerpunkt seiner frühen thermodynamischen Forschungen. Seine Arbeit über „Das chemische Gleichgewicht in verdünnten Lösungen"[20] kann sogar als fundamental bezeichnet werden und zählt zu den wichtigsten Arbeiten Plancks. Planck erschließt sich mit der Elektrolyttheorie ein neues Forschungsfeld von hoher theoretischer und praktischer Relevanz.[21]

---

18 Vgl. D. Hoffmann, W. Ebeling: „Reichskanzler der Wissenschaften" – Zum 100. Todestag von Hermann von Helmholtz. Physikalische Blätter 50(1994) S. 827–832.

19 M. Planck: Zur Theorie der Thermoelektrizität in metallischen Leitern. AdP 36(1889) S. 624–643; S. 936; Über die Potentialdifferenz zwischen zwei verdünnten Lösungen binärer Elektrolyte. AdP 40(1890) S. 561–576, im vorliegenden Band S. 139–154.

20 M. Planck: Das chemische Gleichgewicht in verdünnten Lösungen. AdP 34(1888) S. 139–154, im vorliegenden Band S. 109–124.

Dass Planck sich nicht nur Spezialfragen widmete, sondern auch zu den Grundlagen und zu methodologischen Fragen der Thermodynamik Stellung bezog, macht sein Vortrag „Allgemeines zur neueren Entwicklung der Wärmetheorie“ auf der 64. Versammlung der Gesellschaft Deutscher Naturforscher und Ärzte im September 1891 in Halle[22] und auch seine Erwiderung auf eine Kritik des Würzburger Physikers Moritz Cantor deutlich.[23] Letzterer hatte Plancks Annahme infrage gestellt, dass bei geeigneter Variation von Druck und Temperatur jede Lösung in den Zustand eines Gemisches idealer Gase überginge, d.h. sich die Thermodynamik von Gasen und verdünnten Lösungen sehr ähnlich seien. Planck nutzte die Replik zu Ausführungen über die Bedeutung und Nutzung „idealer Prozesse“ bei der theoretischen Behandlung thermodynamischer Phänomene. Er führt in diesem Zusammenhang richtig aus, dass es nicht wichtig sei, ob der Umwandlungsprozess einer verdünnten Lösung zu einem Gasgemisch wirklich real ist. Vielmehr komme es auf die Abhängigkeit der Entropie von den unabhängigen Variablen, insbesondere den sogenannten Molenbrüchen (molaren fractions) an. Dieser Aufsatz, der keinerlei Formeln enthält, berührte die Grundlagen thermodynamischer Forschung und kann auch heute noch großen methodologischen Wert beanspruchen.

---

21 Vgl. H. Falkenhagen: Die Elektrolytarbeiten von Max Planck und ihre weitere Entwicklung. In: Max-Planck-Festschrift. Berlin 1959, S. 11–34 sowie H. Falkenhagen: Theorie der Elektrolyte (unter Mitwirkung von W. Ebeling). Leipzig 1971.

22 Zeitschrift für physikalische Chemie 8(1891) S. 647–656, im vorliegenden Band S. 155–164.

23 M. Planck: Über die Grundlage der Lösungstheorie; eine Erwiderung. AdP 10(1903) S. 436–445, im vorliegenden Band S. 179–188.

Am Ende dieser frühen Periode thermodynamischer Forschungen steht ein Aufsatz „Über die Potentialdifferenz zwischen zwei verdünnten Lösungen binärer Elektrolyte“[24], der auf einen Vortrag im Kolloquium der Physikalischen Gesellschaft in Berlin zurückgeht. Es war einer seiner ersten Vorträge in Berlin, wo er im Jahr zuvor – wohl nicht zuletzt dank Helmholtzscher Protektion[25]– die verwaiste Professur für theoretische Physik übernommen hatte. Das Kolloquium wurde für ihn zum frustrierenden Erlebnis. Seine Hoffnungen, sich damit vorteilhaft in die Physikalische Gesellschaft einführen zu können, zerschlugen sich gründlich, geriet die Veranstaltung doch zum Dialog zwischen dem Vortragenden und ihrem Vorsitzenden, der die Thesen des Vortrags zudem ziemlich scharf kritisierte.[26] Gegenstand des Vortrags waren Vorstellungen von Helmholtz und Walther Nernst über die Ausbildung von elektrischen Doppelschichten an der Grenze zwischen zwei Elektrolyten, für die Planck eine generelle theoretische Begründung zu geben versuchte. Auch hier sollte Planck schließlich Recht behalten, wurde doch die große Bedeutung von Potentialdifferenzen in Elektrolyten sehr schnell klar. Planck erwähnt in seiner wissenschaftlichen Selbstbiographie mit einigem Stolz die Helmholtzsche „Zustimmung zu meiner Theorie der Lösungen, die er mir kurz vor meiner Erwählung in die Preußische Akademie der Wissenschaften äußerte.“[27] Heute wissen wir, dass die Theorie der Potentialdifferenzen von Nernst und Planck für das Verständnis der Nervenleitung eine zentrale Rolle spielt. Dar-

24 M. Planck: Über die Potentialdifferenz zwischen zwei verdünnten Lösungen binärer Elektrolyte. AdP 40(1890) S. 561–576, im vorliegenden Band S. 139–154.

25 Vgl. D. Hoffmann: Max Planck. München 2008, S. 38ff.

26 M. Planck: Persönliche Erinnerungen (1935). PAV, Bd. 3, S. 361.

27 PAV, Bd. 3, S. 382.

über hinaus profitiert auch die moderne Mikroelektronik von den Planckschen Erkenntnissen, da diese helfen, die elektrischen Phänomene und insbesondere die Existenz von Doppelschichten an der Grenze zwischen zwei unterschiedlichen Substanzen zu verstehen. In seinen späteren Arbeiten aus den zwanziger und dreißiger Jahren hat er diese Linie der Forschung fortgesetzt und im Detail weiter ausgeführt.[28]

Diese zum Teil bahnbrechenden wissenschaftlichen Ergebnisse zu thermodynamischen Gleichgewichten und zur Elektrolyttheorie machten Planck zu einem der führenden Thermodynamiker seiner Zeit. In Hinblick auf die Theorie der Phasengleichgewichte wird sein Verdienst dadurch geschmälert, dass einige seiner Erkenntnisse über die Phasengleichgewichte unabhängig von ihm durch einen amerikanischen Physiker entdeckt wurden – Josiah Willard Gibbs. Dieser wirkte am damals noch wenig bekannten Yale College in New Haven und seine entsprechenden Forschungsresultate waren ab 1876 in den „Transactions" dieser Universität publiziert worden. Dies war Planck und anderen europäischen Physikern entgangen. Amerika gehörte damals noch nicht zu den führenden Wissenschaftsnationen, und Forschungsergebnisse, die man nicht in europäischen und insbesondere nicht in deutschen wissenschaftlichen Zeitschriften publizierte, wur-

---

28 M. Planck: Über die Potentialdifferenz verdünnter Lösungen 1., 2. Mitteilung. Sitzungsberichte der Preußischen Akademie der Wissenschaften, Physikalisch-mathematische Klasse 1927, S. 285–288; 1929, S. 9–11. M. Planck: Über die Grenzschicht verdünnter Elektrolyte 1., 2., 3. Mitteilung. Sitzungsberichte der Preußischen Akademie der Wissenschaften, Physikalisch-mathematische Klasse 1930, S. 367–373; 1931, S. 113–122; 1933, S.362–368. M. Planck: Zur Theorie der Diffusion von Elektrolyten. Zeitschrift für Physik 93(1935) S. 696–697. M. Planck: Zur Theorie der Elektrizitätserzeugung in Elektrolyten. Zeitschrift für Physik 94(1935) S. 469–472, im vorliegenden Band S. 189–232.

den leicht übersehen, was ihre Rezeption behinderte. Dies traf gerade auch für die Gibbsschen Arbeiten zu, die ebenfalls die zentrale Rolle des Entropiebegriffs propagierten und auf dieser Grundlage ein noch weiterreichendes Forschungsprogramm durchführten, das viele Parallelen zu Plancks Untersuchung der thermodynamischen Grundgesetze von Phasengleichgewichten und chemischen Gleichgewichtszuständen aufwies.[29] Charakteristisch für die Gibbssche Methode ist die weitreichende Verwendung chemischer Potentiale und geometrischer Methoden. Diese Aufsätze sind erst in den späten 1880er Jahren in Europa rezipiert worden, ihre deutsche Übersetzung erfolgte sogar erst 1892. Planck hat die Priorität der Gibbsschen Leistung uneingeschränkt anerkannt, wie seine Besprechung des Gibbsschen Buches „Elementary Principles in statistical Mechanics developed with especial reference to the rational foundation of Thermodynamics" (New York 1902) zeigt.[30] Im Übrigen handelt es sich bei den Arbeiten von Gibbs und Planck um keine einfache Doppelung, sondern vielmehr um alternative Wege, die Thermodynamik physikochemischer Gleichgewichtsprozesse zu behandeln. Während Planck stets vom Prinzip der Entropievermehrung ausging und auf dieser Grundlage den irreversiblen Prozess, der zum thermodynamischen Gleichgewicht führt, behandelte, studierte Gibbs die Extremaleigenschaften der Gleichgewichte selbst, wobei er die Variationsableitungen der thermodynamischen Funktionen und mit großer Virtuosität ihre geometrischen Darstellungen benutzte. Die Eleganz der geometrischen Methoden und die Fruchtbarkeit der chemischen Potentiale führten dazu, dass sich die Gibbsschen Methoden

29 Vgl. R. J. Seeger: J. Willard Gibbs, American mathematical Physicists par excellence. Oxford 1974.

30 Beiblätter zu den Annalen der Physik 27 (1903) S. 748–753, im vorliegenden Band S. 189–194.

recht schnell durchsetzen konnten und heute allgemein akzeptiert werden. Allerdings gilt es in diesem Zusammenhang anzumerken, dass der Plancksche Ansatz, vom Prinzip der Entropievermehrung auszugehen, absolut korrekt ist und eigentlich sogar die größere Tragweite besitzt, wie die späteren Entwicklungen der irreversiblen Thermodynamik durch Lars Onsager, Ilya Prigogíne u.a. gezeigt haben.

Planck ist immer wieder zur Thermodynamik und zu seinen frühen Themen zurückgehrt, wie die Arbeiten aus den dreißiger Jahren zeigen, die zu seinen letzten wissenschaftlichen Aufsätzen zählen. Dabei nahm er nach wie vor zu offenen Fragen der thermodynamischen Forschung Stellung, wie die Arbeit aus dem Jahre 1934 zum Prinzip von Le Chatelier und Braun zeigt.[31] Allerdings macht sie auch deutlich, dass Planck zu dieser Zeit den Faden zur vordersten Forschungsfront des Gebiets wohl verloren hatte, da weder auf die diesbezüglichen Arbeiten von Paul Ehrenfest[32], noch auf die Onsagers[33] Bezug genommen wird.

Abschließend sei noch eine generelle Bewertung von Plancks Arbeiten über thermodynamische Gleichgewichte gewagt. Besteht weitgehende Übereinstimmung darüber, dass Planck mit seiner Arbeiten zur Theorie der Wärmestrahlung im Jahre 1900 ein neues Zeitalter, das Jahrhundert der Quantentheorie eingeleitet hat, so wird in der physikhistorischen Literatur nach wie vor die Frage diskutiert, wie Planck zu seiner Quantenhypothese gekommen ist und was er darunter ver-

---

31 M. Planck. Das Prinzip von Le Chatelier und Braun. AdP 19(1934) S. 759–768; 20(1934) S. 196.

32 P. Ehrenfest: Das Prinzip von Le Chatelier-Braun und die Reziprozitätssätze der Thermodynamik. Zeitschrift für physikalische Chemie 77(1911) S. 227–244.

33 L. Onsager: Reciprocal relations in Irreversible Processes (I and II). Physical Review 37(1931) S. 405–426; 38(1931) S. 2265–2279.

stand.[34] Waren es die Experimente, die in ihrer Aussage so eindeutig waren, dass sie Max Planck direkt zum neuen Strahlungsgesetz und damit zur Quantenhypothese führten, war die Entdeckung vielleicht nur ein glücklicher Zufall, den Planck wider Willen schließlich als Arbeitshypothese akzeptierte, oder gibt es einen mehr oder weniger zwangsläufigen Weg von seinen frühen thermodynamischen Arbeiten und zur Theorie der Wärmestrahlung? Ohne eine abschließende Antwort auf diesen Fragenkomplex geben zu können, sei aber darauf verwiesen, dass die der Planckschen Theorie zugrunde liegenden Experimente zwar von zwingender Aussagekraft waren, doch noch viele Möglichkeiten für die theoretische Deutung offenließen und Plancks revolutionäre Entdeckung das Resultat einer konsequenten thermodynamischen Behandlung des Problems und kaum dem Zufall geschuldet war. Hierauf hat bereits in früheren Arbeiten Martin Klein hingewiesen.[35] Damit ist das Resultat als Folge von Plancks Entwicklungsweg als Wissenschaftler und seiner frühen thermodynamischen Arbeiten zu sehen, die hier kommentiert wurden. Diese zeigen ihn als einen genialen Thermodynamiker, der zu den besten Experten seiner Zeit gehörte – keineswegs zufällig war er schließlich von Helmholtz als Vollender seiner thermodynamischen Ansätze nach Berlin geholt worden.

Als genauer Kenner der Thermodynamik hatte Planck eben die Mittel zur Verfügung, um die am Ende des 19. Jahr-

34 Vgl. O. Darrigol: The Historians Disagreement over the meaning of Plancks Quantum. Centaurus 43(2001) S. 219–239.; Cl. A. Gearhart: Planck. the Quantum, and the Historians. Physics in Perspective 4(2002) S. 170–215.

35 Vgl. M. J. Klein: Max Planck and the Beginnings of Quantum Theory. Archive for the History of Exact Sciences 1(1962) S. 459–479; ders.: Thermodynamics and Quanta in Plancks Work. Physics Today 19(1966)11, S. 23–32.

hunderts vorliegenden Widersprüche aufzulösen. Die vorliegenden Probleme ließen sich weder auf dem Boden der Elektrodynamik noch der Optik auflösen. Es kann deshalb behauptet werden: Nur ein Thermodynamiker war damals in der Lage, die Widersprüche aufzulösen, die Kirchhoff, Boltzmann, Wien, Rayleigh, Jeans und andere Zeitgenossen beschäftigt haben. Ein Geheimnis des Erfolgs liegt im universellen Charakter der Thermodynamik begründet, die übergreifend gültig ist. Gerade diesen Punkt hatte Planck in seiner Dissertation und Habilitation sowie in den sich daran anschließenden Arbeiten immer wieder betont. Die Thermodynamik ist weder auf mechanische Systeme noch auf elastische Körper, weder auf elektrodynamische noch auf optische Systeme beschränkt, sie erhebt den Anspruch, überall gültig zu sein. Aufgrund dieses Anspruches gab es für Planck keine Bedenken, die thermodynamischen Gesetze auch auf das neue Gebiet der Strahlungsprozesse anzuwenden.

Wenn heute in der modernen Kosmologie nahezu alles angezweifelt wird, was die theoretische Physik an Erkenntnissen angesammelt hat, so sind davon die thermodynamischen Gesetze über – alle Dimensionen hinweg und vom hypothetischen Urknall bis hin zum Zeitpunkt 10^{40} Sekunden – unangetastet geblieben und werden nach wie vor uneingeschränkt angewendet. Ganz analog hatte auch Max Planck keine Bedenken, thermodynamische Methoden auf dem damals ganz neuen Gebiet der Theorie der Strahlungsvorgänge zu nutzen. Als Einstein einmal gefragt wurde, welche physikalischen Disziplinen wohl das Jahrhundert überdauern bzw. am längsten gültig bleiben werden, soll dieser geantwortet haben: Er erwarte das nur von der Thermodynamik.[36]

---

36 Diese Ansicht Einsteins wird zwar häufig kolportiert, doch konnte ein Beleg dafür bisher von den Autoren nicht gefunden werden.

Damit sind Plancks frühe thermodynamische Arbeiten nicht als bloße Etüden zur Vorbereitung des Paukenschlages der Quantenhypothese anzusehen, sondern als Essenz eines Lebenswerkes, ohne die auch seine späteren, zweifellos noch bedeutenderen Leistungen nicht zu verstehen sind.

Gleichgewichtszustände isotroper Körper in verschiedenen Temperaturen

Einleitung

Bei der Frage nach den Bedingungen des Gleichgewichts eines, gewissen äusseren Umständen unterworfenen, Körpers kommt es auf die Kenntniss der Kräfte an, welche in seinem Innern wirken.

Diese hängen aber nicht allein von den Lagen ab, welche die kleinsten Körpertheilchen gegenseitig einnehmen, sondern auch von den Temperaturen, in denen sie sich befinden, und die sich im Allgemeinen bei jeder Zustandsänderung des Körpers ändern. Der Einfluss nun, welchen die Verschiebungen der kleinsten Körpertheilchen auf die inneren Kräfte haben, wird in der Theorie der Elasticität ausführlich behandelt, während die Temperatur dort gewöhnlich stillschweigend als constant vorausgesetzt wird.

Aufgabe der nachfolgenden Abhandlung ist es daher zunächst, auch den Einfluss der Temperatur auf die elastischen Kräfte im Innern eines Körpers darzustellen, und dazu geben die Prinzipien der mechanischen Wärmetheorie hinreichende Mittel an die Hand, ohne dass man genöthigt ist, spezielle Annahmen über die molekulare Beschaffenheit der Körper zu machen; es genügt vielmehr die Voraussetzung, dass dieselben von der Materie stetig erfüllt werden.

Wir beschränken uns auf die Betrachtung isotroper Körper, jedoch ohne Rücksicht auf ihren Aggregatzustand, und nehmen an, dass der Zustand eines isotropen Körpers von bestimmter chemischer Zusammensetzung und von bestimmter Masse vollständig bestimmt ist durch seine Temperatur und durch die relative Lage seiner Elemente zu einander.

Ferner muss bemerkt werden, dass wir von allen Capillaritätserscheinungen absehen, und ebenso auch von solchen Kräften, die aus der Ferne her auf die Masse des Körpers wirken, z. B. der Schwerkraft, weil selbst die letztere erfahrungsgemäss einen nur ganz minimalen Einfluss auf die Gleichgewichtsbedingungen im Innern eines Körpers hat, der nicht allzugrosse Dimensionen besitzt.

Die nothwendigen Bedingungen des Gleichgewichts, wie sie sich aus der Benutzung des Umstandes ergeben, dass in einem im Gleichgewicht befindlichen Körper auch jedes Element desselben, als starr gedacht, im Gleichgewichte ist, werden im ersten Abschnitt entwickelt, während der zweite diejenigen Bedingungen enthält, welche zum Gleichgewicht hinreichend sind, und welche natürlicherweise die ersteren mit umfassen, aber, wie sich zeigen wird, noch etwas weitergehend sind.

Die erhaltenen Resultate stimmen, soweit sie Bekanntes berühren, vollständig mit denen der mechanischen Wärmetheorie und der Elasticitätstheorie überein, sie werden aber auch, namentlich im zweiten Abschnitt, einiges Neue enthalten, worunter besonders ein bisher noch nicht bekannt gewordener Satz von praktischer Bedeutung sein dürfte, welcher unter Anderem dazu dienen kann, die spezifische Wärme eines Dampfes bei constantem Druck zu berechnen, aus Daten, die sich verhältnissmässig leicht durch das Experiment ermitteln lassen.

I. Abschnitt

Nothwendige Gleichgewichtsbedingungen

Denken wir uns irgend einen isotropen Körper (fest, flüssig oder gasförmig) in einem Gleichgewichtszustande, den wir als Anfangszustand fixiren, gegenüber den in Betracht kommenden Zustandsänderungen.

In diesem Anfangszustande sei der Körper vollständig homogen und von der absoluten Temperatur T, ferner sei er einem überall gleichen, normal auf seine Oberfläche wirkenden, positiven oder negativen, äusseren Druck ausgesetzt; dann wird diesem Druck durch innere elastische Kräfte das Gleichgewicht gehalten. Das Volumen der Masseneinheit (spezifisches Volumen) im Anfangszustande sei mit v bezeichnet.

Nun möge sich der Zustand des Körpers ändern, theils durch Wirkung von beliebigen äusseren Kräften, theils durch Mittheilung oder Entziehung von Wärme, bis ein neuer Gleichgewichtszustand erreicht ist, dem die Temperatur T' und das spezifische Volumen v' entsprechen möge. Die Zustandsänderung ist offenbar vollkommen bestimmt, wenn bekannt ist 1) die Temperaturänderung 2) die Verschiebungen, die ein Punkt, der Anfangs die rechtwinkligen Coordinaten x_0, y_0, z_0 hatte, in den Richtungen der Coordinaten-Axen erlitten hat, und die wir mit ξ, η, ζ bezeichnen wollen, welche Grössen zunächst als Funktionen von x_0, y_0, z_0 zu denken sind. Dann ist die Lage dieses Punktes nach der Zustandsänderung bestimmt durch die Coordinaten:

$$x = x_0 + \xi \qquad y = y_0 + \eta \qquad z = z_0 + \zeta$$

Mit Hilfe dieser Gleichungen lassen sich natürlich die Grössen ξ, η, ζ auch als Funktionen der laufenden Coordinaten x, y, z darstellen, wozu später Veranlassung geboten sein wird.

Ist nun ein neuer Gleichgewichtszustand erreicht, so lassen sich sogleich Bedingungen angeben, denen die in dem Zustande des Körpers eingetretenen Veränderungen in diesem Falle nothwendig genügen müssen. Zunächst erhalten wir erfahrungsgemäss als nothwendige Bedingung des Gleichgewichts die, dass die Temperatur im ganzen Körper dieselbe ist. Wenn sich also an irgend einer Stelle die Temperatur von T auf T′ geändert hat, so muss das Nämliche an allen andern Stellen der Fall sein, was wir ausdrücken können durch:

$$d\,T' = 0.$$

wenn das Zeichen d den Uebergang von einem Punkt des Körpers auf einen unendlich benachbarten bezeichnet.

Ferner ist eine nothwendige Bedingung des Gleichgewichts die, dass ein jedes Körperelement, sowohl im Innern als auch an der Oberfläche, wenn es als starr gedacht wird, durch die an seinen Seitenflächen angreifenden Kräfte im Gleichgewicht gehalten wird. Bezeichnen wir, wie es in der Elasticitätslehre gebräuchlich ist, die Componenten der auf ein der YZ Ebene paralleles Flächenelement dω wirkenden elastischen Kraft mit $X_x\,d\omega$, $Y_x\,d\omega$ und $Z_x\,d\omega$, und definiren analog die Grössen X_y, Y_y, Z_y und X_z, Y_z, Z_z so haben wir für ein Körperelement im Innern die bekannten Gleichgewichtsbedingungen:

$$\left.\begin{aligned} \frac{\partial X_x}{\partial x} + \frac{\partial X_y}{\partial y} + \frac{\partial X_z}{\partial z} = 0 \\ \frac{\partial Y_x}{\partial x} + \frac{\partial Y_y}{\partial y} + \frac{\partial Y_z}{\partial z} = 0 \\ \frac{\partial Z_x}{\partial x} + \frac{\partial Z_y}{\partial y} + \frac{\partial Z_z}{\partial z} = 0 \end{aligned}\right\} \quad (1)$$

wobei

$$X_y = Y_x \qquad Y_z = Z_y \qquad Z_x = X_z \qquad (2)$$

Hiebei sind die Componenten der elastischen Kräfte zu betrachten als Funktionen von x, y, z allein; denn wenn der Zustand des Körpers vollkommen gegeben ist, wie wir es hier annehmen, so kennt man für jeden Punkt x, y, z auch die elastischen Kräfte, welche auf die einzelnen durch diesen Punkt gelegten Flächenelemente wirken.

Für die Punkte an der Oberfläche gelten bekanntlich folgende Bedingungen:

$$\left.\begin{aligned} \Xi + \alpha X_x + \beta X_y + \gamma X_z &= 0 \\ H + \alpha Y_x + \beta Y_y + \gamma Y_z &= 0 \\ Z + \alpha Z_x + \beta Z_y + \gamma Z_z &= 0 \end{aligned}\right\} \quad (3)$$

Hiebei sind die Componenten der auf ein Element $d\sigma$ der Oberfläche von Aussen wirkenden Kraft mit $\Xi\, d\sigma$, $H\, d\sigma$, $Z\, d\sigma$, ferner die Richtungscosinusse der äusseren Normalen mit α, β, γ bezeichnet. Dann haben die Druckcomponenten der inneren elastischen Kräfte: X_x, Y_y, Z_z positive Werthe, wenn von Aussen ein Druck auf den Körper ausgeübt wird, negative, wenn ein Zug ausgeübt wird.

Während bis hieher die für die elastischen Kräfte aufgestellten Gleichungen sich durch Nichts von denen unterscheiden, wie sie in der Elasticitätstheorie entwickelt werden, wenn die Temperatur bei allen Zustandsänderungen als constant angesehen wird, lässt sich bald ein ganz wesentlicher Unterschied zwischen jenen und diesen Ausdrücken wahrnehmen.

Denken wir uns nämlich, dass der Körper aus dem soeben betrachteten Gleichgewichtszustand in irgend einen unendlich benachbarten Gleichgewichtszustand übergeht und berechnen wir die dabei von den elastischen Kräften geleistete Elementararbeit. Der letztere Gleichgewichtszustand ist vollständig bestimmt durch die Aenderung der Temperatur: $\delta T'$ und die Verschiebungen $\delta\xi$, $\delta\eta$, $\delta\zeta$ in den Richtungen der 3 Coordinatenaxen, die ein Punkt erleidet, der vorher die Coordinaten $x_0 + \xi$, $y_0 + \eta$, $z_0 + \zeta$ besass.

Da sowohl am Anfang als auch am Ende der unendlich

kleinen Zustandsänderung jedes Körperelement im Innern unter der Wirkung der elastischen Kräfte im Gleichgewicht steht, so ist die Arbeit der elastischen Kräfte im Innern des Körpers = 0, und es beschränkt sich daher die Gesammtarbeit der elastischen Kräfte auf die der elastischen Kräfte an der Oberfläche; denn diese halten nicht an und für sich allein die Körperelemente im Gleichgewicht.

Die Componenten der auf ein Körperelement an der Oberfläche wirkenden elatischen Kräfte sind, wenn $d\sigma$ die Fläche des dazugehörenden Oberflächenelementes bezeichnet, gemäss den Gleichungen (3)

$$\begin{gathered}(\alpha X_x + \beta X_y + \gamma X_z)\, d\sigma \\ (\alpha Y_x + \beta Y_y + \gamma Y_z)\, d\sigma \\ (\alpha Z_x + \beta Z_y + \gamma Z_z)\, d\sigma\end{gathered}$$

Multiplicirt man diese 3 Ausdrücke mit den entsprechenden Verschiebungen $\delta\xi$, $\delta\eta$, $\delta\zeta$ des Körperelements längs den 3 Coordinatenaxen, so erhält man durch Addition der 3 Produkte, und durch Integration über die ganze Oberfläche, endlich durch Wechsel des Vorzeichens, die Arbeit der elastischen Kräfte an der Oberfläche:

$$\delta\Phi = -\int d\sigma \left\{ \begin{array}{l} \quad (\alpha X_x + \beta X_y + \gamma X_z)\,\delta\xi \\ + (\alpha Y_x + \beta Y_y + \gamma Y_z)\,\delta\eta \\ + (\alpha Z_x + \beta Z_y + \gamma Z_z)\,\delta\zeta \end{array} \right\} \quad (4)$$

Was den vorgenommenen Wechsel des Vorzeichens betrifft, so ist dieser dadurch geboten, dass bekanntlich die Grösse der Arbeit in der mechanischen Wärmetheorie im entgegengesetzten Sinne gerechnet wird,. als in der Mechanik. Denn wenn ein Punkt sich unter dem Einfluss und in der Richtung einer Kraft bewegt, so wird in der Mechanik die Arbeit durch das positive Produkt von Kraft und Weg dargestellt, in der mechanischen Wärmetheorie dagegen durch das negative Produkt von Kraft und Weg, weil (nach der gebräuchlichen Ausdrucksweise) durch den eben bezeichneten Vorgang keine Arbeit geleistet, sondern Arbeit verbraucht wird.

Der Ausdruck (4), welcher nun nach dem Obigen die Gesammtarbeit der elastischen Kräfte des Körpers bei einer unendlich kleinen Zustandsänderung darstellt, lässt sich auf bekannte Weise aus einem Oberflächenintegral in ein körperliches Integral verwandeln, indem man beispielsweise für ein Glied dieses Ausdrucks hat:

$$\begin{aligned} &-\int d\sigma \, . \, (\alpha X_x \, \delta \, \xi) \\ &= -\iiint dx\,dy\,dz \, . \left(\frac{\partial X_x}{\partial x} \delta \xi + X_x \, . \, \delta \frac{\partial \xi}{\partial x} \right) \end{aligned} \tag{5}$$

Addirt man nun die 9 Glieder des Ausdrucks (4), wenn man sie alle nach (5) umgeformt hat, so vereinfacht sich diese Summe, indem alle mit $\delta\xi$, $\delta\eta$, $\delta\zeta$ multiplicirten Glieder nach den Gleichungen (1) sich aufheben, unter Berücksichtigung der Gleichungen (2) zu:

$$\delta \Phi = -\iiint dx\,dy\,dz \, . \left\{ \begin{aligned} & X_x \, . \, \delta \frac{\partial \xi}{\partial x} + X_y \, . \, \delta \left(\frac{\partial \xi}{\partial y} + \frac{\partial \eta}{\partial x} \right) \\ & + Y_y \, . \, \delta \frac{\partial \eta}{\partial y} + Y_z \, . \, \delta \left(\frac{\partial \eta}{\partial z} + \frac{\partial \zeta}{\partial y} \right) \\ & + Z_z \, . \, \delta \frac{\partial \zeta}{\partial z} + Z_x \, . \, \delta \left(\frac{\partial \zeta}{\partial x} + \frac{\partial \xi}{\partial z} \right) \end{aligned} \right\}$$

Setzen wir endlich, wie gebräuchlich:

$$x_x = \frac{\partial \xi}{\partial x} \qquad y_y = \frac{\partial \eta}{\partial y} \qquad z_z = \frac{\partial \zeta}{\partial z}$$

und:

$$x_y = y_x = \frac{\partial \xi}{\partial y} + \frac{\partial \eta}{\partial x} \qquad y_z = z_y = \frac{\partial \eta}{\partial z} + \frac{\partial \zeta}{\partial y}$$

$$z_x = x_z = \frac{\partial \zeta}{\partial x} + \frac{\partial \xi}{\partial z}$$

und führen statt des Volumenelementes $dx\,dy\,dz$ das Massenelement dM ein, so dass:

$$dx\,dy\,dz = dM \, . \, v'$$

wobei v' das Volumen der Masseneinheit bezeichnet, als Funktion von x, y, z gedacht, so haben wir als Gesammtarbeit der elastischen Kräfte:

$$\delta\,\Phi = -\int d\,M\,.\,v'\,.\,\left\{\begin{array}{l} \quad X_x\,\delta x_x + X_y\,\delta x_y \\ + Y_y\,\delta y_y + Y_z\,\delta y_z \\ + Z_z\,\delta z_z + Z_x\,\delta z_x \end{array}\right\} \qquad (6)$$

Wiewohl dieser Ausdruck äusserlich demjenigen gleicht, welcher in der Elasticitätstheorie die Arbeit der elastischen Kräfte darstellt, so unterscheidet er sich doch in dem wesentlichen Punkte von jenem, dass er nicht die vollständige Variation einer bestimmten Funktion Φ repräsentirt. Denn wenn man sich in ihm die Componenten der elastischen Kräfte als Funktionen der Grössen x_x, x_y . . . denkt, so hängen dieselben doch keinesfalls von diesen Grössen allein, sondern jedenfalls auch von der Temperatur ab; da nun aber die Variation der Temperatur: $\delta T'$ in dem Ausdruck gar nicht vorkommt, so kann derselbe nicht die vollständige Variation einer Funktion sein. Mit anderen Worten:

Die elastischen Kräfte, als abhängig von der Temperatur betrachtet, haben kein Potential. — Die Bedeutung dieser Thatsache wird sich unten auch noch in anderem Lichte zeigen.

Wenn demnach durch den Verlust des Potentials gewissermassen eine Einbusse an Anhaltspunkten für die Theorie erlitten wird, so gleicht sich derselbe doch vollkommen wieder aus und erscheint sogar als wesentlich geboten, sobald man die beiden Hauptsätze der mechanischen Wärmetheorie auf den vorliegenden Fall anwendet.

Anwendung des ersten Hauptsatzes.

Gehen wir von dem Gleichgewichtszustand aus, der durch die Temperatur T' und durch die Verschiebungen ξ, η, ζ charakterisirt ist, und denken uns denselben dadurch unendlich wenig verändert, dass eine unendlich kleine Wärmemenge δQ (nach mechanischem Maass gemessen) von Aussen dem Körper zugeführt wird, während zugleich irgendwelche Kräfte auf seine Oberfläche wirken. Hiedurch werde ein zweiter Gleichgewichtszustand erreicht, dem die Temperaturänderung $\delta T'$ und die Verschiebungsänderungen $\delta\xi$, $\delta\eta$, $\delta\zeta$ entsprechen.

Dann ist nach dem ersten Hauptsatze die von Aussen zugeführte Wärme δQ dazu verwandt worden, 1) um die Energie U des Körpers (Wärme + innere Arbeit) zu vergrössern, 2) um äussere Arbeit zu leisten, so dass wir haben, wenn wir die letztere mit δW bezeichnen:

$$\delta Q = \delta U + \delta W \tag{7}$$

In dieser Gleichung ist δU die vollständige Variation einer bestimmten Funktion derjenigen Grössen, welche den Zustand des Körpers bestimmen, während δW und δQ diese Eigenschaft im Allgemeinen nicht besitzen.

Wir wollen nun den Ausdruck für U abzuleiten suchen. Dies lässt sich unmittelbar bewerkstelligen unter einer Voraussetzung, welche auch in der Elasticitätstheorie gemacht wird, nämlich der, dass der Werth von U für den Anfangszustand, wie wir ihn am Eingang dieses Abschnitts definirt haben, bekannt ist, und dass die Verschiebungen ξ, η, ζ, welche den betrachteten Gleichgewichtszustand bestimmen, für alle Punkte sehr klein sind, den Dimensionen des Körpers gegenüber. In gleicher Weise setzen wir voraus, dass die Temperatur T' sich nur sehr wenig von der Anfangstemperatur T unterscheide, so dass, wenn wir setzen:

$$T' = T + \tau \tag{8}$$

die Grösse τ sehr klein ist.

Wenn wir nun die Variabeln zusammenstellen, von denen die Energie U abhängig ist, so sind es 1) die Temperaturänderung τ, 2) die Verschiebungen ξ, η, ζ, als Functionen von x, y, z gedacht, denn diese bestimmen den Zustand des Körpers vollständig. Ausserdem werden natürlich noch gewisse constante Grössen in den Ausdruck von U eingehen, die von dem gewählten Anfangszustand abhängen.

Bilden wir zunächst den Ausdruck für die Energie dU eines Massenelementes dM, so wird dieselbe einmal dM proportional sein, und ausserdem von τ abhängen und den Werthen, welche die Grössen ξ, η, ζ für die verschiedenen Punkte dieses Elements haben.

Da wir aber, wie es auch in der Elasticitäts-Theorie

geschieht, annehmen, dass die Wirkungen der elastischen Kräfte im Innern des Körpers sich immer nur auf unendlich benachbarte Punkte erstrecken, so ergibt sich daraus, dass von den Grössen ξ, η, ζ höchstens die ersten Differenzialquotienten nach x, y, z in Betracht kommen, weil die mit höheren Abgeleiteten multiplicirten Glieder gegen die ersteren verschwindend klein sind.

Ferner kann d U auch nicht von den absoluten Grössen der Verschiebungen ξ, η, ζ des Elementes abhängen; denn wenn das Element in allen seinen Punkten ganz gleichmässig im Raume verschoben wird, so verändert sich dadurch seine Energie nicht.

Also bleiben als bestimmende Grössen des Werthes der Energie für ein Massenelement nur übrig: τ und die 9 ersten Abgeleiteten von ξ, η, ζ nach x, y, z.

Es ändert sich aber die Energie auch nicht, wenn der Körper, ohne eine Deformation zu erleiden, bei constanter Temperatur sich um irgend eine geradlinige Axe dreht. Daraus folgt, wie es aus der Elasticitätstheorie bekannt ist, dass die neun Differentialquotienten von ξ, η, ζ nur in folgenden 6 Formen auftreten:

$$\frac{\partial \xi}{\partial x} \qquad \frac{\partial \eta}{\partial y} \qquad \frac{\partial \zeta}{\partial z}$$

$$\frac{\partial \xi}{\partial y}+\frac{\partial \eta}{\partial x} \qquad \frac{\partial \eta}{\partial z}+\frac{\partial \zeta}{\partial y} \qquad \frac{\partial \zeta}{\partial x}+\frac{\partial \xi}{\partial z}$$

deren Bezeichnung mit x_x, y_y . . . . . . wir schon oben eingeführt haben.

Es wird daher bei einer unendlich kleinen Zustandsänderung die Energie d U des Elements d M sich um eine Grösse δ d U ändern, welche aus 7 Gliedern besteht, deren jedes mit einer der 7 Variationen $\delta\tau$, δx_x, δy_y, ... multiplicirt ist.

Die Coeffizienten dieser Variationen sind natürlich im Allgemeinen selbst wieder Funktionen der 7 Grösen τ, x_x, x_y . . . . Da diese aber der Voraussetzung nach sehr klein sind, so sind es lineäre Funktionen dieser 7 Variabeln, und mithin ist d U eine quadratische Funktion derselben, deren Ausdruck wir nun aufstellen wollen.

Derselbe enthält zunächst ein constantes Glied, welches lediglich von dem gewählten Anfangszustande abhängt, dann Glieder, welche lineär, endlich solche, die quadratisch von den Variabeln abhängen.

Es ist klar, dass, da der Körper isotrop ist, die Funktion symmetrisch zusammengesetzt sein muss in Bezug auf diejenigen Variabeln, deren Bedeutung sich nur durch die Wahl der Coordinaten-Axen unterscheidet, also in Bezug auf x_x, y_y, z_z einerseits, und in Bezug auf x_y, y_z, z_x andrerseits. In Folge dessen reduciren sich die lineären Glieder auf zwei, deren eines τ, und deren anderes $(x_x + y_y + z_z)$ zum Faktor hat; denn das mit $(x_y + y_z + z_x)$ multiplicirte Glied, das allein noch möglich wäre, muss verschwinden. Vertauscht man nämlich die positive Richtung der X-Axe mit der negativen, so ändert sich x_y in $-x_y$, z_x in $-z_x$, während y_z seinen Werth behält. Da nun aber hiedurch an dem Werthe der Energie nichts geändert wird, so muss der Coeffizient von $(x_y + z_x)$, mithin auch der von $(x_y + y_z + z_x)$ den Werth 0 haben.

Die quadratischen Glieder endlich reduciren sich auf 5, nämlich

1. ein Glied mit τ^2,
2. ein Glied mit $\tau\,(x_x + y_y + z_z)$,
3. ein Glied mit $(x_x + y_y + z_z)^2$,
4. ein Glied mit $(x_x^2 + y_y^2 + z_z^2)$,
5. ein Glied mit $(x_y^2 + y_z^2 + z_x^2)$.

Der Coefficient des letzten Gliedes ist die Hälfte des Coefficienten des vorletzten. — Die Betrachtungen, auf welchen diese Reduktion und die letztangeführte Bedingung beruht, gründen sich auf die Bedingung, dass der Körper isotrop ist, und werden ganz in derselben Weise in der Elasticitäts-Theorie bei der Bestimmung des Potentials der elastischen

Kräfte angestellt, so dass wir hier nicht näher darauf einzugehen brauchen.

Wir bekommen somit schliesslich für die Energie d U des Massenelementes d M, wenn wir noch zur Abkürzung die Dilatation der Volumeneinheit einführen:

$$\Theta = x_x + y_y + z_z$$

folgenden Ausdruck:

$$d\,U = d\,M \,.\left\{\begin{array}{l} \text{const.} + k\,.\,\tau + l\,.\,\Theta \\ + \dfrac{m}{2}\,.\,\tau^2 + p\,.\,\tau\,\Theta + \dfrac{q}{2}\,.\,\Theta^2 \\ + r\,.\,(x_x^2 + y_y^2 + z_z^2) + \dfrac{r}{2}\,.\,(x_y^2 + y_z^2 + z_x^2) \end{array}\right\} \quad (9)$$

Bezeichnen wir den mit d M multiplicirten Ausdruck kurz mit u (spezifische Energie), so ergibt sich für die Energie des ganzen Körpers:

$$U = \int d\,M\,.\,u \quad (10)$$

Hiebei sind die 6 Constanten k, l, m, p, q, r durch den Anfangszustand des Körpes bedingt und daher ganz unabhängig von der Lage des Massenelementes d M, so dass sie, eben so wie τ, vor das Integralzeichen gesetzt werden können.

Nun sind wir auch im Stande, den in der Gleichung (7) vorkommenden Ausdruck δ U als Funktion der Bestimmungsstücke des Zustandes darzustellen. Man hat nämlich aus (10):

$$\delta\,U = \int d\,M\,.\,\delta\,u$$

oder:

$$\delta\,U = \int d\,M\,.\left\{\begin{array}{l} \dfrac{\partial u}{\partial \tau}\,\delta\,\tau + \dfrac{\partial u}{\partial x_x}\,\delta\,x_x + \dfrac{\partial u}{\partial y_y}\,\delta\,y_y + \dfrac{\partial u}{\partial z_z}\,\delta\,z_z \\ \qquad + \dfrac{\partial u}{\partial x_y}\,\delta\,x_y + \dfrac{\partial u}{\partial y_z}\,\delta\,y_z + \dfrac{\partial u}{\partial z_x}\,\delta\,z_x \end{array}\right\} \quad (11)$$

Hiebei ist, wie man aus (9) ersieht:

$$\left.\begin{aligned}
\frac{\partial u}{\partial \tau} &= k + m\tau + p \cdot \Theta \\
\frac{\partial u}{\partial x_x} &= l + p\tau + q \cdot \Theta + 2 r x_x \\
\frac{\partial u}{\partial y_y} &= l + p \cdot \tau + q \cdot \Theta + 2 r y_y \\
\frac{\partial u}{\partial z_z} &= l + p\tau + q \cdot \Theta + 2 r z_z \\
\frac{\partial u}{\partial x_y} &= r \cdot x_y \\
\frac{\partial u}{\partial y_z} &= r \cdot y_z \\
\frac{\partial u}{\partial z_x} &= r \cdot z_x
\end{aligned}\right\} \quad (12)$$

Um von dem Werthe der Energie U direkt auf die Grösse der elastischen Kräfte selber zu schliessen, bietet der erste Hauptsatz der mechanischen Wärmetheorie keine Anhaltspunkte dar. Hiezu bedarf es vielmehr des zweiten Hauptsatzes, dessen Anwendung im Folgenden vorbereitet werden soll.

Das zweite Glied auf der rechten Seite der Gleichung (7), welches die geleistete äussere Arbeit δW darstellt, kann, im Gegensatze zu dem ersten Gliede δU, je nach den äusseren Umständen, unter denen die unendlich kleine Zustandsänderung vor sich geht, sehr verschiedene Werthe haben. Wir wollen aber nun δW für den besonderen Fall berechnen, dass die geleistete äussere Arbeit in der Ueberwindung derjenigen äusseren Kräfte besteht, welche den Körper gerade im Gleichgewicht halten. Dazu lässt sich mit Vortheil das Princip der virtuellen Geschwindigkeiten anwenden: da nämlich in diesem Falle die wirkenden äusseren Kräfte mit den elastischen Kräften zusammen das System im Gleichgewicht halten, so ist bei einer unendlich kleinen Zustands-Aenderung die von allen wirkenden Kräften geleistete Gesammtarbeit $= 0$, d. h.

$$\delta W + \delta \Phi = 0$$

wobei $\delta \Phi$, die Arbeit der elastischen Kräfte, durch die Gleichung (6) gegeben ist. Folglich:

$$\delta W = - \delta \Phi.$$

Substituirt man diesen Werth von δW in Gleichung (7), so ergibt sich:

$$\delta Q = \delta U - \delta \Phi \tag{13}$$

In dieser Gleichung ist δQ durch zwei Grössen ausgedrückt, welche durch den Zustand des Körpers und die unendlich kleine Zustandsänderung vollkommen bestimmt sind. Da aber, wie wir oben gesehen haben, $\delta \Phi$ nicht wie δU die Eigenschaft besitzt, die vollständige Variation einer bestimmten Funktion zu sein, so stellt auch δQ nicht eine solche Variation vor, d. h. die Gleichung ist in dieser Form nicht allgemein integrabel und kann es auch nach den Principien der mechanischen Wärmetheorie nicht sein. Denn die Wärmemenge, die einem Körper von Aussen zugeführt werden muss, damit er von irgend einem Zustand in einen endlich davon verschiedenen gelange, hängt bekanntlich nicht nur von den beiden Zuständen, sondern auch von dem Wege ab, auf welchem er aus dem einen in den anderen Zustand gebracht wird. Man erkennt daraus den Umstand, dass $\delta \Phi$ nicht die vollständige Variation einer Funktion ist, als eine nothwendige Consequenz der Theorie. Der zweite Hauptsatz lehrt nun den Faktor kennen, mit dem die Gleichung (13) multiplicirt werden muss, um allgemein integrabel zu sein, und zwar ist das bekanntlich der reciproke Werth der absoluten Temperatur.

Anwendung des zweiten Hauptsatzes.

Der in dieser Form zuerst von Clausius angegebene Satz lautet bekanntlich: Wenn ein Körper einen umkehrbaren Kreisprozess durchmacht, indem er theils Wärme von Aussen empfängt oder nach Aussen abgibt, theils durch äussere Kräfte deformirt wird, so gilt die Gleichung:

$$\int \frac{\delta Q}{T'} = 0.$$

wobei δQ ein mitgetheiltes Wärmeelement, T' die Temperatur desselben bezeichnet, und das Integral über den ganzen Kreisprozess zu erstrecken ist. Da dieser aber umkehrbar ist, so hat der Körper in jedem Augenblicke die nämliche Temperatur, wie die gerade von Aussen aufgenommene Wärmemenge, folglich bezeichnet T' zugleich auch die Temperatur des Körpers bei der Aufnahme der Wärme δQ. Für δQ gilt aber die Gleichung (13), weil wegen der Umkehrbarkeit des Prozesses die äussere Arbeit in der Ueberwindung derjenigen äusseren Kräfte besteht, welche den Körper gerade im Gleichgewicht halten. Daher haben wir:

$$\int \frac{\delta U - \delta \Phi}{T'} = 0.$$

Diese Gleichung ist nur aus Bestimmungsstücken des Zustandes des Körpers zusammengesetzt und gilt immer, wenn die beiden Grenzen des Integrals dem nämlichen Zustand entsprechen, d. h. identisch sind. Daraus folgt direkt, dass, wenn die Grenzen verschieden sind, das Integral einen ganz bestimmten Werth hat, der nur von den Grenzen, nicht aber von dem Wege abhängt, über den integrirt wird, d. h. $\frac{\delta U - \delta \Phi}{T'}$ ist die vollständige Variation einer bestimmten Funktion, der Entropie. Bezeichnen wir diese mit S, so ergibt sich demnach:

$$\delta S = \frac{\delta U - \delta \Phi}{T'} \tag{14}$$

Da wir die Ausdrücke für δU und $\delta \Phi$ bereits abgeleitet haben, so sind wir unmittelbar im Stande, die Bedingungen anzugeben, welche diese Gleichung den beiden Funktionen vorschreibt.

Wir wollen zunächst die Form des Ausdrucks aufstellen, den S haben muss. Bilden wir nämlich zuerst die Entropie dS des Massenelementes dM, so können wir ganz dieselben Betrachtungen zu Grunde legen, wie oben bei der Aufsuchung des Werthes von dU. Denn dort wurden keine weiteren Voraussetzungen gemacht, als dass der Körper isotrop ist, und dass die Temperatur-Aenderung τ und die Verschiebungen ξ, η, ζ, die vom Anfangszustand aus gerechnet werden, sehr klein sind. Wir können deshalb auch hier ganz analog der Gleichung (9) schreiben:

$$dS = dM.\left\{\begin{array}{l} \text{const.} + k'.\tau + l'.\Theta \\ + \frac{m'}{2}.\tau^2 + p'.\tau\Theta + \frac{q'}{2}.\Theta^2 \\ + r'.(x_x^2 + y_y^2 + z_z^2) + \frac{r'}{2}(x_y^2 + y_z^2 + z_x^2) \end{array}\right\} \quad (15)$$

Die Constanten k', l', m', p', q', r' sind durch den Anfangszustand bedingt und haben daher für alle Punkte des Körpers dieselben Werthe.

Führen wir für den mit dM multiplicirten Ausdruck die Bezeichnung s (spezifische Entropie) ein, so ergibt sich als Entropie des Körpers:

$$S = \int dM \,.\, s$$

und hieraus folgt die Variation der Entropie bei einer unendlich kleinen Zustandsänderung:

$$\delta S = \int dM \,.\, \delta s$$

$$= \int dM.\left\{\begin{array}{l} \frac{\partial s}{\partial \tau}\delta\tau + \frac{\partial s}{\partial x_x}\delta x_x + \frac{\partial s}{\partial y_y}\delta y_y + \frac{\partial s}{\partial z_z}\delta z_z \\ \quad + \frac{\partial s}{\partial x_y}\delta x_y + \frac{\partial s}{\partial y_z}\delta y_z + \frac{\partial s}{\partial z_x}\delta z_x \end{array}\right\} \quad (16)$$

wobei die Werthe der Abgeleiteten von s sich direkt aus der rechten Seite der Gleichung (15) ergeben und sich von den Abgeleiteten von U, siehe (12), nur durch die (accentuirten) Constanten unterscheiden.

Berücksichtigen wir nun die aus (14) folgende Gleichung:

$$\delta U - \delta \Phi = T' \,.\, \delta S$$

und denken uns für δU, $\delta \Phi$ und δS aus (11), (6) und (16) ihre Werthe substituirt, so besteht jede Seite der Gleichung aus einem über alle Massenelemente des Körpers zu erstreckendem Integral, da auf der rechten Seite T' hinter das Integralzeichen gestellt werden darf. Weil nun aber die Zustandsänderung eine ganz willkührliche ist, und die Verschiebungen der einzelnen Massenelemente nicht von einander abhängen, so gilt die Gleichung auch für jedes Massenelement einzeln genommen. Wir erhalten daher mit Weglassung des Integralzeichens und des gemeinsamen Faktors d M folgende Relation:

$$\frac{\partial u}{\partial \tau}\delta\tau + \frac{\partial u}{\partial x_x}\delta x_x + \frac{\partial u}{\partial y_y}\delta y_y + \frac{\partial u}{\partial z_z}\delta z_z$$

$$+ \frac{\partial u}{\partial x_y}\delta x_y + \frac{\partial u}{\partial y_z}\delta y_z + \frac{\partial u}{\partial z_x}\delta z_x$$

$$+ v' X_x \delta x_x + v' Y_y \delta y_y + v' . Z_z \delta z_z$$

$$+ v' X_y \delta x_y + v' Y_z \delta y_z + v' . Z_x \delta z_x$$

$$= T' \frac{\partial s}{\partial \tau}\delta\tau + T' . \frac{\partial s}{\partial x_x}\delta x_x + T' . \frac{\partial s}{\partial y_y}\delta y_y + T' . \frac{\partial s}{\partial z_x}\delta z_z$$

$$+ T' . \frac{\partial s}{\partial x_y}\delta x_y + T' . \frac{\partial s}{\partial y_z}\delta y_z + T' . \frac{\partial s}{\partial z_x}\delta z_x$$

Da die einzelnen Variationen unabhängig von einander sind, so ergeben sich hieraus folgende 7 Gleichungen:

$$\frac{\partial u}{\partial \tau} = T' . \frac{\partial s}{\partial \tau} \tag{17}$$

$$\frac{\partial u}{\partial x_x} + v' . X_x = T' . \frac{\partial s}{\partial x_x} \tag{18}$$

$$\frac{\partial u}{\partial y_y} + v' . Y_y = T' . \frac{\partial s}{\partial y_y} \tag{19}$$

$$\frac{\partial u}{\partial z_z} + v' . Z_z = T' . \frac{\partial s}{\partial z_z} \tag{20}$$

$$\frac{\partial u}{\partial x_y} + v' . X_y = T' . \frac{\partial s}{\partial x_y} \tag{21}$$

$$\frac{\partial u}{\partial y_z} + v' . Y_z = T' . \frac{\partial s}{\partial y_z} \tag{22}$$

$$\frac{\partial u}{\partial z_x} + v' . Z_x = T' . \frac{\partial s}{\partial z_x} \tag{23}$$

Nun substituiren wir in diese Gleichungen die Werthe der Abgeleiteten von u und s, wie sie sich aus den Gleichungen (12) direkt für u, und, mit Accentuirung der Constanten, gemäss (15), auch für s ergeben, ersetzen ferner T' nach Gleichung (8) durch $T + \tau$, und endlich v', das Volumen der Masseneinheit, durch $v.(1 + \Theta)$, indem v das spezifische Volumen im Anfangszustand bezeichnet. Dann verwandelt sich die Gleichung (17) mit Vernachlässigung der kleinen Grössen 2. Ordnung in:

$$k + m\tau + p\Theta = Tk' + Tm'\tau + Tp'\Theta + k'\tau$$

Da aber τ und Θ unabhängig von einander sind, so ergibt sich:

$$k = Tk' \qquad (24)$$

$$m = Tm' + k' \qquad (25)$$

$$p = Tp' \qquad (26)$$

Aus Gleichung (18) folgt ferner, mit Vernachlässigung der Grössen 2. Ordnung:

$$1 + p\tau + q\Theta + 2rx_x + v.(1 + \Theta).X_x$$
$$= Tl' + Tp'\tau + Tq'\Theta + 2Tr'x_x + l'\tau$$

Daraus, mit Rücksicht auf (26)

$$X_x = \frac{Tl' - 1}{v} + \frac{l'}{v}.\tau - \frac{(q-l)-T(q'-l')}{v}.\Theta - \frac{2(r-Tr')}{v}.x_x \qquad (27)$$

Analog aus (19) und (20) die Werthe von Y_y und Z_z. Endlich folgt aus (21):

$$rx_y + v.(1 + \Theta)X_y = Tr'x_y$$

Daraus:

$$X_Y = -\frac{r - Tr'}{v}\cdot x_y \qquad (28)$$

Analog aus (22) und (23) die Werthe von Y_z und Z_x.

Wir wollen die in diesen Ausdrücken vorkommenden Constanten ersetzen durch andere, welche theils Vereinfachungen bewirken, theils der experimentellen Bestimmung direkt zugänglich sind. Wenn τ und alle Verschiebungen = o gesetzt werden, so erhalten wir die dem Anfangszustand entsprechenden Gleichungen, nämlich nach (27)

$$X_x = \frac{Tl' - 1}{v} = Y_Y = Z_z \qquad (29)$$

und nach (28)

$$X_y = 0 = Y_z = Z_x$$

Also reduciren sich im Anfangszustand die elastischen Kräfte auf einen, überall gleichen, senkrecht auf jedes Flächenelement wirkenden Druck. Bezeichnen wir diesen mit P, so ergibt sich:

$$P = \frac{T\,l' - l}{v} \tag{30}$$

Aus den Gleichgewichtsbedingungen (3) folgt, dass dieser Anfangsdruck numerisch gleich und entgegengesetzt ist dem äusseren Drucke. Dabei bedeutet, wie schon dort hervorgehoben wurde, ein positiver Werth von P einen Zustand, bei dem der Körper sich auszudehnen strebt, ein negativer Werth von P dagegen einen Zustand, bei dem die inneren elastischen Kräfte eine Zusammenziehung zu bewirken suchen. Der Sinn, in welchem hier die elastischen Kräfte gezählt werden, ist also entgegengesetzt dem in der Elasticitätstheorie gewöhnlich angenommenen.

Aendern wir nun den Zustand des Körpers, doch so, dass seine Temperatur constant bleibt, also $\tau = 0$ ist, so erhalten wir die Bedingungen, welche für die Elasticitätstheorie gelten. Wir wollen daher auch die dort gebräuchlichen Bezeichnungen hier beibehalten, indem wir in der Gleichung (27) die mit Θ und x_x multiplicirten Constanten resp. mit λ und $2\,\mu$ bezeichnen, so dass wir haben:

$$\lambda = \frac{(q - l) - T\,(q' - l')}{v}$$

$$\mu = \frac{r - Tr'}{v}$$

Dann wird aus (27) mit Rücksicht auf (30):

$$X_x = P + \frac{l'}{v} \cdot \tau - \lambda \cdot \Theta - 2\,\mu\,.\,x_x \tag{31}$$

und aus (28):

$$X_y = -\,\mu\,.\,x_y \tag{32}$$

Die negativen Vorzeichen der mit λ und μ multiplicirten Glieder sind bedingt durch den Sinn der elastischen Kräfte.

Endlich wollen wir noch den Wärme-Ausdehnungscoeffizienten des Körpers bei dem constanten Drucke P in die Rechnung einführen. Bezeichnen wir das Verhältniss der Aenderung des spezifischen Volumens zur Aenderung der Temperatur bei dem constanten Drucke P mit α, so können wir schreiben:

$$\alpha = \left(\frac{v' - v}{T' - T}\right)_P = v\left(\frac{\Theta}{\tau}\right)_P \tag{33}$$

Dabei ist der Quotient $\left(\frac{\Theta}{\tau}\right)_P$ der kubische Wärme-Ausdehnungscoeffizient. Es empfiehlt sich jedoch für später als bequemer, nicht diesen, sondern die mit α bezeichnete Grösse einzuführen.

Der Werth von $\left(\frac{\Theta}{\tau}\right)_P$ ergibt sich aus Gleichung (31), wenn man darin $X_x = P$ setzt. Also:

$$0 = \frac{l'}{v} \cdot \tau - \lambda \cdot \Theta - 2\mu \cdot x_x$$

Nun ist aber bei der Ausdehnung durch Erwärmung bei constantem Druck, da alle Theile des Körpers sich proportional ausdehnen, immer:

$$x_x = y_y = z_z \text{ folglich}$$

$$x_x = \frac{\Theta}{3}$$

mithin substitutione:

$$0 = \frac{l'}{v} \cdot \tau - \lambda\,\Theta - \frac{2}{3}\mu \cdot \Theta$$

Daher:

$$\left(\frac{\Theta}{\tau}\right)_P = \frac{3\,l'}{v\,.\,(3\,\lambda + 2\,\mu)}$$

Also aus (33):

$$\alpha = \frac{3\,l'}{3\,\lambda + 2\,\mu}$$

Folglich:

$$l' = \alpha \cdot \left(\lambda + \frac{2}{3}\mu\right) \tag{34}$$

Mittelst dieses Werthes von l' ergibt sich aus (30) der Werth von l:

$$l = \alpha \cdot \left(\lambda + \frac{2}{3}\mu\right) \cdot T - P\,v \qquad (35)$$

und aus (31) der Werth von X_x:

$$X_x = P + \frac{\alpha\,.\,(3\,\lambda + 2\,\mu)}{3\,v} \cdot \tau - \lambda\,\Theta - 2\,\mu\,x_x \qquad (36)$$

Analog Y_y und Z_z.

Wir wollen nun auch noch die Energie und die Entropie des Körpers mittelst der eingeführten Constanten berechnen: Für Erstere haben wir:

$$U = \int d\,M\,.\,u$$

Zählt man die Energie vom Anfangszustande ab, so erhält man aus (9) mit Vernachlässigung der kleinen Glieder 2. Ordnung für die spezifische Energie den Werth:

$$u = k\,.\,\tau + l\,.\,\Theta$$

Der Werth von l aus (35) eingesetzt ergibt:

$$u = k\,.\,\tau + \left\{\alpha\,.\,(\lambda + \frac{2}{3}\mu)\,T - P \cdot v\right\} \cdot \Theta \qquad (37)$$

Die Constante k lässt sich nicht aus der Beobachtung der elastischen Kräfte bestimmen, weil sie in ihren Gleichungen nicht vorkommt.

Analog erhält man für die spezifische Entropie, wenn man auch sie vom Anfangszustand ab zählt, aus (15):

$$s = k'\,\tau + l'\,\Theta$$

und wenn man für k' und l' aus (24) und (34) ihre Werthe substituirt:

$$s = \frac{k}{T}\,\tau + \alpha \cdot \left(\lambda + \frac{2}{3}\mu\right) \cdot \Theta \qquad (38)$$

Mittelst der Werthe von U und S lassen sich die spezifischen Wärmen des Körpers bei constantem Volumen und bei constantem Druck berechnen. Was die erstere Grösse betrifft, so ergibt sie sich unmittelbar, wenn man berücksichtigt, dass die Wärmezufuhr bei constantem Volumen dadurch bedingt ist, dass keine äussere Arbeit geleistet wird, also die ganze zugeführte Wärmemenge Q zur Vergrösserung der Energie beiträgt, d. h.

$$Q = U$$

Da ferner für diesen Fall $\Theta = o$, so reducirt sich die spezifische Energie nach (37) auf:

$$u = k \, . \, \tau$$

mithin ist die Energie:

$$U = k \, \tau \, M$$

Wir haben somit für die spezifische Wärme bei constantem Volumen, wenn wir das Verhältniss der der Masseneinheit zugeführten Wärmemenge zur Temperaturerhöhung berechnen:

$$\frac{Q}{M \, \tau} = k$$

Wir können also die Constante k geradezu definiren als die spezifische Wärme bei constantem Volumen. Sie ist, wie alle hier vorkommenden Constanten, im Allgemeinen von dem gewählten Anfangszustand abhängig.

Auf ähnlichem Wege findet man den Werth der spezifischen Wärme des Körpers bei dem constanten Druck P. Bezeichnet wieder Q die von Aussen zugeführte Wärme, so ergibt sich die gesuchte Grösse am bequemsten aus der Gleichung:

$$S = \frac{Q}{T}$$

welche hier deshalb gilt, weil die betrachtete Zustandsänderung als sehr klein vorausgesetzt wird, und weil die äussere Arbeit in der Ueberwindung derjenigen Kräfte besteht, welche den Körper gerade im Gleichgewicht halten. Wir haben daher:

$$Q = T \, . \, S = T \, . \int d \, M \, . \, s$$

oder mittelst (38)

$$Q = k \, \tau \, M + \alpha \cdot \left(\lambda + \frac{2}{3} \mu \right) \cdot T \cdot \int d \, M \quad \Theta$$

Der Werth von Θ ergibt sich aus (33): (Ausdehnung durch Erwärmung bei constantem Druck P).

$$\Theta = \frac{\alpha\,\tau}{v}$$

folglich subst.

$$Q = k\,\tau\,M + \frac{\alpha^2\,T}{v}\left(\lambda + \frac{2}{3}\mu\right)\cdot\tau\,M$$

Daraus endlich die spezifische Wärme c bei constantem Druck, d. h. das Verhältniss der der Masseneinheit zugeführten Wärme zur Temperaturerhöhung:

$$c = \frac{Q}{M\,\tau} = k + \frac{\alpha^2\,T}{v}\cdot\left(\lambda + \frac{2}{3}\mu\right)$$

Also die Differenz der beiden spezifischen Wärmen:

$$c - k = \frac{\alpha^2\,T}{v}\left(\lambda + \frac{2}{3}\mu\right) \qquad (39)$$

Wir wollen nun einige kurze Anwendungen der abgeleiteten Gleichungen machen.

1) Feste Körper.

Als Anfangszustand können wir den natürlichen Zustand des Körpers bei irgend einer mittleren Temperatur wählen; dann ist $P = o$ zu setzen, und die Ausdrücke für die elastischen Kräfte werden:

Aus (36):

$$X_x = \frac{\alpha}{v}\cdot\left(\lambda + \frac{2}{3}\mu\right)\cdot\tau - \lambda\,\Theta - 2\,\mu\,x_x \qquad (40)$$

Analog Y_y und Z_z.

Ferner aus (32):

$$X_y = -\mu\,x_y$$

Analog Y_z und Z_x

Es sollen nun die Gesetze der kubischen Compression und der Zugelasticität abgeleitet werden unter der Annahme, dass sich die Temperatur im Allgemeinen mitändert.

Für die **kubische Compression** erhalten wir, da alle Theile des Körpers proportional zusammengedrückt werden:

$$x_x = y_y = z_z = \frac{\Theta}{3}$$

$$x_y = y_z = z_x = 0$$

Daraus die entstehenden elastischen Kräfte nach (40):

$$X_x = \frac{\alpha}{v} \cdot \left(\lambda + \frac{2}{3}\mu\right) \cdot \tau - \lambda \cdot \Theta - \frac{2}{3}\mu \cdot \Theta$$

$$= \left(\lambda + \frac{2}{3}\mu\right) \cdot \left(\frac{\alpha\,\tau}{v} - \Theta\right) = Y_y = Z_z \quad (41)$$

z. B. finden wir für $\Theta = 0$ den Druck, den der Körper ausübt, wenn er bei constantem Volumen erwärmt wird:

$$X_x = \left(\lambda + \frac{2}{3}\mu\right) \cdot \frac{\alpha\,\tau}{v}$$

Für die **Zugelasticität** ferner hat man, wenn die X-Axe als die Richtung des Zuges angenommen wird, folgende Werthe:

$$x_x = a \qquad x_y = 0$$
$$y_y = -b \qquad y_z = 0$$
$$z_z = -b \qquad z_x = 0$$

wobei a die Dilatation der Längeneinheit, 2 b die Contraktion der Querschnittseinheit bezeichnet. Hieraus folgt:

$$\Theta = a - 2b$$

und aus (40) die Werthe der elastischen Kräfte:

$$X_x = \frac{\alpha}{v} \cdot \left(\lambda + \frac{2}{3}\mu\right) \cdot \tau - \left(\lambda + 2\mu\right) \cdot a + 2\lambda . b$$

$$Y_y = Z_z = \frac{\alpha}{v} \cdot \left(\lambda + \frac{2}{3}\mu\right)\tau - \lambda . a + 2(\lambda + \mu)\, b$$

Berücksichtigt man die Oberflächenbedingungen, so ergibt sich, dass diejenigen elastischen Kräfte, welche nicht in der Richtung des Zuges wirken, $= 0$ sind; daher:

$$\frac{\alpha}{v} \cdot \left(\lambda + \frac{2}{3}\mu\right)\tau - \lambda a + 2(\lambda + \mu)\, b = 0$$

Daraus:

$$2b = \frac{3\lambda v . a - (3\lambda + 2\mu)\,\alpha\,\tau}{3(\lambda + \mu) . v} \quad (42)$$

und folglich die elastische Spannung in der Richtung des Zuges:

$$X_x = -\frac{\mu \,.\, (3\lambda + 2\mu)}{\lambda + \mu} \cdot \left(a - \frac{\alpha \tau}{3 v}\right) \qquad (43)$$

Für a = o z. B. erhalten wir aus dieser Gleichung die Spannung, welche in der Längsrichtung eines Stabes entsteht, wenn man ihn erwärmt und dabei seine Längenausdehnung durch äusseren Druck verhindert, während man ihm jedoch die Ausdehnung des Querschnittes gestattet. Dann ist dieser Druck:

$$X_x = \frac{\mu (3\lambda + 2\mu)}{3(\lambda + \mu)} \cdot \frac{\alpha \tau}{v}$$

und die entsprechende Dilatation der Querschnittseinheit beträgt nach (42):

$$-2b = \frac{3\lambda + 2\mu}{3(\lambda + \mu)} \cdot \frac{\alpha \tau}{v}$$

Daraus die einfache Beziehung:

$$X_x = -2b \,.\, \mu$$

Ebenso könnte man etwa die Bedingung b = o oder Θ = o einführen.

Wird der Körper einer Zustandsänderung unterworfen, ohne dass ihm Wärme von Aussen mitgetheilt oder entzogen wird, so ändert sich im Allgemeinen seine Temperatur. Die für diesen Fall geltende Bedingung erhält man dadurch, dass man die Entropie-Aenderung, welche ja der von Aussen zugeführten Wärme proportional ist, = o setzt. Also:

$$S = \int dM \,.\, s = o$$

oder nach (38):

$$\frac{k}{T} \tau \,.\, M + \alpha \,.\left(\lambda + \frac{2}{3}\mu\right) \cdot \int \Theta \, dM = o$$

Ist Θ für alle Punkte des Körpers gleichwerthig, so vereinfacht sich die Gleichung zu:

$$\frac{k}{T} \cdot \tau + \alpha \left(\lambda + \frac{2}{3}\mu\right) \Theta = o. \qquad (44)$$

Betrachten wir z. B. den Fall der kubischen Compression unter der Voraussetzung, dass keine Wärme nach Aussen abgegeben wird, und suchen die durch die Compression eintretende Temperaturerhöhung, so gelten die Gleichungen (41) und (44).

Aus ihnen ergibt sich, wenn man zur Vereinfachung mittelst (39) auch die spezifische Wärme c bei constantem Druck einführt, die Temperaturerhöhung:

$$\tau = \frac{\alpha T}{c} \cdot X_x$$

ferner die Compression der Volumeneinheit:

$$\Theta = -\frac{k}{c} \cdot \frac{3}{3\lambda + 2\mu} \cdot X_x$$

Analog ergeben sich die für die Zugelasticität geltenden Gesetze, wenn keine Wärme von Aussen zugeführt wird. Für diesen Fall gelten die Gleichungen (42), (43) und (44), aus denen man mit Benutzung der Gleichung (39) die Temperaturänderung erhält:

$$\tau = \frac{\alpha T}{3c} \cdot X_x$$

wobei X_x im Falle des Zuges negativ ist.

Ferner die Längendilatation:

$$a = -\frac{1}{3}\left(\frac{1}{\mu} + \frac{k}{c} \cdot \frac{1}{3\lambda + 2\mu}\right) X_x$$

Die Querkontraktion:

$$2b = -\frac{1}{3} \cdot \left(\frac{1}{\mu} - \frac{k}{c} \cdot \frac{2}{3\lambda + 2\mu}\right) X_x$$

Durch Subtraktion der beiden letzten Gleichungen ergibt sich die Volumendilatation:

$$\Theta = a - 2b = -\frac{k}{c} \cdot \frac{X_x}{3\lambda + 2\mu}$$

und durch Division derselben findet sich das Verhältniss der Querkontraktion zur Längendilatation:

$$\frac{2b}{a} = \frac{(3\lambda + 2\mu)c - 2\mu k}{(3\lambda + 2\mu)c + \mu k}$$

Je grösser die Differenz der beiden spezifischen Wärmen ist, um so erheblicher weichen die hier berechneten Grössen von denjenigen ab, welche die Bedingungen der Zugelasticität bei constanter Temperatur ausdrücken, und welche man direkt durch Substitution von $\tau = o$ in die Gleichungen (42) und (43) erhält.

2) Tropfbare Flüssigkeiten.

Für tropfbare Flüssigkeiten vereinfachen sich die Ausdrücke der elastischen Kräfte insofern, als dieselben in Gleichgewichtszuständen immer nur senkrecht auf ein Flächenelement wirken. Wir haben daher allgemein:

$$X_y = 0 = Y_z = Z_x$$

und in Folge dessen nach (32):

$$\mu = 0.$$

Nehmen wir wieder als Anfangsdruck $P = 0$ an, so wird nach (36):

$$X_x = \lambda . \left(\frac{\alpha}{v} \tau - \Theta \right) = Y_y = Z_z \qquad (45)$$

Der Werth von X_x muss dann nach den Gleichgewichtsbedingungen im Innern: (1) in jedem Punkt des Körpers der nämliche sein, und folglich ist auch die Volumendilatation Θ ebenfalls für alle Punkte gleichwerthig.

Der Ausdruck der Entropie vereinfacht sich nach (38) zu:

$$S = \frac{k}{T} \tau M + \alpha \lambda \Theta M \qquad (46)$$

und die Differenz der spezifischen Wärmen wird aus (39):

$$c - k = \frac{\alpha^2 T}{v} . \lambda \qquad (47)$$

Die physikalische Bedeutung von λ ergibt sich aus (45), wenn man darin $\tau = o$ setzt:

$$X_x = - \lambda . \Theta$$

λ stellt also den reciproken Werth des Compressionscoefficienten bei constanter Temperatur dar. Ferner ergibt sich für $\Theta = 0$ aus (45) der Druck, den die Flüssigkeit ausübt, wenn sie bei constantem Volumen erwärmt wird:

$$X_x = \frac{\alpha \lambda}{v} . \tau$$

Wird bei der Compression keine Wärme nach Aussen abgegeben, so ist die Entropie-Aenderung $= 0$ zu setzen, mithin nach (46):

$$\frac{k\tau}{T} + \alpha\lambda\Theta = 0$$

Hieraus und aus (45) findet man die durch die Compression bewirkte Temperaturänderung, wenn man noch aus (47) c einführt:

$$\tau = \frac{\alpha T}{c} \cdot X_x$$

und die Compression der Volumeneinheit:

$$\Theta = -\frac{k}{c} \cdot \frac{X_x}{\lambda}$$

3) Dämpfe und Gase.

Hier ändern sich die Formeln insofern, als der dem Anfangszustand entsprechende Druck P nicht, wie bei den Flüssigkeiten und festen Körpern, $= 0$ angenommen werden kann. Im Uebrigen gelten dieselben Formeln, wie bei den tropfbaren Flüssigkeiten, indem wieder $\mu = 0$ ist. Wir haben also nach (36):

$$X_x = Y_y = Z_z = P + \lambda \cdot \left(\frac{\alpha}{v}\tau - \Theta\right)$$

Ferner die spezifische Entropie nach (38):

$$s = \frac{k\tau}{T} + \alpha\lambda\Theta$$

Die spezifische Energie nach (37):

$$u = k\tau + (\alpha\lambda T - P v)\Theta$$

Endlich die Differenz der beiden spezifischen Wärmen nach (39):

$$c - k = \frac{\alpha^2 \lambda T}{v}$$

Diese Gleichungen gelten natürlich ganz unabhängig davon, wie sich ein Dampf oder Gas zum Mariotte- und Gay Lussac'schen Gesetz verhält; dafür erstreckt sich ihr Giltigkeitsbereich auch nur auf sehr kleine Zustandsänderungen.

Die Anwendungen dieser Formeln auf das Verhalten eines gasförmigen Körpers bei constantem Volumen, bei constantem Druck, constanter Temperatur, constanter Entropie, constanter Energie (Ausdehnung ohne Ueberwindung äusseren Druckes) ergeben sich unmittelbar.

Bisher haben wir immer nur sehr kleine Zustandsänderungen betrachtet; indess lassen sich die gemachten Untersuchungen in gewisser Beziehung auch auf beliebig grosse Zustandsänderungen ausdehnen, wenn wir nämlich den Anfangszustand des betrachteten Körpers als variabel ansehen.

Dieser Anfangszustand unterliegt nach den am Eingang dieses Abschnitts gemachten Voraussetzungen keiner anderen Bedingung, als dass in ihm der Körper vollständig homogen ist und dass auf seine Oberfläche ein normaler, überall gleicher, im Uebrigen beliebig grosser, Druck wirkt. Hieraus folgt, wie wir an Gleichung (29) gesehen haben, dass im Anfangszustand auch die inneren Kräfte des Körpers sich auf einen überall gleichen, senkrecht auf jedes Flächenelement wirkenden Druck reduciren, der dem äusseren gleich und entgegengesetzt ist.

Wir haben also bei einem bestimmten Körper die Wahl zwischen unendlich vielen Zuständen, deren jeden wir als Anfangszustand den abgeleiteten Gleichungen zu Grunde legen können. Suchen wir nun festzustellen, durch welche Grössen ein solcher Zustand, der als Anfangszustand dienen kann, vollkommen bestimmt ist.

In der Einleitung haben wir die Voraussetzung ausgesprochen, dass der Zustand eines isotropen Körpers von bestimmter chemischer Zusammensetzung und bestimmter Masse vollkommen bestimmt ist, wenn man 1) seine Temperatur, 2) die Lage aller seiner kleinsten Theilchen kennt. Daraus ist zu schliessen, dass ein solcher Zustand, wie wir ihn hier zu betrachten haben, in welchem der Körper vollständig homogen ist, und eine nach allen Richtungen gleiche elastische Kraft in seinem Innern wirkt, vollständig bestimmt ist durch den Werth 1) der Temperatur, 2) des Volumens, welches die Masseneinheit einnimmt; denn durch letzteres ist die Lage aller Massentheilchen gegeben, weil dieselben in diesem Falle den Körper nach allen Richtungen hin ganz gleichartig erfüllen.

Wir können daher annehmen, dass der Anfangszustand, für den die abgeleiteten Gleichungen gelten, bestimmt ist, wenn von einem isotropen Körper mit bestimmter chemischer Zusammensetzung und bestimmter Masse gegeben ist die Temperatur T und das spezifische Volumen v.

Daher sind für einen bestimmten Körper alle in den obigen Gleichungen vorkommenden Constanten, als der Anfangsdruck P, die Elasticitätscoeffizienten λ und μ, der Wärme-Ausdehnungscoeffizient α, die spezifischen Wärmen c und k, da sie nur von dem gewählten Anfangszustand abhängen, Funktionen von T und v, und wir wollen nun die Folgerungen ziehen, die sich aus jenen Gleichungen unter Benutzung dieses Umstandes ergeben.

Wenn wir nämlich den Anfangszustand unendlich wenig ändern, dadurch, dass wir T und v in T + d T und v + d v übergehen lassen, so können wir auf diese Zustandsänderung, weil sie unendlich klein ist, alle oben abgeleiteten Gleichungen anwenden und erhalten dadurch die entsprechende Aenderung des Druckes, der Energie und der Entropie. Dabei ist zu setzen:

$$\tau = d\,T$$

$$\Theta = \frac{d\,v}{v}, \text{ endlich:}$$

$$X_x = Y_y = Z_z = P + d\,P$$

$$X_y = Y_z = Z_x = 0$$

Denn da der Körper auch nach der Zustandsänderung wieder die Eigenschaften eines Anfangszustandes haben soll, muss in seinem Innern der Druck wieder überall gleich und senkrecht auf jedes Flächenelement gerichtet sein.

Setzt man diese Werthe zunächst in die Gleichungen (36) und (32) ein, so erhält man einmal:

$$x_x = y_y = z_z \text{ also } = \frac{\Theta}{3} = \frac{d\,v}{3\,v}$$

$$x_y = y_z = z_x = 0.$$

Dann:

$$d\,P = \frac{\alpha}{v} \cdot \left(\lambda + \frac{2}{3}\mu\right) d\,T - \frac{1}{v}\left(\lambda + \frac{2}{3}\mu\right) d\,v.$$

Bezeichnen wir die partiellen Differentialquotienten von P nach T und v mit $\frac{\partial P}{\partial T}$ und $\frac{\partial P}{\partial v}$, so ergibt sich hieraus:

$$\frac{\partial P}{\partial T} = \frac{\alpha}{v}\left(\lambda + \frac{2}{3}\mu\right) \tag{48}$$

$$\frac{\partial P}{\partial v} = -\frac{1}{v} \cdot \left(\lambda + \frac{2}{3}\mu\right)$$

Folglich:

$$\frac{\partial P}{\partial T} = -\alpha \cdot \frac{\partial P}{\partial v} \tag{49}$$

Ferner erhalten wir aus (37) die entsprechende Aenderung der spezifischen Energie u:

$$d\,u = k\,d\,T + \left\{\alpha\left(\lambda + \frac{2}{3}\mu\right) T - P\,v\right\} \cdot \frac{d\,v}{v}$$

oder **nach** (48):

$$d\,u = k\,d\,T + \left(T \cdot \frac{\partial P}{\partial T} - P\right) d\,v.$$

Daraus:

$$\frac{\partial u}{\partial T} = k, \tag{50}$$

$$\frac{\partial u}{\partial v} = T \cdot \frac{\partial P}{\partial T} - P. \tag{51}$$

Differenziirt man diese beiden Gleichungen partiell resp. nach v und T und setzt die so erhaltenen beiden Ausdrücke für $\frac{\partial^2 u}{\partial T\,\partial v}$ einander gleich, so erhält man:

$$\frac{\partial k}{\partial v} = T \cdot \frac{\partial^2 P}{\partial T^2} \tag{52}$$

Für die spezifische Entropie endlich hat man nach (38) mit Benutzung von (48):

$$d\,s = \frac{k}{T}\,d\,T + \frac{\partial P}{\partial T}\,d\,v, \tag{53}$$

so dass

$$\frac{\partial s}{\partial T} = \frac{k}{T}$$

$$\frac{\partial s}{\partial v} = \frac{\partial P}{\partial T}$$

Durch Vergleichung der Ausdrücke für d u und d s erhält man unmittelbar:

$$d\,s = \frac{d\,u + P\,.\,d\,v}{T} \tag{54}$$

Fügen wir noch die für die beiden spezifischen Wärmen geltende Gleichung (39) bei, wie sie sich unter Benutzung der Gleichung (48) darstellt:

$$c - k = \alpha\,T\,.\,\frac{\partial P}{\partial T} \tag{55}$$

so haben wir genau die in der mechanischen Wärmetheorie für einen homogenen, durch Temperatur und Volumen in seinem Zustande bestimmten Körper geltenden Gleichungen, welche hier keinen Anlass zu weiteren Folgerungen bieten und erst im nächsten Abschnitt zu mehrfacher Anwendung kommen werden.

II. Abschnitt

Hinreichende Gleichgewichtsbedingungen

Wir haben im Vorhergehenden die Bedingungen entwickelt, welche für einen isotropen Körper nothwendig gelten müssen, wenn er sich im Gleichgewicht befindet. Diese Bedingungen wurden abgeleitet aus dem Grundsatze, dass in jedem Gleichgewichtszustand eines jeden Körpers

1. die Temperatur im ganzen Körper überall die nämliche ist, und
2. jedes Körperelement, wenn man es als starr betrachtet, durch die auf seine Seitenflächen wirkenden Kräfte im Gleichgewicht gehalten wird.

Auf diese Bedingungen wurden die beiden Hauptsätze der mechanischen Wärmetheorie angewendet.

Wenn wir uns, wie in der Folge immer geschehen soll, auf die Betrachtung solcher Zustände eines isotropen Körpers beschränken, in denen die von Aussen auf die Oberfläche wirkenden Kräfte überall gleich und normal auf dieselbe gerichtet sind, so reducirt sich die zweite der beiden angeführten nothwendigen Gleichgewichtsbedingungen darauf, dass die im Innern des Körpers wirkenden Kräfte in einem überall gleichen, auf jedes Flächenelement senkrecht wirkenden Druck bestehen, der gleich und entgegengesetzt ist dem äusseren Druck.

Untersuchen wir nun aber, ob diese Bedingungen auch hinreichend sind zum Gleichgewicht, d. h. stellen wir umgekehrt die Frage: Wenn ein isotroper Körper sich in einem Zustand befindet, in dem seine Temperatur überall die nämliche ist und ein überall gleicher, auf jedes Flächenelement senkrechter Druck in seinem Innern wirkt, der gleich und entgegengesetzt ist dem äusseren Druck, ist dann dieser Zustand immer ein Gleichgewichtszustand? — so lehrt die Erfahrung, dass diese Frage zu verneinen ist. Denn es gibt z. B. bekanntlich für jeden Dampf eine unendliche Anzahl von Zuständen, in denen er gar nicht in homogener Form existiren kann, während man doch annehmen muss, dass in jedem Falle, wo ein Dampf vollständig homogen und seine Temperatur überall dieselbe ist, auch der Druck in seinem Innern nach allen Richtungen ganz gleichmässig wirkt. Wenn man aber versucht, einen Dampf in einen solchen (übersättigten) Zustand zu bringen, d. h. wenn man ihm eine entsprechende Temperatur und ein entsprechendes Volumen zuertheilt, so nimmt er keine homogene Gestalt an, sondern schlägt sich zum Theil in der Form eines anderen Aggregatzustandes nieder. Gleiches gilt von Flüssigkeiten und festen Körpern; auch bei ihnen gibt es Zustände, in denen sie vollständig homogen und von gleichmässiger Temperatur sind, aber trotzdem sich nicht im Gleichgewicht befinden, sondern zum Theil verdampfen oder schmelzen.

Eine andere hier bemerkenswerthe Thatsache ist die, dass Fälle vorkommen, wo ein Körper in homogener Form sich zwar im Gleichgewicht befindet, wo aber dies Gleichgewicht nur ein labiles ist und bei dem geringsten äusseren Anlass gestört wird, welche Erscheinung z. B. am Wasser beobachtet wird, wenn man es bei gewöhnlichem Druck sich unter 0° C. abkühlen lässt.

Wir sehen also, dass die Gleichmässigkeit der Temperatur und des Druckes im Innern eines Körpers noch keineswegs hinreichend ist zum stabilen Gleichgewicht, dass vielmehr dies Gleichgewicht manchmal nur ein labiles ist, manchmal überhaupt nicht existirt. Daher wollen wir im Folgenden die Bedingungen aufsuchen, welche für das Gleichgewicht vollkommen genügen, ferner die unterscheidenden Merkmale des stabilen und des labilen Gleichgewichts aufstellen. Was wir voraussetzen, ist nur dies, dass ein jeder Zustand eines bestimmten isotropen Körpers, in welchem derselbe vollständig homogen ist und eine nach allen Richtungen gleichmässige Druck- und Temperatur-Vertheilung im Innern besitzt, sei es ein Gleichgewichtszustand oder nicht, vollkommen bestimmt ist durch die Masse, die Temperatur und das spezifische Volumen, dass also die übrigen Bestimmungsstücke des Zustandes, wie Druck, Energie, Entropie, bestimmte eindeutige Funktionen dieser Grössen sind.

Die vorliegende Aufgabe lässt sich am bequemsten folgendermassen präcisiren: Wir denken uns irgend einen Körper von bestimmter Masse in ein bestimmtes Volumen eingeschlossen und ihm (etwa durch Mittheilung oder Entziehung von Wärme) eine bestimmte Energie mitgetheilt; dann suchen wir den, oder wenn es mehrere sind, die Gleichgewichtszustände zu bestimmen, welche der den angegebenen Umständen unterworfene Körper annehmen kann, und zugleich die Bedingungen anzugeben, unter denen das Gleichgewicht stabil oder labil ist.

Die Durchführung dieser Untersuchung wird ermöglicht durch die Anwendung des Princips, welches die allgemeinste Form des zweiten Hauptsatzes der mechanischen Wärmetheorie bildet. Dasselbe lautet nach der von mir versuchten Fassung und ausführlichen Begründung folgendermassen:

Denkt man sich eine Gruppe von Körpern in zwei beliebigen Zuständen und bezeichnet die Summe der Entropieen der Körper im 1. Zustand mit S_1, im 2. Zustand mit S_2, so ist, falls $S_2 > S_1$, in der Natur immer ein Prozess möglich, der sämmtliche Körper aus dem ersten Zustand genau in den zweiten überführt, während in entgegengesetzter Richtung kein Prozess möglich ist. Dabei ist vorausgesetzt, dass die beiden Summen der Entropieen sich auf alle Körper erstrecken, die sich in beiden Zuständen unter irgendwie verschiedenen Umständen befinden.

Man kann diesen Satz nach Clausius auch kurz so aussprechen: die Natur strebt darnach, die Summe der Entropieen aller Körper zu vergrössern.

Um nun dies Princip auf den vorliegenden Fall anwenden zu können, müssen wir die verschiedenen Werthe untersuchen und vergleichen, welche die Entropie des betrachteten Körpers annimmt, wenn er bei dem gegebenen Gesammt-Volumen und bei der gegebenen Gesammt-Energie sich in allen nur denkbaren Zuständen befindet. Derjenige Zustand, welchem der grösste Werth der Entropie entspricht, wird einen Gleichgewichtszustand darstellen, und zwar einen stabilen; denn wenn dieser Zustand einmal erreicht ist, so wird, solange die äusseren Bedingungen aufrecht erhalten bleiben, d. h. das Volumen und die Energie dieselben sind, keine Aenderung in der Natur eintreten können, weil eine solche nach dem oben angeführten Principe nothwendig eine Vergrösserung der Entropie mit sich bringen müsste, dies aber nach der gemachten Voraussetzung nicht möglich ist.

Es kann aber auch der Fall sein, dass die Entropie des Körpers unter den gegebenen äusseren Bedingungen mehrere relative Maxima annehmen kann; dann entspricht ein jedes relative Maximum, welches nicht das absolute ist, einem labilen Gleichgewichtszustand; denn wenn sich der Körper in einem derartigen Zustand befindet, so wird er, wenn man nur sehr kleine Zustandsänderungen in Betracht zieht, aus dem oben angeführten Grunde in diesem Zustande verharren müssen; wenn aber eine hinreichend grosse Störung von Aussen hinzutritt, so kann unter Umständen der Körper dauernd aus dem Zustande entfernt werden und in einen anderen Gleichgewichtszustand übergehen, dem ein grösserer Werth der Entropie entspricht als dem vorigen.

Ein absolutes Maximum der Entropie muss jedenfalls vorhanden sein; denn wenn die Entropie bis ins Unendliche wachsen könnte, so würde niemals ein stabiler Gleichgewichtszustand eintreten, was der Erfahrung widerspricht.

Wir haben nun zunächst diejenigen Zustände aufzusuchen, in denen die Entropie des Körpers ein Maximum erreicht; dies geschieht durch die Aufstellung der nothwendigen Bedingung, welcher ein solcher Zustand genügen muss. Ist nämlich S die Entropie des Körpers in einem solchen Zustand, den wir kurz Maximal-Zustand nennen können, so muss für jede mit den gegebenen äusseren Bedingungen verträgliche unendlich kleine Zustandsänderung die Variation der Entropie: $\delta S = 0$ sein. Unter den Zuständen, welche die letztere Bedingung erfüllen, befinden sich jedenfalls auch die gesuchten Maximal-Zustände und somit auch der Zustand des absoluten Maximums, d. h. des stabilen Gleichgewichts.

Die allgemeinste Form, unter der ein solcher Maximal-Zustand, der, wie wir gesehen haben, immer zugleich auch ein Gleichgewichtszustand ist, erscheinen kann, ist die, dass sich in ihm verschiedene Theile des Körpers in verschiedenen Aggregatzuständen befinden. Bezeichnen wir demnach die in den 3 verschiedenen Aggregatzuständen befindlichen Mengen des Körpers resp. mit M_1, M_2 und M_3 (wobei die spezielle Bedeutung der einzelnen Indices offen gelassen ist), so haben wir, wenn M die gegebene Masse des ganzen Körpers bedeutet:

$$M = M_1 + M_2 + M_3 = \Sigma M_1. \qquad (56)$$

Dabei muss, weil der hier betrachtete Zustand ein Gleichgewichtszustand ist, jeder dieser 3 Theile des Körpers auch für sich im Gleichgewicht, d. h. von gleichmässiger Temperatur und homogen sein; denn es ist als eine Folgerung aus der Erfahrung anzusehen, dass zwischen Theilen eines und desselben Aggregatzustandes ein Gleichgewicht auf andere Art nicht möglich ist.

Bezeichnet nun ferner V das gegebene Volumen des Körpers, so haben wir:

$$V = M_1 v_1 + M_2 v_2 + M_3 v_3 = \Sigma M_1 v_1 \qquad (57)$$

wobei v_1, v_2, v_3 die spezifischen Volumina der 3 Theile des Körpers bezeichnen.

Analog erhält man für U, die gegebene Energie des Körpers:

$$U = M_1 u_1 + M_2 u_2 + M_3 u_3 = \Sigma M_1 u_1 \qquad (58)$$

wobei u wieder die Energie der Masseneinheit (spezifische Energie) bezeichnet.

Die drei Gleichungen (56), (57) und (58) entsprechen den gegebenen äusseren Bedingungen.

Für die Entropie erhalten wir nun:

$$S = M_1 s_1 + M_2 s_2 + M_3 s_3 = \Sigma M_1 s_1$$

wobei s die spezifische Entropie bedeutet.

Aus dieser Gleichung ergibt sich daher für eine unendlich kleine Zustands-Aenderung:

$$\delta S = \Sigma M_1 \delta s_1 + \Sigma s_1 \delta M_1.$$

Mit Rücksicht darauf, dass nach (54) allgemein:

$$\delta s = \frac{\delta u + P \delta v}{T} \qquad (59)$$

erhält man durch Substitution dieses Werthes:

$$\delta S = \Sigma \frac{M_1 \delta u_1}{T_1} + \Sigma \frac{M_1 P_1 \delta v_1}{T_1} + \Sigma s_1 \delta M_1. \qquad (60)$$

Die Variationen der einzelnen Bestimmungsstücke der Zustandsänderung sind aber nicht ganz unabhängig von einander, vielmehr folgt aus den Gleichungen (56), (57) und (58) durch Variation:

$$\Sigma \delta M_1 = 0 \qquad (61)$$

$$\Sigma M_1 \delta v_1 + \Sigma v_1 \delta M_1 = 0 \qquad (62)$$

$$\Sigma M_1 \delta u_1 + \Sigma u_1 \delta M_1 = 0. \qquad (63)$$

Wir müssen daher mit Hülfe dieser 3 Gleichungen irgend 3 Variationen aus dem Ausdruck von δS eliminiren, um in demselben nur ganz von einander unabhängige Variationen zu erhalten. Wenn wir z. B. aus diesen letzten Gleichungen die Werthe von δM_2, δv_2 und δu_2 berechnen und sie in (60) einsetzen, so erhalten wir:

$$\delta S = \left(\frac{1}{T_1} - \frac{1}{T_2}\right) M_1 \delta u_1 - \left(\frac{1}{T_2} - \frac{1}{T_3}\right) M_3 \delta u_3$$

$$+ \left(\frac{P_1}{T_1} - \frac{P_2}{T_2}\right) M_1 \delta v_1 - \left(\frac{P_2}{T_2} - \frac{P_3}{T_3}\right) M_3 \delta v_3$$

$$+\left(s_1 - s_2 - \frac{u_1 - u_2}{T_2} - \frac{P_2(v_1 - v_2)}{T_2}\right)\delta M_1$$

$$-\left(s_2 - s_3 - \frac{u_2 - u_3}{T_2} - \frac{P_2(v_2 - v_3)}{T_2}\right)\delta M_2 \qquad (64)$$

Da die in diesem Ausdruck enthaltenen 6 Variationen vollkommen unabhängig von einander sind, so müssen, damit δS für alle möglichen Zustandsänderungen $= 0$ ist, alle sechs Coefficienten dieser Variation verschwinden. Mithin haben wir:

$$T_1 = T_2 = T_3 \qquad (65)$$

$$P_1 = P_2 = P_3 \qquad (66)$$

$$s_1 - s_2 = \frac{(u_1 - u_2) + P_1(v_1 - v_2)}{T_1} \qquad (67)$$

$$s_2 - s_3 = \frac{(u_2 - u_3) + P_1(v_2 - v_3)}{T_1} \qquad (68)$$

Diese 6 Gleichungen stellen die nothwendigen Eigenschaften eines Zustandes dar, dem ein Maximum der Entropie entspricht, also eines Gleichgewichtszustandes. Die ersten 4 derselben sprechen die Gleichheit von Temperatur und Druck aus, welche schon im vorigen Abschnitt als nothwendige Bedingung des Gleichgewichts aufgestellt wurde. Das Hauptinteresse concentrirt sich daher auf die beiden letzten Gleichungen, in deren jeder die ganze bestehende Theorie der gesättigten Dämpfe, des Schmelz- und Verdampfungs-Processes enthalten ist.

Wir wollen diese beiden Gleichungen zunächst auf eine etwas einfachere Form bringen, indem wir für die spezifische Entropie s, die ja als Funktion von T und v betrachtet werden kann, ihren Werth einsetzen.

Da nämlich allgemein nach (54):

$$ds = \frac{du + P\,dv}{T}$$

so haben wir, wenn wir diese Gleichung integriren und auf unseren Fall anwenden:

$$s_1 - s_2 = \int_2^1 \frac{du + P\,dv}{T}$$

Hiebei ist die obere Grenze des Integrals durch das Werthenpaar $T = T_1$, $v = v_1$, die untere durch das Werthenpaar $T = T_2$, $v = v_2$ vollständig bestimmt.

Da aber nach (65) $T_1 = T_2$, so können wir bei Ausführung der Integration die Temperatur constant lassen und erhalten dadurch:

$$s_1 - s_2 = \frac{1}{T_1}(u_1 - u_2) + \frac{1}{T_1}\int_{v_2}^{v_1} P \,\partial v$$

Hiebei bedeutet das Zeichen ∂v (mit rundem ∂) dass die Integration partiell nach v auszuführen ist, indem T, die andere Variable, von der P noch abhängt, constant bleibt.

Substituirt man nun diesen Werth von $(s_1 - s_2)$ in die Gleichung (67), so ergibt sich die Relation:

$$\int_{v_2}^{v_1} P \,\partial v = P_1 \,.\, (v_1 - v_2)$$

Ebenso aus (68):

$$\int_{v_3}^{v_2} P \,\partial v = P_1 \,.\, (v_2 - v_3) \qquad (69)$$

Fügen wir noch (66) hinzu:

$$P_1 = P_2 = P_3$$

wobei P als bestimmte Funktion von v und T anzusehen ist, und denken uns die Temperatur $T_1 = T_2 = T_3$ kurz mit T bezeichnet, so haben wir hier 4 Gleichungen mit den 4 Unbekannten T, v_1, v_2, v_3, welchen die gesuchten Maximal-Zustände unterworfen sind. Bemerkenswerth ist hiebei, dass die in diese 4 Gleichungen eingehenden Constanten lediglich von der chemischen Beschaffenheit des Körpers abhängig sind, nicht aber von den gegebenen Werthen der Masse M, des Volumens V und der Energie U. Wir können daher diese Gleichungen die inneren Gleichgewichtsbedingungen nennen, im Gegensatz zu den Gleichungen (56), (57) und (58), welche die äusseren Umstände, denen der Körper unterworfen ist, bezeichnen.

Ehe wir zur Betrachtung und Vergleichung der aus diesen Gleichungen sich ergebenden Werthe der Unbekannten übergehen, wollen wir allgemein untersuchen, ob dieselben auch wirklich einen Maximalzustand des Körpers charakterisiren, d. h. ob der ihnen entsprechende Zustand nicht etwa z. B. ein Minimum der Entropie bedingt. Zur Beantwortung dieser Frage müssen wir den Werth von $\delta^2 S$ untersuchen. Ist derselbe für alle möglichen Variationen negativ, so ist der betreffende Zustand jedenfalls ein Maximal-Zustand.

Wir variiren daher die Gleichung (64) und erhalten dadurch den Ausdruck von $\delta^2 S$, welcher sich bedeutend vereinfacht, wenn wir die Gleichungen (65), (66), (67) und (68) anwenden. Berücksichtigen wir dann noch die Werthe von δs_1, δs_2, δs_3 mittelst (59) und eliminiren δM_1 und δM_3 mittelst (61), (62) und (63), so ergibt sich:

$$\delta^2 S = -\Sigma \frac{M_1 \delta s_1 \delta T_1}{T_1} + \Sigma \frac{M_1 \delta P_1 \delta v_1}{T_1}$$

wofür wir auch schreiben können:

$$T . \delta^2 S = -\Sigma M_1 . (\delta s_1 \delta T_1 - \delta P_1 \delta v_1).$$

Um alle Variationen auf die der unabhängigen Variabeln T und v zu reduciren, setzen wir nach (53):

$$\delta s = \frac{k}{T} . \delta T + \frac{\partial P}{\partial T} . \delta v$$

wobei $k = \frac{\partial u}{\partial T}$ nach (50) die spezifische Wärme bei constantem Volumen bezeichnet, und:

$$\delta P = \frac{\partial P}{\partial T} . \delta T + \frac{\partial P}{\partial v} . \delta v$$

Dann erhalten wir:

$$T . \delta^2 S = -\Sigma M_1 \left\{ \frac{k_1}{T} \delta T_1^2 - \left(\frac{\partial P}{\partial v}\right)_1 \delta v_1^2 \right\} \tag{70}$$

Wenn die Grössen k_1, k_2, k_3 sämmtlich positiv, und die Grössen $\left(\frac{\partial P}{\partial v}\right)_1$, $\left(\frac{\partial P}{\partial v}\right)_2$, $\left(\frac{\partial P}{\partial v}\right)_3$, sämmtlich negativ sind, so ist $\delta^2 S$, wie man aus der letzten Gleichung ersieht, wesentlich negativ, also der betrachtete Zustand ein Maximal-Zustand,

d. h. ein (stabiler oder labiler) Gleichgewichtszustand. Da nun k seiner physikalischen Bedeutung nach stets positiv ist, so hängt die Bedingung des Gleichgewichts davon ab, ob $\left(\frac{\partial P}{\partial v}\right)$ für alle drei Theile des Körpers negativ ist oder nicht; im letzteren Fall ist der Zustand kein Maximalzustand.

In der That ist aus der Erfahrung ersichtlich, dass bei jedem Gleichgewichtszustand $\left(\frac{\partial P}{\partial v}\right)$ negativ ist, da sich der Druck, sei er positiv oder negativ, bei constanter Temperatur immer in entgegengesetzter Richtung wie das Volumen ändert. Es gibt aber (wie wir unten sehen werden) auch Zustände, in denen $\left(\frac{\partial P}{\partial v}\right)$ positiv ist; diese Zustände stellen also niemals eine Gleichgewichtslage dar, und sind deshalb auch nicht der direkten Beobachtung zugänglich. Wenn dagegen $\left(\frac{\partial P}{\partial v}\right)$ negativ ist, so findet Gleichgewicht statt, doch braucht dasselbe deshalb noch nicht stabil zu sein; es kommt dann darauf an, ob nicht unter den gegebenen Bedingungen noch ein anderer Maximalzustand existirt, dem ein grösserer Werth der Entropie entspricht.

Wir gehen nun über zur Untersuchung derjenigen Werthe der Variabeln, die eine Lösung der Gleichungen (69) vorstellen; eine solche ist auf 3 verschiedene Arten möglich.

1) Wenn wir setzen:

$$v_1 = v_2 = v_3$$

so werden dadurch alle 4 Gleichungen (69) befriedigt; denn da ohnehin die Temperatur T allen 3 Theilen des Körpers gemeinsam ist, werden dadurch ihre Zustände vollkommen identisch, d. h. der ganze Körper ist homogen. Sein Zustand ist dann bestimmt, wenn man noch die Gleichungen (56), (57) und (58) hinzuzieht, welche die äusseren Bedingungen aussprechen. Dieselben werden in diesem Falle:

$$M_1 + M_2 + M_3 = M$$
$$v_1 (M_1 + M_2 + M_3) = V$$
$$u_1 (M_1 + M_2 + M_3) = U$$

Folglich:

$$v_1 = \frac{V}{M} \qquad u_1 = \frac{U}{M}$$

Daraus ergibt sich dann auch der Werth der Temperatur T, wenn man u als Funktion von T und v betrachtet.

2) Wenn wir setzen:

$$v_2 = v_3$$

während wir v_1 als verschieden davon annehmen, so fallen die mit 2 und 3 bezeichneten Aggregatzustände zusammen und die Gleichungen (69) reduciren sich auf:

$$P_1 = P_2 \tag{71}$$

$$\int_{v_2}^{v_1} P \partial v = P_1 (v_1 - v_2) \tag{72}$$

In diesem Falle befindet sich der Körper in zwei verschiedenen Aggregatzuständen nebeneinander, z. B. in der Form von Dampf und Flüssigkeit.

(Bei Betrachtung der zweiten Gleichung: (72) ergibt sich, dass der Druck P, da er für die beiden Grenzen des Integrals den nämlichen Werth $P_1 = P_2$ hat, zwischen denselben Werthe annehmen muss, die theils $< P_1$, theils $> P_1$ sind, damit die Gleichung (72) befriedigt werden kann. Daher muss, wenn Letzteres der Fall sein soll, $\left(\frac{\partial P}{\partial v}\right)$ zwischen diesen Grenzen theilweise positiv, theilweise negativ sein.)

Die beiden Gleichungen (71) und (72) enthalten 3 Unbe kannte: T, v_1, v_2, sie können also dazu dienen, die Grössen v_1, v_2 (und in Folge dessen auch den Druck $P_1 = P_2$ und die spezifischen Energieen u_1 und u_2) als bestimmte Funktionen von T darzustellen.

Der Zustand des ganzen Körpers ist vollkommen bestimmt, wenn man noch die äusseren Bedingungen (56), (57), (58) heranzieht, welche für diesen Fall lauten:

$$M_1 + (M_2 + M_3) = M$$
$$M_1 v_1 + (M_2 + M_3) . v_2 = V$$
$$M_1 u_1 + (M_2 + M_3) u_2 = U$$

Mittelst dieser 3 Gleichungen berechnen sich die 3 letzten Unbekannten, nämlich T, M_1 und $(M_2 + M_3)$. Hiedurch ist der Zustand des Körpers vollständig gegeben; denn bei den Grössen M_2 und M_3 kommt es offenbar nur auf ihre Summe an. Natürlich hat das Resultat nur dann einen physikalischen Sinn, wenn M_1 und $(M_2 + M_3)$ p o s i t i v ausfallen.

3) Lassen wir v_1, v_2 und v_3 von einander verschieden sein, so haben wir aus (69) die Gleichungen:

$$P_1 = P_2 = P_3$$

$$\int_{v_2}^{v_1} P \, \partial v = P_1 (v_1 - v_2)$$

$$\int_{v_3}^{v_2} P \, \partial v = P_1 (v_2 - v_3)$$

Dieser Fall bezeichnet einen Zustand, bei dem sich im Körper alle 3 Aggregatzustände nebeneinander vorfinden. Die 4 Gleichungen enthalten 4 Unbekannte, nämlich T, v_1, v_2, v_3, so dass ihnen eine ganz bestimmte Lösung entspricht. Ist diese gefunden, so berechnen sich aus den äusseren Bedingungen (56), (57), (58):

$$\Sigma M_1 = M$$
$$\Sigma M_1 v_1 = V$$
$$\Sigma M_1 u_1 = U$$

die Massen M_1, M_2, M_3 der in den verschiedenen Aggregatzuständen befindlichen Körpertheile. Doch hat auch diese Lösung nur dann einen Sinn, wenn die Werthe von M_1, M_2, M_3 positiv ausfallen.

Wir wollen nun darangehen, die physikalische Bedeutung

dieser Resultate zu untersuchen und mit den Ergebnissen der Erfahrung zu vergleichen.

ad 1)

I. Lösung.

Alle 3 Theile des Körpers gleichartig.

$$v_1 = v_2 = v_3 = \frac{V}{M}$$

$$u_1 = u_2 = u_3 = \frac{U}{M}$$

Daraus auch der Werth von T.

Diese Lösung entspricht einem Zustande, in dem der ganze Körper homogen ist; sie hat immer einen bestimmten Sinn, stellt aber, wie wir an Gleichung (70) gesehen haben, nur in dem Falle einen Gleichgewichtszustand dar, dass $\left(\frac{\partial P}{\partial v}\right)$ negativ ist, wie es durch die Erfahrung bestätigt wird. Wenn diese Bedingung erfüllt ist, so ist das Gleichgewicht labil ober stabil, je nachdem unter den gegebenen äusseren Bedingungen ein Zustand existirt, dem ein noch grösserer Werth der Entropie entspricht, oder nicht. Wann das Erstere der Fall ist, soll unten gezeigt werden.

ad 2)

II. Lösung.

Der 2. und 3. Theil des Körpers gleichartig.

Innere Bedingungen:

$$P_1 = P_2 \tag{71}$$

$$\int_{v_2}^{v_1} P \,\partial v = P_1 (v_1 - v_2) \tag{72}$$

Hieraus berechnen sich v_1 und v_2 (also auch P_1, u_1 und u_2) als Funktionen von T allein.

Aeussere Bedingungen:

$$\left.\begin{aligned} M_1 + (M_2 + M_3) &= M \\ M_1 v_1 + (M_2 + M_3) v_2 &= V \\ M_1 u_1 + (M_2 + M_3) u_2 &= U \end{aligned}\right\} \tag{73}$$

Hieraus die Werthe von T, M_1 und $(M_2 + M_3)$.

Diese Lösung entspricht einem Zustand, bei dem im Körper 2 verschiedene Aggregatzustände nebeneinander vorkommen, sie hat aber, wie schon bemerkt, nur dann einen Sinn, wenn die Werthe von M_1 und $(M_2 + M_3)$ positiv ausfallen. Ferner entspricht sie nach (70) nur dann einem Gleichgewichtszustand, wenn $\left(\frac{\partial P}{\partial v}\right)_1$ und $\left(\frac{\partial P}{\partial v}\right)_2$ negativ sind. Es lässt sich nun beweisen, dass, diese Bedingungen vorausgesetzt, die Entropie des dieser Lösung entsprechenden Zustandes jedenfalls grösser ist als die Entropie des der vorigen Lösung entsprechenden Zustandes, bei gleichen äusseren Bedingungen; mit anderen Worten: dass der Gleichgewichtszustand, den wir hier betrachten, vorausgesetzt dass er überhaupt einen reellen Sinn hat, unter allen Umständen stabiler ist als der der vorigen Lösung, wie es auch der Erfahrung entspricht. Man braucht zu diesem Zwecke nur nachzuweisen, dass die Differenz der den beiden Lösungen entsprechenden Entropieen stets positiv ist. Da indess diese Untersuchung rein mathematischer Natur ist, und keine wesentlichen Schwierigkeiten bietet, wollen wir dieselbe hier übergehen und uns zur Discussion der Gleichungen (71) und (72) wenden, welche die inneren Gleichgewichtsbedingungen eines Körpers aussprechen, der sich in 2 verschiedenen Aggregatzuständen nebeneinander befindet. Diese Gleichungen gelten ebenso für sich berührende Dämpfe und Flüssigkeiten, wie auch für feste Körper, die sich in Berührung mit der entsprechenden Flüssigkeit oder dem entsprechenden Dampfe befinden.

Wie wir schon bemerkten, lassen sich durch (71) und (72) alle darin vorkommenden Variabeln als Funktionen der Temperatur allein darstellen. Dabei bedeuten v_1 und v_2 die der Temperatur T entsprechenden spezifischen Volumina der beiden in Berührung befindlichen verschiedenartigen Körpertheile, also z. B. von Dampf und Flüssigkeit. Dabei ist es gleichgiltig, welchen Index man auf den einen oder den andern Aggregatzustand bezieht, da die Gleichungen in Bezug auf beide Indices vollkommen symmetrisch sind.

Für jeden Werth der Temperatur ergeben die beiden Gleichungen 3 verschiedene, unter Umständen auch theilweise imaginäre, Lösungen, welche den 3 paarweisen Combinationen der 3 Aggregatzustände entsprechen; wir wollen jedoch, um die Ideen zu fixiren, zuerst beispielsweise diejenige Lösung betrachten, welche der Berührung von Dampf und Flüssigkeit entspricht. Da dieselbe das Gleichgewicht zwischen diesen beiden Aggregatformen regelt, enthält sie die Gesetze der gesättigten Dämpfe. Wenn wir hiebei den Index 1 auf den Dampf, den Index 2 auf die Flüssigkeit beziehen, so bedeutet v_1 das spezifische Volumen des bei der Temperatur T gesättigten Dampfes, P_1 seinen Druck, v_2 das spezifische Volumen der berührenden Flüssigkeit. Diese 3 Grössen sind also Funktionen der Temperatur allein, wie es der Erfahrung entspricht.

Wir können zunächst durch Differenziation der betrachteten Gleichungen zu neuen Relationen gelangen, wobei wir, da alle Variabeln nur von T abhängen, die Differenzialcoefficienten kurz mit $\frac{d\,v_1}{d\,T}$, $\frac{d\,v_2}{d\,T}$, $\frac{d\,P_1}{d\,T}$ bezeichnen wollen, während wir für den partiellen Differenzialquotienten von P nach T (bei constantem Volumen) die Bezeichnung $\frac{\partial P}{\partial T}$ beibehalten.

Danach ergeben die Gleichungen (71) und (72) total nach T differenziirt:

$$\frac{d\,P_1}{d\,T} = \frac{d\,P_2}{d\,T} \qquad (74)$$

und:

$$\int\limits_{v_2}^{v_1} \frac{\partial P}{\partial T} \partial v + P_1 \frac{d\,v_1}{d\,T} - P_2 \frac{d\,v_2}{d\,T}$$

$$= P_1 \,.\, \left(\frac{d\,v_1}{d\,T} - \frac{d\,v_2}{d\,T}\right) + \frac{d\,P_1}{d\,T}\,(v_1 - v_2)$$

oder, da nach (71): $P_1 = P_2$

$$\int_{v_2}^{v_1} \frac{\partial P}{\partial T} \partial v = \frac{d P_1}{d T} (v_1 - v_2) \qquad (75)$$

Hieraus lässt sich unmittelbar die Differenz der spezifischen Energieen: $(u_1 - u_2)$ von Dampf und Flüssigkeit berechnen. Da nämlich nach (51) allgemein:

$$\frac{\partial u}{\partial v} = T \cdot \frac{\partial P}{\partial T} - P$$

so haben wir, wenn wir von dem flüssigen Zustand bis zum dampfförmigen partiell nach v integriren:

$$u_1 - u_2 = T \int_{v_2}^{v_1} \frac{\partial P}{\partial T} \partial v - \int_{v_2}^{v_1} P \, \partial v$$

oder nach (75) und (72):

$$u_1 - u_2 = \left(T \frac{d P_1}{d T} - P_1 \right) (v_1 - v_2) \qquad (76)$$

Führen wir nun die Verdampfungswärme (bei constantem Druck) der Masseneinheit: r ein. Dieselbe umfasst 1) den zur Verdampfung erforderlichen Energiezuwachs: $(u_1 - u_2)$, 2) die dabei zu leistende äussere Arbeit $P_1 (v_1 - v_2)$, da die Verdampfung bei constantem äusseren Druck stattfindet. Daher haben wir für die Verdampfungswärme:

$$r = (u_1 - u_2) + P_1 (v_1 - v_2) \qquad (77)$$

also nach (76):

$$r = T \cdot \frac{d P_1}{d T} \cdot (v_1 - v_2), \text{ wie bekannt.} \qquad (78)$$

Die spezifische Wärme des gesättigten Dampfes: h_1, wie sie zuerst von Clausius eingeführt wurde, erhält man offenbar aus der Gleichung:

$$h_1 \, d T = d u_1 + P_1 \, d v_1$$

denn $h_1 \, dT$ ist die Wärme, die der Masseneinheit gesättigten Dampfes von Aussen zugeführt werden muss, damit sie bei der Temperatur $T + dT$ gerade wieder gesättigt ist.

Daraus ergibt sich:

$$h_1 = \frac{d u_1}{d T} + P_1 . \frac{d v_1}{d T}$$

Ganz analog für die Flüssigkeit:

$$h_2 = \frac{d u_2}{d T} + P_2 . \frac{d v_2}{d T}$$

Die Grösse h_2 ist in der Regel unmerklich wenig verschieden von der spezifischen Wärme der betr. Flüssigkeit bei constantem Druck, weil bei Flüssigkeiten ein Druck, der nicht sehr bedeutend ist, keinen merkbaren Einfluss auf den Zustand ausübt.

Nun folgt aus Gleichung (77) durch totale Differenziation nach T:

$$\frac{d r}{d T} = \frac{d u_1}{d T} - \frac{d u_2}{d T} + P_1 \left[\frac{d v_1}{d T} - \frac{d v_2}{d T}\right] + \frac{d P_1}{d T} (v_1 - v_2)$$

folglich mit Einführung von h_1 und h_2:

$$\frac{d r}{d T} = h_1 - h_2 + \frac{d P_1}{d T} (v_1 - v_2)$$

oder nach (78):

$$h_1 - h_2 = \frac{d r}{d T} - \frac{r}{T}$$

Daraus lässt sich, wie bekannt, h_1 berechnen, indem für h_2 die spezifische Wärme der Flüssigkeit bei constantem Druck genommen wird.

Die bisher abgeleiteten Gleichungen sind identisch mit den aus der bestehenden Theorie der gesättigten Dämpfe und des Verdampfungsprozesses bereits bekannten; wir wollen aber nun noch eine Formel entwickeln, die bis jetzt noch nicht bekannt geworden ist, die aber doch neben dem theoretischen Interesse einen praktischen Nutzen insofern darbietet, als sie gestattet, die der direkten Beobachtung so schwer zugängliche spezifische Wärme der Dämpfe bei constantem Druck (und auch die bei constantem Volumen) auf einfachem Wege zu berechnen. Wir erhalten diese Grösse unmittelbar durch Anwendung der vorliegenden Gleichungen.

Wenn man der Bequemlichkeit halber in Gleichung (75) die Grösse $\frac{d P_1}{d T}$ mittelst (78) durch r ausdrückt, erhält man:

$$\int_{v_2}^{v_1} \frac{\partial P}{\partial T} \partial v = \frac{r}{T}$$

und durch totale Differenziation dieser Gleichung nach T:

$$\int_{v_2}^{v_1} \frac{\partial^2 P}{\partial T^2} \partial v + \left(\frac{\partial P}{\partial T}\right)_1 \frac{d v_1}{d T} - \left(\frac{\partial P}{\partial T}\right)_2 \frac{d v_2}{d T} = \frac{1}{T} \cdot \frac{d r}{d T} - \frac{r}{T_2} \quad (79)$$

Nun ist aber allgemein nach (52):

$$\frac{\partial k}{\partial v} = T \, . \, \frac{\partial^2 P}{\partial T^2}$$

wobei k die spezifische Wärme bei constantem Volumen bezeichnet; folglich, wenn man vom flüssigen bis zum dampfförmigen Zustand partiell nach v integrirt:

$$k_1 - k_2 = T \, . \int_{v_2}^{v_1} \frac{\partial^2 P}{\partial T^2} \partial v$$

Das Integral aus (79) durch seinen Werth ersetzt gibt:

$$k_1 - k_2 = \frac{d r}{d T} - \frac{r}{T} - T \, . \left(\frac{\partial P}{\partial T}\right)_1 \frac{d v_1}{d T} + T \, . \left(\frac{\partial P}{\partial T}\right)_2 \frac{d v_2}{d T}$$

Hier können wir nach (49) schreiben:

$$\frac{\partial P}{\partial T} = - \alpha \, . \, \frac{\partial P}{\partial v}$$

wobei α den Differenzialquotienten von v nach T bei constantem Druck bezeichnet. Siehe (33). Dadurch wird:

$$k_1 - k_2 = \frac{d r}{d T} - \frac{r}{T} + \alpha_1 T \, . \left(\frac{\partial P}{\partial v}\right)_1 \frac{d v_1}{d T}$$

$$- \alpha_2 T \, . \left[\frac{\partial P}{\partial v}\right]_2 \frac{d v_2}{d T}$$

Für die spezifische Wärme bei constantem Druck: c haben wir endlich nach (55):

$$c - k = \alpha T \, . \, \frac{\partial P}{\partial T}$$

Wenn wir mittelst dieser Gleichung c_1 und c_2 statt k_1 und k_2 einführen, so ergibt sich:

$$c_1 - c_2 = \frac{d\,r}{d\,T} - \frac{r}{T} + \alpha_1 T \cdot \left\{ \left[\frac{\partial P}{\partial T}\right]_1 + \left[\frac{\partial P}{\partial v}\right]_1 \frac{d\,v_1}{d\,T} \right\}$$
$$- \alpha_2 T \cdot \left\{ \left[\frac{\partial P}{\partial T}\right]_2 + \left[\frac{\partial P}{\partial v}\right]_2 \cdot \frac{d\,v_2}{d\,T} \right\}$$

Da nun die in den beiden Klammern befindlichen Ausdrücke die nämliche Grösse $\frac{d\,P_1}{d\,T} = \frac{d\,P_2}{d\,T}$ darstellen, siehe (74), so können wir schreiben:

$$c_1 - c_2 = \frac{d\,r}{d\,T} - \frac{r}{T} + T \cdot \frac{d\,P_1}{d\,T} (\alpha_1 - \alpha_2)$$

oder nach (78):

$$c_1 - c_2 = \frac{d\,r}{d\,T} - \frac{r}{T} + \frac{r}{v_1 - v_2} \cdot (\alpha_1 - \alpha_2)$$

Wenn wir schliesslich der Deutlichkeit halber für α die symbolische Bezeichnung $\left(\frac{\partial v}{\partial T}\right)_P$ benutzen, wobei der Index P bedeutet, dass der Druck bei der Differenziation constant bleiben soll, so erhalten wir:

$$c_1 - c_2 = \frac{d\,r}{d\,T} - \frac{r}{T} + \frac{r}{v_1 - v_2} \cdot \left\{ \left[\frac{\partial v_1}{\partial T}\right]_P - \left[\frac{\partial v_2}{\partial T}\right]_P \right\} \quad (80)$$

In dieser Gleichung sind alle Grössen als Funktionen der Temperatur aufzufassen; daher lässt sich eine von ihnen in ihrer ganzen Abhängigkeit von der Temperatur darstellen, wenn alle übrigen als Funktionen derselben bekannt sind. Für den Fall, den wir hier zunächst betrachten, nämlich für die Combination von Flüssigkeit und Dampf eignet sich die Gleichung am besten dazu, für einen Dampf (der sich im Zustand der Sättigung befindet) die spezifische Wärme c_1 bei constantem Druck zu berechnen, da zu diesem Zwecke nur die Kenntniss der spezifischen Wärme c_2 der entsprechenden Flüssigkeit (bei derselben Temperatur und dem Drucke des gesättigten Dampfes), der Verdampfungswärme r und der spezifischen Volumina v_1 und v_2 des gesättigten Dampfes und der Flüssigkeit nebst ihrer Aenderung mit der Temperatur bei constantem Druck erforderlich ist.

Da die vorstehende Formel bisher noch nicht veröffentlicht wurde, so dürfte es an dieser Stelle angezeigt erscheinen, eine Anwendung derselben auf einen speziellen Fall zu machen, in welchem eine Prüfung ihrer Uebereinstimmung mit der Erfahrung möglich ist.

Berechnen wir beispielsweise die spezifische Wärme des Wasserdampfes, wenn derselbe sich bei 100° C., (also unter dem Druck einer Atmosphäre) im Zustand der Sättigung befindet.

Da jedes Glied der Gleichung (80) als Factor eine Wärmemenge enthält, so ist es offenbar gestattet, alle in ihr vorkommenden Wärmemengen nach calorischem Maass zu messen; dann haben wir für die einzelnen Grössen:

$$T = 273 + 100 = 373$$

c_2 = 1,0130 nach Regnault [1])
(spezifische Wärme des Wassers bei 100° C.)

r = 536,2 nach Clausius [2])
(Verdampfungswärme des Wassers bei 100° C.

$\frac{dr}{dT}$ = — 0,708 nach Clausius [2])

v_1 = 1650,4 nach Hirn [3])
(Volumen eines Gramms gesättigten Wasserdampfes bei 100° C., in Cubikcentimetern.)

$\left[\frac{\partial v_1}{\partial T}\right]_P$ = 4,843 nach Hirn [3])
(Wachsthum des spezifischen Volumens bei Ueberhitzung des Dampfes um 1° C. unter dem constanten Druck einer Atmosphäre.)

v_2 = 1,0431 nach Jolly [4])
(Volumen eines Gramms Wasser bei 100° C. in Cubikcentimetern.)

---

[1]) Mémoires de l'Acad. T. XXI.

[2]) Pogg. Ann. Bd. XCVII.

[3]) Hirn, Théorie mécanique de la chaleur. Paris 1865.

[4]) Monatsber. d. Münchner Akad. 1864.

$$\left[\frac{\partial v_2}{\partial T}\right]_P = 0{,}00073 \text{ nach Jolly}^{4)}$$

(Wachsthum des spezifischen Volumens bei Erhitzung des Wassers um 1° C.)

Mittelst dieser Werthe ergibt sich aus der Gleichung (80) als spezifische Wärme des Wasserdampfes bei 100° C. unter dem constanten Druck einer Atmosphäre:

$$c_1 = 0{,}442$$

Von direkten Beobachtungsresultaten liegen nur die Regnault'schen [1]) vor, welche den Mittelwerth der spezifischen Wärme des Wasserdampfes im Bereich der Temperaturen etwa von 130° bis 220° C. bei dem constanten Druck einer Atmosphäre darstellen. Die 4 Regnault'schen Beobachtungsreihen ergeben als Mittel der gefundenen Werthe:

0,478.

Der Sinn der Abweichung dieses Resultats von dem unsrigen erklärt sich hinreichend aus der durch alle bisherigen Beobachtungen als wahrscheinlich hingestellten Thatsache, dass die spezifische Wärme der Dämpfe mit der Temperatur etwas wächst.

Das Verhalten der spezifischen Wärme eines Dampfes bei constantem Druck in verschiedenen Temperaturen lässt sich nunmehr genau nach der Gleichung (80) prüfen, wobei aber beachtet werden muss, dass diese Formel immer nur dann strenge Giltigkeit hat, wenn der Dampf sich gerade im Zustand der Sättigung befindet.

Wir übergehen hier weitere Anwendungen und stellen nur noch eine Näherungsformel auf, welche in den meisten Fällen ziemlich genaue Resultate liefert, nämlich dann, wenn das spezifische Volumen der Flüssigkeit gegen das des Dampfes vernachlässigt werden kann. Unter dieser Voraussetzung wird die Gleichung (80):

$$c_1 - c_2 = \frac{dr}{dT} - \frac{r}{T} + \frac{r}{v_1}\left[\frac{\partial v_1}{\partial T}\right]_P \qquad (81)$$

---

[1]) Mémoires de l'Acad. T. XXVI.

Eine grobe Annäherung, aber bedeutende Vereinfachung gewährt diese Formel unter der Annahme, dass das Gay-Lussac'sche Gesetz für den Dampf bis zum Punkte der Sättigung gilt. Dann wird nämlich:

$$\left[\frac{\partial v_1}{\partial T}\right]_P = \frac{v_1}{T}$$

und dadurch die Gleichung (81):

$$c_1 - c_2 = \frac{d\,r}{d\,T}$$

Für das obige Beispiel ergibt sich hieraus, da $c_2 = 1{,}013$ und $\frac{d\,r}{d\,T} = -\,0{,}708$:

$c_1 = 0{,}305$, also erheblich zu klein.

Wir wollen nun die Gleichung (80) auch in ihrer Anwendung auf die Verbindung eines flüssigen mit dem entsprechenden festen Körper betrachten, und dabei den Index 1 auf den flüssigen, den Index 2 auf den festen Körper beziehen. Dann gilt die Gleichung für die Schmelztemperatur T, die ja ebenso wie die Siedetemperatur mit dem Druck veränderlich ist. Ferner bedeuten c_1 und c_2 die spezifischen Wärmen des flüssigen und festen Körpers bei constantem Druck, wie er der Schmelztemperatur entspricht, r die Schmelzwärme, v_1 und v_2 die spezifischen Volumina des flüssigen und des festen Körpers im Zustande des Schmelzens.

Machen wir auch auf diesen Fall eine spezielle Anwendung, z. B. für Phosphor von 44° C., der Schmelztemperatur beim Druck einer Atmosphäre.

Da die spezifischen Wärmen des flüssigen und festen Phosphors bekannt sind, so kann man die Gleichung (80) dazu benutzen, um den Werth von $\frac{d\,r}{d\,T}$. also die Aenderung der Schmelzwärme des Phosphors mit der Schmelztemperatur zu berechnen. Hiefür haben wir:

$$T = 273 + 44 = 317$$

$c_1 = 0{,}2045$ nach Person [1])
(spezifische Wärme des flüssigen Phosphors bei 48° C.)
$c_2 = 0{,}1887$ nach Regnault [2])
(spezifische Wärme des festen Phosphors bei 20° C.)
$r = 5{,}034$ nach Person [3])
(Schmelzwärme des Phosphors bei 44° C.)
$v_1 = 1{,}05173$ nach Kopp [4])
(spezifisches Volumen des flüssigen Phosphors bei 44° C., das spezifische Volumen des festen Phosphors bei 0° C. = 1 gesetzt.)

Ferner in gleichem Maasse:

$$\left[\frac{\partial v_1}{\partial T}\right]_P = 0{,}000\,532 \text{ nach Kopp}^{4)}$$

(Ausdehnung bei Erwärmung um 1° C.)
$v_2 = 1{,}01685$ nach Kopp [4])
(spezifisches Volumen des festen Phosphors bei 44° C.)

$$\left(\frac{\partial v_2}{\partial T}\right)_P = 0{,}000383 \text{ nach Kopp}^{4)}$$

(Ausdehnung bei Erwärmung um 1° C.)

Mit Hilfe dieser Werthe berechnet sich aus der Gleichung (80):

$$\frac{d\,r}{d\,T} = 0{,}0102$$

d. h. wenn die Schmelztemperatur des Phosphors (durch äusseren Druck) erhöht wird, so vergrössert sich auch die Schmelzwärme und zwar (Proportionalität vorausgesetzt) für 1° C. um 0,01 Wärmeeinheiten, d. h. um 0,2%. Hierbei ist zu beachten, dass r die Wärmemenge bedeutet, welche von Aussen zugeführt werden muss, damit die Masseneinheit des Körpers unter dem constanten Druck schmilzt, der der Schmelztemperatur entspricht.

Zur Prüfung dieses Resultates liegen keine experimen-

---

[1]) Annales de chim. et de phys. III. Sèrie. T. XXI.
[2]) Ann. de chim. et de phys. III. S4rie. T. XXVI.
[3]) Ann. de chim. et de phys. III. Sèrie. T. XXI.
[4]) Liebigs Annal. Bd. XCIII.

tellen Daten vor, indem meines Wissens bisher noch keine Versuche über die Veränderlichkeit der Schmelzwärme mit der Schmelztemperatur angestellt wurden.

Es bliebe jetzt noch eine Anwendung der Formel auf die Verbindung eines festen Körpers mit seinem Dampfe zu machen übrig; doch sind hier die Versuche zu wenig ausgedehnt, um eine solche zu ermöglichen, und zwar aus dem Grunde, weil eine solche Verbindung in den seltensten Fällen einen der Beobachtung zugänglichen stabilen Gleichgewichtszustand darstellt. Es ist jedoch bemerkenswerth, dass auch für diesen Fall alle aus (71) und (72) abgeleiteten Gleichungen ebenso gelten, wie für die Combination einer Flüssigkeit mit ihrem Dampf oder mit dem entsprechenden festen Körper; nur sind die Werthe der in Betracht kommenden Funktionen für die einzelnen Fälle verschieden. So z. B. werden Druck und spezifisches Volumen eines gesättigten Dampfes durch andere Funktionen der Temperatur dargestellt, wenn der Dampf sich in Berührung mit seiner Flüssigkeit, als wenn er sich in Berührung mit dem entsprechenden festen Körper befindet.

Es kann der Fall eintreten, dass für einen bestimmten Werth von T die Werthe der Grössen v_1 und v_2, wie sie sich aus den Gleichungen (71) und (72) ergeben, einander gleich werden; dann sind die beiden Aggregatzustände, die mit einander in Berührung sind, identisch, und der hier betrachtete Gleichgewichtszustand fällt zusammen mit dem oben in der 1. Lösung besprochenen, indem der ganze Körper homogen ist.

Ein solcher Werth von T ist die sogenannte kritische Temperatur, für welche der gesättigte Dampf identisch ist mit der berührenden Flüssigkeit. Durch diesen Werth der Temperatur und den des entsprechenden spezifischen Volumens $v_1 = v_2$ ist der kritische Zustand bedingt, welcher einen continuirlichen Uebergang vom flüssigen zum gasförmigen Zustand darstellt, indem ein Wachsthum des spezifischen Volumens (bei constanter Temperatur) den gasförmigen, eine Abnahme desselben den flüssigen Zustand herbeiführt.

Für tiefere Temperaturen sind dann die Werthe von v_1 und v_2 verschieden, für höhere werden sie imaginär, so dass im letzteren Falle die hier betrachtete 2. Lösung keinen Sinn hat, und man zur 1. zurückgehen muss, welcher ein homogener Gleichgewichtszustand entspricht.

Es ist leicht, die Gleichungen aufzustellen, aus welchen sich die Bestimmungsstücke des kritischen Zustandes: T und v berechnen lassen. Wenn wir nämlich v_1 und v_2 als unendlich wenig von einander verschieden annehmen, indem wir $v_1 = v + dv$ und $v_2 = v$ setzen, so liefern die Gleichungen (71) und (72) folgende Bedingungen:

1) Aus (71):

$$P + \frac{\partial P}{\partial v} . dv = P$$

daher:

$$\frac{\partial P}{\partial v} = 0 \tag{82}$$

2) Aus (72):

$$\int_v^{v+dv} P\, \partial v = P . dv$$

oder:

$$P . dv + \frac{\partial P}{\partial v} \cdot \frac{dv^2}{1.2} + \frac{\partial^2 P}{\partial v^2} \cdot \frac{dv^3}{1.2.3} = P . dv$$

Daraus mit Rücksicht auf (82):

$$\frac{\partial^2 P}{\partial v^2} = 0 \tag{83}$$

Die beiden Gleichungen (82) und (83) liefern die Werthe der kritischen Temperatur T und des entsprechenden spezifischen Volumens v im kritischen Zustande, die man also unmittelbar berechnen kann, wenn die Abhängigkeit des Druckes P von T und v allgemein bekannt ist.

ad 3)

III. Lösung.

Alle 3 Theile des Körpers verschiedenartig.

Innere Bedingungen:

$$\left.\begin{aligned} P_1 = P_2 &= P_3 \\ \int_{v_2}^{v_1} P \,\partial v &= P_1 (v_1 - v_2) \\ \int_{v_3}^{v_2} P \,\partial v &= P_1 (v_2 - v_3) \end{aligned}\right\} \quad (84)$$

Aus diesen 4 Gleichungen ergeben sich ganz bestimmte Werthe der 4 Unbekannten T, v_1, v_2, v_3.

Aeussere Bedingungen:

$$\left.\begin{aligned} \Sigma M_1 &= M \\ \Sigma M_1 v_1 &= V \\ \Sigma M_1 u_1 &= U \end{aligned}\right\} \quad (85)$$

Hieraus die Werthe von M_1, M_2, M_3.

Diese Lösung entspricht einem Zustande, in dem alle 3 Aggregatzustände des Körpers miteinander in Berührung sind. Wie man sieht, ist das nur für eine ganz bestimmte Temperatur möglich, die sich aus den 4 Gleichungen (84) ergibt, und z. B. für Wasser nahezu $= 0^0$ C. ist. Diese Temperatur ist diejenige, für welche Siedepunkt und Schmelzpunkt gleichem Druck entsprechen.

Doch hat auch diese Lösung nur dann einen physikalischen Sinn, wenn die aus den äusseren Bedingungen (85) sich ergebenden Werthe von M_1, M_2, M_3 sämmtlich positiv sind, und nach (70) entspricht sie nur dann einem Gleichgewichtszustande, wenn die Grössen $\left[\frac{\partial P}{\partial v}\right]_1$, $\left[\frac{\partial P}{\partial v}\right]_2$, $\left[\frac{\partial P}{\partial v}\right]_3$, welche für einen bestimmten Körper ganz bestimmte Werthe haben, sämmtlich negativ sind. Sind aber diese Bedingungen erfüllt, so ist das Gleichgewicht absolut stabil, d. h. der entsprechende Werth der Entropie ist grösser als jeder andere, den man bei gleichen äusseren Bedingungen durch die beiden vorhergehenden Lösungen erhält. (Den ausführlichen Beweis dieses Satzes übergehen wir hier aus den nämlichen Gründen wie bei der Besprechung der 2. Lösung.)

Ein Beispiel hiefür wird erhalten, wenn man Wasser, welches sich in Berührung mit gesättigtem Wasserdampf befindet, unter 0° C. abkühlt.

Dieser, der 2. Lösung entsprechende Zustand, ist labil, indem bei einer kleinen äusseren Störung das Gleichgewicht dauernd verlassen und der der 3. Lösung entsprechende Gleichgewichtszustand eingenommen wird, in welchem sich die verschiedenen Theile des Wassers bei 0° C. in fester, flüssiger und dampfförmiger Gestalt nebeneinander vorfinden. Dagegen war v o r der Abkühlung unter 0° C. der der z w e i t e n Lösung entsprechende Gleichgewichtszustand stabil, weil in diesem Falle die äusseren Bedingungen so beschaffen sind, dass die sich für die 3. Lösung aus (85) ergebenden Werthe von M_1, M_2, M_3 nicht alle positiv ausfallen, diese Lösung also keinen Sinn hat.

Wir sind nun im Stande, das allgemeine Verfahren anzugeben, das man einzuschlagen hat, um den stabilen Gleichgewichtszustand eines Körpers zu bestimmen, von dem die Masse M, das Volumen V, und die Energie U gegeben sind: Man untersuche zuerst, ob sich aus der 3. Lösung, mittelst der 3 Gleichungen (85), positive Werthe von M_1, M_2, M_3 ergeben. Wenn ja, so entspricht das Gleichgewicht dieser Lösung, und der Körper befindet sich in 3 verschiedenen Aggregatzuständen nebeneinander; wenn aber nicht, so betrachte man die 2. Lösung; ergibt auch diese keinen Sinn, so verhält sich der Körper ganz homogen. Bezüglich der Stabilität des Gleichgewichts hat also die 3. Lösung den Vorzug vor den beiden ersten, die 2. vor der ersten.

Um hierüber ein Beispiel anzuführen, denken wir uns M, V und U so gegeben, dass die 3. Lösung keinen Sinn gibt, wohl aber die 2., indem die Werthe von M_1 und $(M_2 + M_3)$ positiv ausfallen, wenn man dieselben nebst T aus den 3 Gleichungen (73) berechnet, welche die äusseren Bedingungen der 2. Lösung ausdrücken. M_1 stelle z. B. (gesättigten) Dampf, $(M_2 + M_3)$ Flüssigkeit vor. Dann ist durch diese Lösung das Gleichgewicht gegeben. Lassen wir nun M constant, dagegen V und U beide wachsen (etwa mittelst Zuführung von Wärme), und zwar so, dass T constant bleibt, so werden nach (71) und (72) auch v_1 und v_2, folglich auch P_1, u_1, u_2 constant bleiben, und ein Einblick in die Gleichungen (73) lehrt, dass, da $v_1 > v_2$ und $u_1 > u_2$, M_1 wachsen, $(M_2 + M_3)$ dagegen abnehmen wird.

Bei fortgesetztem Verfahren wird schliesslich $M_1 = M$ und $(M_2 + M_3) = 0$ werden. In diesem Falle ist der ganze Körper gasförmig und homogen, die 2. Lösung fällt also mit der 1. zusammen. — Geht man nun in der beschriebenen Richtung (durch fernere Zuführung von Wärme) noch weiter, so wird $(M_2 + M_3)$ negativ, die 2. Lösung verliert also ihren Sinn, und das stabile Gleichgewicht wird fortab durch die 1. Lösung dargestellt, d. h. der Dampf bleibt von nun an homogen, und der Druck, der bis dahin constant war, beginnt sich zu ändern, zugleich mit dem spezifischen Volumen. Hiedurch ist das Verhalten gesättigter und überhitzter Dämpfe bei constanter Temperatur charakterisirt.

Aehnliche Beispiele liessen sich mit anderen Aggregatzuständen und in Bezug auf die 3. Lösung machen.

Wir haben die ganze Untersuchung basirt auf die Voraussetzung, dass Masse, Volumen und Energie des Körpers bestimmt gegeben sind, und haben das dieser Voraussetzung entsprechende Maximum der Entropie betrachtet. Es können aber die gegebenen äusseren Bedingungen auch eine andere Form haben als diese. In jedem Falle bleibt jedoch der zur Auffindung des Gleichgewichtszustandes anzuwendende Grundsatz ein und derselbe: es werden die unter den gegebenen Bedingungen möglichen Maxima der Entropie des Körpers bestimmt; das absolute Maximum entspricht dem absolut stabilen Gleichgewicht, jedes andere Maximum einem mehr oder weniger labilen Gleichgewichtszustand.

Ein besonders häufig vorkommender Fall ist z. B. der, dass ausser der Masse der Druck P gegeben ist, unter dem der Körper sich befindet, und ausserdem für irgend ein Volumen die Energie desselben, die sich aber immer dann ändert, wenn der Körper sein Volumen ändert, weil dann äussere Arbeit geleistet wird.

Wir wollen auch für diesen Fall die Gleichungen aufstellen, aus denen sich die Bestimmungsstücke des Gleichgewichts berechnen. Soll für einen Zustand die Entropie ein Maximum erreichen, so müssen alle möglichen unendlich kleinen Variationen der Entropie in diesem Zustande $= 0$ sein; wir erhalten daher, wie in (64), wenn wir alle dort gebrauchten Bezeichnungen beibehalten, die Bedingung:

$$\delta S = \Sigma \frac{M_1 \delta u_1}{T_1} + \Sigma \frac{M_1 P_1 \delta v_1}{T_1} + \Sigma s_1 \delta M_1 = 0. \qquad (86)$$

Dabei gelten, entsprechend den Gleichungen (61), (62), (63) folgende äussere Bedingungen:

Da die Masse des Körpers constant bleibt:

$$\Sigma \delta M_1 = 0. \qquad (87)$$

Da die Energie U sich nach Maassgabe der äusseren Arbeit ändert, welche durch den gegebenen äusseren Druck P und durch die Variation des Gesammtvolumens V bestimmt ist:

$$\delta U + P \delta V = 0.$$

oder: $$\delta \Sigma M_1 u_1 + P \,.\, \delta \Sigma M_1 v_1 = 0.$$

oder:

$$\Sigma M_1 \delta u_1 + \Sigma u_1 \delta M_1 + P \,.\, \Sigma M_1 \delta v_1 + P \Sigma v_1 \delta M_1 = 0. \qquad (88)$$

Mittelst der beiden Gleichungen (87) und (88) können wir aus (86) irgend 2 Variationen, z. B. δM_2 und δu_2 eliminiren, so dass wir dann in dem Ausdruck von δS nur ganz voneinander unabhängige Variationen erhalten. Es ergibt sich nach Ausführung der Rechnung:

$$\delta S = \left(\frac{1}{T_1} - \frac{1}{T_2} \right) M_1 \delta u_1 - \left(\frac{1}{T_2} - \frac{1}{T_3} \right) . M_3 \delta u_3$$

$$+ \left(\frac{P_1}{T_1} - \frac{P}{T_2} \right) M_1 \delta v_1 + \left(\frac{P_2}{T_2} - \frac{P}{T_2} \right) M_2 \delta v_2 + \left(\frac{P_3}{T_3} - \frac{P}{T_2} \right) . M_3 \delta v_3$$

$$+\left\{s_1 - s_2 - \frac{(u_1 - u_2) + P(v_1 - v_2)}{T_2}\right\}\delta M_1$$

$$-\left\{s_2 - s_3 - \frac{(u_2 - u_3) + P(v_2 - v_3)}{T_2}\right\}\delta M_3 = 0.$$

woraus folgende Gleichungen hervorgehen, wenn man die Coeffizienten der 7 unabhängigen Variationen = 0 setzt:

$$T_1 = T_2 = T_3$$

$$P_1 = P_2 = P_3 = P$$

$$s_1 - s_2 = \frac{(u_1 - u_2) + P(v_1 - v_2)}{T_1}$$

$$s_2 - s_3 = \frac{(u_2 - u_3) + P(v_2 - v_3)}{T_1}$$

Vergleicht man dieses Resultat mit dem unter (65), (66), (67), (68) erhaltenen, so erkennt man unmittelbar, dass die *inneren* Gleichgewichtsbedingungen, d. h. diejenigen Bedingungen, welche nur abhängig sind von der Natur des betrachteten Körpers, nicht aber von den gegebenen äusseren Umständen, in denen er sich befindet, in beiden Fällen die nämlichen sind, wie dies in der Natur der Sache gelegen ist.

Um die *äusseren* Gleichgewichtsbedingungen zu erhalten, muss man die gegebene Masse, den gegebenen Druck und die (für ein bestimmtes Volumen) gegebene Energie in Betracht ziehen.

Offenbar lassen sich auch hier, entsprechend dem oben betrachteten Falle, 3 verschiedene Arten von Lösungen unterscheiden, je nachdem sich der Körper ganz homogen verhält, oder sich in 2 oder 3 verschiedenen Aggregatzuständen nebeneinander befindet. Die Durchführung der einschlägigen Untersuchungen lässt sich ganz analog dem obigen Falle bewerkstelligen. Auch hier hat, was die Stabilität des Gleichgewichts anbetrifft, die 3. Lösung, wenn sie einen Sinn hat, den Vorzug vor den beiden ersten, die 2. vor der ersten.

Ein Beispiel für den letzteren Umstand bietet Wasser dar, wenn man es unter dem constanten Druck der Atmosphäre unter 0° C. abkühlt. Dann entspricht das Gleichgewicht der 1. Lösung. Während dasselbe aber vor der Abkühlung stabil war, indem dort die 2. Lösung keinen Sinn hatte, ist es nach der Abkühlung labil, weil nun die 2. Lösung positive Werthe von M_1 und $(M_2 + M_3)$ ergibt. Daher wird bei einer geringen Störung des Gleichgewichts ein neuer Gleichgewichtszustand eintreten, welcher der 2. Lösung entspricht, das ist eine Verbindung von Eis und Wasser.

Wie demnach auch die Umstände beschaffen sein mögen, denen der Körper unterworfen ist, die inneren Gleichgewichtsbedingungen, wie sie in den Gleichungen (69) ausgesprochen und in die 3 verschiedenen oben behandelten Lösungen gruppirt sind, bleiben stets dieselben und dienen der Aufsuchung des Gleichgewichts ein- für allemal als Grundlage. Zu ihnen kommen dann noch die äusseren Bedingungen hinzu, die sich aus den jeweilig gegebenen speziellen Umständen herleiten und den Gleichgewichtszustand des Körpers vollauf bestimmen. Freilich ist dabei vorausgesetzt, dass man P und u allgemein als Funktionen von T und v kennt, was bis jetzt noch nicht der Fall ist.

Die Theorie des Sättigungsgesetzes

Seitdem die experimentellen Untersuchungen der neueren Zeit es ermöglicht haben, die allgemeine Zustandsgleichung eines in homogenem Zustand befindlichen Gases mit brauchbarer Genauigkeit auch auf den flüssigen Zustand zu erstrecken, ist man auf diese Weise zu einer bestimmten Anschauung der Art des Ueberganges eines Stoffes in homogener Form aus dem dampfförmigen in den flüssigen Zustand gelangt.

Wird nämlich das System der Isothermen auch auf den flüssigen Zustand ausgedehnt, so zeigt sich, dass nur für die oberhalb der kritischen Temperatur gelegenen Temperaturen der Druck mit wachsendem Volumen stets abnimmt, während dagegen für alle tieferen Temperaturen jede Isotherme ein Minimum und ein Maximum des Druckes enthält, zwischen denen der Druck zugleich mit dem Volumen wächst. Eine solche Isotherme wird von gewissen, zur Abscissenaxe (auf der die Volumina gemessen werden) parallelen Geraden in drei reellen Punkten geschnitten, von denen die beiden äusseren dem flüssigen und dem dampfförmigen Zustand, der innere einem labilen Zwischenzustand angehört.

Dieser Umstand kann dazu benutzt werden, um, wenn die allgemeine Zustandsgleichung bekannt ist, sämmtliche Bestimmungsstücke des kritischen Zustandes (Temperatur, Druck, Volumen) zu berechnen, indem man diejenige Isotherme bestimmt, welche einen Wendepunkt enthält, für welche also Maximum und Minimum des Druckes zusammenfallen, während dieselben für tiefere Temperaturen verschieden, für höhere aber imaginär sind. Der Wendepunkt entspricht dann dem kritischen Zustand.

So hat zuerst van der Waals[1]), dann in der jüngsten

---

1) v. d. Waals, Over de continuiteit van den gas- en vloeistoftoestand. Leiden 1873. Sijthoff.

Zeit F. Roth[1]) u. A. für eine Reihe von Dämpfen die Bestimmungsstücke des kritischen Zustandes aus der allgemeinen Zustandsgleichung abgeleitet.

Es lässt aber, wie sogleich gezeigt werden soll. die auf empirischem Wege gefundene Zustandsgleichung eine weit allgemeinere Verwerthung zu, als die eben genannte. indem nämlich aus ihr das ganze Sättigungsgesetz in seiner gesammten Ausdehnung, d. h. die Beziehungen zwischen Temperatur, Druck und Volumina des gesättigten Dampfes und der berührenden (gesättigten) Flüssigkeit mit theoretischer Genauigkeit sich allgemein ableiten lassen.

Es entspricht bekanntlich jeder Temperatur, also jeder Isotherme, ein bestimmter Werth des Druckes, welcher dem bei dieser Temperatur gesättigten Dampf (und der gesättigten Flüssigkeit) angehört. Dieser Druck wird dargestellt durch eine gewisse zur Abscissenaxe Parallele, welche die Isotherme in drei Punkten schneidet, und deren Lage durch die Gestalt der Isotherme vollständig bestimmt ist.

Das Gesetz dieser Lage hat van der Waals, wie er l. c. ausdrücklich bemerkt, vergeblich experimentell zu bestimmen gesucht, (auch die neuerdings von ihm beobachteten Gesetzmässigkeiten haben vorläufig nur eine approximative Geltung) und ebensowenig ist dies den früheren theoretischen Untersuchungen von J. Thomson und Maxwell geglückt. Erst Clausius[2]) hat neuerdings diese Frage wieder theoretisch untersucht und ist dabei wesentlich zu dem nämlichen Resultate gelangt, wie ich in einer fast ganz gleichzeitig erschienenen Abhandlung.[3]) Indess beschränkt sich Clausius auf eine mehrfache Darstellung in Worten.

In der Fassung, die mir die anschaulichste zu sein scheint, lautet das besagte Gesetz folgendermassen: In jeder Isotherme ist die (zur Abscissenaxe parallele) Gerade, welche den Druck des gesättigten Dampfes darstellt, so gelegen,

---

1) F. Roth, Wied. Ann. **11.** p. 1 ff. 1880.

2) R. Clausius, Wied. Ann. **9.** p. 356 ff. 1880.

3) M. Planck, Gleichgewichtszustände isotroper Körper. München 1880. Th. Ackermann.

dass die beiden von ihr und der Isotherme abgegrenzten Flächenräume einander gleich sind.

Die Veranschaulichung dieses Satzes auf graphischem Wege ist überaus einfach. Man sieht ferner unmittelbar, dass hierdurch auch die Volumina des gesättigten Dampfes und der gesättigten Flüssigkeit bestimmt sind.

Die Richtigkeit dieses Gesetzes steht ausser allem Zweifel, da es sich unmittelbar aus dem zweiten Hauptsatz der mechanischen Wärmetheorie (Satz von der Vermehrung der Entropie) herleitet. Es gilt übrigens nicht nur für das stabile Gleichgewicht bei der Berührung von Dampf und Flüssigkeit, sondern regelt überhaupt ganz im allgemeinen das stabile Gleichgewicht eines Körpers, der sich in zwei oder drei Aggregatzuständen nebeneinander befindet.

Es soll nun zunächst auch der mathematische Ausdruck des Gesetzes kurz angeführt werden. Wenn P den Druck einer homogenen Dampf- oder Flüssigkeitsmasse bezeichnet, so ist P eine bestimmte stetige und eindeutige Function der absoluten Temperatur T und des Volumens der Masseneinheit: v (specifisches Volumen), als welche P durch die allgemeine Zustandsgleichung dargestellt wird.

Dieses vorausgesetzt, ist das Gesetz der Sättigung in folgenden beiden Gleichungen enthalten, wobei v_1 und v_2 die specifischen Volumina des gesättigten Dampfes und der gesättigten Flüssigkeit darstellen, während T als gemeinsame Temperatur gedacht wird:

$$P_1 = P_2, \tag{1}$$

$$\int_{v_2}^{v_1} P \,\partial v = P_1 (v_1 - v_2). \tag{2}$$

Hierbei sind P_1 und P_2 die den Werthepaaren $(T v_1)$ und $(T v_2)$ entsprechenden Functionswerthe von P. Das Integral in der zweiten Gleichung ist partiell nach v zu nehmen (bei constantem T). (Die Ableitung dieser Gleichungen findet sich in meiner Abhandlung p. 39 ff.).

Wenn also P allgemein als Function von T und v bekannt ist, lassen sich mittelst dieser beiden Gleichungen die beiden Grössen v_1 und v_2 (also auch der Druck $P_1 = P_2$) als bestimmte Functionen von T allein berechnen, wodurch dann das Gesetz der Sättigung gegeben ist.

Die Bedingungen des kritischen Zustandes ergeben sich einfach dadurch, dass man v_1 mit v_2 zusammenfallen lässt, woraus die beiden Gleichungen:

$$\frac{\partial P}{\partial v} = 0, \qquad (3) \qquad \text{und:}$$

$$\frac{\partial^2 P}{\partial v^2} = 0 \qquad (4)$$

zur Bestimmung von T, v und P im kritischen Zustande hervorgehen.

Hiervon soll nun eine Anwendung auf Kohlensäure gemacht werden, indem aus der hinlänglich zuverlässigen Zustandsgleichung derselben das gesammte Sättigungsgesetz abgeleitet wird. Hierbei scheint mir die von Clausius[1]) aufgestellte Zustandsgleichung den Vorzug vor der bekannten van der Waals'schen aus dem Grunde zu verdienen, weil sie sich den neueren Andrews'schen Beobachtungen weit besser anschliesst. Die Clausius'sche Zustandsgleichung für Kohlensäure lautet:

$$P = R \cdot \frac{T}{v - \alpha} - \frac{c}{T(v + \beta)^2}, \qquad (5) \qquad \text{wobei:}$$

$$(6) \qquad \left\{ \begin{aligned} R &= 0{,}003\,688, \\ c &= 2{,}0935, \\ \alpha &= 0{,}000\,843, \\ \beta &= 0{,}000\,977. \end{aligned} \right.$$

Hierbei ist P in Atmosphären ausgedrückt, und v ist für $P = 1$ und $T = 273$ gleich der Einheit angenommen.

Durch Substitution dieses Werthes von P in (1) erhält man:

$$P_1 = \frac{RT}{v_1 - \alpha} - \frac{c}{T(v_1 + \beta)^2} = \frac{RT}{v_2 - \alpha} - \frac{c}{T(v_2 + \beta)^2} = P_2,$$

oder symmetrischer, wenn wir zugleich den Druck des gesättigten Dampfes: $P_1 = P_2$ ein für alle mal mit P bezeichnen:

---

1) l. c. p. 348.

$$(7)\qquad \begin{cases} P = \dfrac{c\,.\,[(v_1-\alpha)(v_2-\alpha)-(\alpha+\beta)^2]}{T(v_1+\beta)^2(v_2+\beta)^2} \\[2ex] \quad = \dfrac{RT\,.\,[(v_1-\alpha)(v_2-\alpha)-(\alpha+\beta)^2]}{(v_1-\alpha)(v_2-\alpha)\,.\,(v_1+v_2+2\beta)} \end{cases}$$

Hieraus eine Relation zwischen T, v_1 und v_2:

$$(8)\qquad T^2 = \frac{c\,(v_1-\alpha)(v_2-\alpha)(v_1+v_2+2\beta)}{R\,.\,(v_1+\beta)^2\,.\,(v_2+\beta)^2}\,.$$

Ferner erhält man aus (2) mit Benutzung von (5):

$$RT\,.\log\frac{v_1-\alpha}{v_2-\alpha} - \frac{c\,(v_1-v_2)}{T\,(v_1+\beta)(v_2+\beta)} = P\,(v_1-v_2)\,,$$

und wenn man mittelst (7) und (8) P und T eliminirt:

$$(9)\qquad \log\frac{v_1-\alpha}{v_2-\alpha} = \frac{(v_1-v_2)\,.\,[2\,(v_1 v_2-\alpha\beta)+(v_1+v_2)(\beta-\alpha)]}{(v_1-\alpha)(v_2-\alpha)\,.\,(v_1+v_2+2\beta)}\,.$$

Dies sind im ganzen drei voneinander unabhängige Gleichungen zwischen den vier Variabeln T, P, v_1 und v_2, sodass diese dadurch als Functionen einer unabhängigen Variabeln erscheinen und als solche berechnet werden können.

Die unabhängige Variable kann T oder jede andere der betrachteten Grössen sein, sie kann aber auch beliebig anders gewählt werden, je nachdem es die Zweckmässigkeit erfordert.

Nun sieht man unmittelbar, dass es für die Rechnung unbequem wäre, wenn man etwa T zur unabhängigen Variablen wählen würde, weil die Berechnung der Werthe von v_1 und v_2 aus den Gleichungen (8) und (9) auf die Lösung einer transcendenten Gleichung zurückführt. Es soll daher die unabhängige Variable anders, und zwar in der Weise gewählt werden, dass sämmtliche in Betracht kommende Grössen sich bequem durch sie ausdrücken lassen. Dies erreichen wir durch Einführung der beiden neuen Variablen r und φ, die in folgender Weise definirt sind:

$$(10)\qquad v_1 - \alpha = r\cos^2\frac{\varphi}{2}$$

$$(11)\qquad v_2 - \alpha = r\sin^2\frac{\varphi}{2}\,.$$

Durch v_1 und v_2 sind r und φ bestimmt, und zwar in reeller Weise, da, wie aus der Zustandsgleichung (5) hervorgeht, v niemals kleiner als α werden kann, indem sonst P den Werth ∞ passiren müsste.

Wenn wir nun den Winkel φ als unabhängige Variable ansehen, lassen sich sämmtliche in den Gleichungen vorkommende Variable als Functionen von φ bequem darstellen.

So hat man zunächst durch Einsetzung der Werthe von v_1 und v_2 aus (10) und (11) in (9) folgenden Ausdruck für r:

$$r = \frac{2(\alpha + \beta)}{\sin^2 \varphi} \cdot \frac{\cos \varphi - \sin^2 \varphi \,.\, \log \operatorname{ctg} \frac{\varphi}{2}}{\log \operatorname{ctg} \frac{\varphi}{2} - \cos \varphi}\,. \tag{12}$$

Hierdurch sind nun auch v_1 und v_2 mittelst (10) und (11) als Functionen von φ ausgedrückt, ebenso T durch (8) und endlich P durch (7).

Der gesammte Bereich des Sättigungsgesetzes wird durchlaufen, wenn man den Winkel φ von 0^0 bis 90^0 wachsen lässt, und v_1 auf den dampfförmigen, v_2 auf den flüssigen Zustand bezieht. Denn für $\varphi = 0$ wird $r = \infty$, $v_1 = \infty$, $v_2 = \alpha$, $T = 0$, $P = 0$. Dies sind die Bedingungen des gesättigten Zustandes für die absolute Temperatur 0. Lässt man nun φ wachsen, so wachsen T, P und v_2, während r und v_1 beständig abnehmen; d. h. mit steigender Temperatur nimmt der Druck des gesättigten Dampfes zu, während die specifischen Volumina des dampfförmigen und des flüssigen Zustandes sich gegenseitig nähern. Endlich für $\varphi = 90^0$ wird

$$r = 4(\alpha + \beta) \qquad v_1 = v_2 = 3\alpha + 2\beta$$

$$T^2 = \frac{8c}{27R(\alpha + \beta)} \qquad P^2 = \frac{cR}{216(\alpha + \beta)^3}\,,$$

wodurch der kritische Zustand bestimmt ist. Diese Werthe ergeben sich übrigens auch unmittelbar aus (5), indem man die Wurzeln der Gleichungen (3) und (4) bestimmt.

Würde man φ noch weiter wachsen lassen, so würde nichts wesentlich Neues erhalten werden: v_1 und v_2 würden ineinander übergehen, die Temperatur und der Druck würden wieder abnehmen u. s. w. Es ist also in der That ein reelles

Werthensystem der betrachteten Grössen nur möglich für Temperaturen und Drucke, die unterhalb des kritischen Punktes gelegen sind.

Ich habe die Rechnung für einige Werthe der unabhängigen Variablen φ ausgeführt, indem ich die von Clausius für Kohlensäure angegebenen Werthe der Constanten R, c, α, β, wie sie hier unter (6) mitgetheilt sind, zu Grunde legte, und theile die Resultate in der nachfolgenden Tabelle mit.

Die specifischen Volumina v_1 und v_2 habe ich dabei in absolutes Maass, d. h. bezogen auf Centimeter und Gramm, umgerechnet, indem ich alle in der oben angegebenen Einheit erhaltenen specifischen Volumina noch mit 505,7, dem Volumen in Cubikcentimetern eines Grammes Kohlensäure bei 0^0 C. und 1 Atmosphäre Druck, multiplicirte.

Die letzte Columne endlich enthält die den jeweiligen Temperaturen entsprechenden Verdampfungswärmen (unter dem constanten Druck des bei der betreffenden Temperatur gesättigten Dampfes). Die Verdampfungswärme der Masseneinheit: λ berechnet sich bekanntlich aus der Gleichung:

$$\lambda = T \cdot \frac{dP}{dT} \cdot (v_1 - v_2)$$

wobei P. der Druck des gesättigten Dampfes, als Function der Temperatur allein zu denken ist. Bequemer für unseren Zweck ist jedoch folgende Fassung[1]) der Formel, die sich mit Hülfe von (2) ergibt:

$$(13) \qquad \lambda = T . \int_{v_2}^{v_1} \frac{\partial P}{\partial T} \partial v.$$

Hierbei bedeutet $\partial P / \partial T$ den partiellen Differentialquotienten von P nach T (bei constantem v), während die Integration partiell nach v (bei constantem T) auszuführen ist.

Da nun nach (5):

$$\frac{\partial P}{\partial T} = \frac{R}{v - \alpha} + \frac{c}{T^2 (v + \beta)^2},$$

so erhalten wir aus (13):

$$\lambda = R\,T . \log \frac{v_1 - \alpha}{v_2 - \alpha} + \frac{c . (v_1 - v_2)}{T (v_1 + \beta)(v_2 + \beta)}.$$

1) p. 48 meiner Abhandlung.

Um schliesslich noch die Werthe der Verdampfungswärme λ auf Kilogramme und Calorien zu reduciren, sind die aus der letzten Gleichung hervorgehenden Werthe von λ noch mit 12,32 multiplicirt worden, welche Zahl sich durch Reduction der Maasse auf Meter und Kilogramme, dann durch Division mit dem mechanischen Wärmeäquivalent ergibt.

Gesetz des Verhaltens gesättigter Kohlensäure, abgeleitet aus der allgemeinen Zustandsgleichung.

φ unabhängige Variable in Winkelgraden	t Temperatur in gewöhnl. Celsius-Graden	P Druck des gesättigten Dampfes in Atmosphären	v_1 Volumen eines Gramms ges. Dampfes in Cubikcentim.	v_2 Volumen eines Gramms ges. Flüssigkeit in Cubikcentim.	λ Verdampfungswärme ein. Kg. in Calorien
0°	−273	0	∞	0,426	∞
5°	− 55,5	3,5	111	0,636	114
10°	− 33,6	10,3	38,5	0,718	96,6
15°	− 19,2	18,1	21,6	0,792	84,4
20°	− 8,8	25,9	14,6	0,866	74,7
25°	− 0,7	33,4	10,9	0,939	66,5
30°	+ 5,8	40,4	8,60	1,01	59,3
35°	10,9	46,7	7,10	1,09	52,8
40°	15,2	52,3	6,03	1,17	46,8
45°	18,8	57,3	5,23	1,25	41,2
50°	21,7	61,6	4,61	1,34	36,0
55°	24,0	65,4	4,12	1,43	31,0
60°	26,0	68,5	3,71	1,52	26,2
65°	27,6	71,2	3,38	1,62	21,6
70°	28,9	73,3	3,09	1,73	17,1
75°	29,8	74,9	2,84	1,85	12,8
80°	30,5	76,1	2,63	1,98	8,5
85°	30,9	76,8	2,44	2,11	4,2
90°	31,0	77,0	2,27	2,27	0

Die letzte Horizontalreihe enthält die Bestimmungsstücke des kritischen Zustandes.

Ungenauigkeiten in den angeführten Werthensystemen sind selbstverständlich auf Rechnung der benutzten Zustandsgleichung (5) zu setzen und müssen schon deshalb erwartet werden, weil die letztere zunächst nur für den dampfförmigen Zustand berechnet ist. Indess findet immerhin eine bemerkenswerthe Annäherung an die experimentellen Resultate statt, so weit dieselben reichen. So findet z. B. Andrews[1]) bei seinen neuesten Untersuchungen folgende Zahlen, die sich so gut, wie man nur erwarten kann, denen der obigen Tabelle anschliessen.

t Temperatur in gewöhnlichen Celsius-Graden	P Druck des gesättigten Dampfes in Atmosphären	t Temperatur in gewöhnlichen Celsius-Graden	P Druck des gesättigten Dampfes in Atmosphären
0	35,04	22,22	61,13
5,45	40,44	25,39	65,78
11,45	47,04	28,30	70,39
16,92	53,77		

1) T. Andrews, Proc. Roy. Soc. **24**, p. 455. 1876.

Verdampfen, Schmelzen und Sublimiren

Während die Processe des Verdampfens und des Schmelzens nebst den damit unmittelbar zusammenhängenden Gesetzen der gesättigten Dämpfe und Flüssigkeiten bereits eingehenden experimentellen Untersuchungen unterzogen worden sind, war es bisher immer noch mit einigen Schwierigkeiten verknüpft, auch für den Sublimationsprocess (Uebergang aus dem festen Zustand direkt in den dampfförmigen) die analogen Gesetze numerisch festzustellen. Und doch beruht jeder dieser drei genannten Processe genau auf den nämlichen theoretischen Grundgleichungen, wie sie aus den Hauptsätzen der mechanischen Wärmetheorie hervorgehen. Ja, dieselben sind so nahe miteinander verwandt, dass, wenn nur zwei von ihnen in ihrem ganzen Umfang bekannt sind, daraus alle Bestimmungsstücke des dritten allgemein abgeleitet werden können. Das letztere soll zunächst im Folgenden nachgewiesen und daraus die Gesetze des Sublimationsprocesses abgeleitet werden.

Wenn sich ein Körper in zwei verschiedenen Aggregatzuständen nebeneinander in stabilem Gleichgewicht befindet, so sind bekanntlich sowohl der Druck P als auch die Volumina der Masseneinheiten (specifische Volumina) der beiden verschiedenartigen Bestandtheile des Körpers allein von der (absoluten) Temperatur T abhängig, und es lassen sich auch unmittelbar die Gleichungen angeben, welche diese Abhängigkeit dann zu berechnen gestatten, wenn die allgemeine Zustandsgleichung des Körpers (P als Function von T und v für alle Zustände, in denen die Materie den Körper gleichmässig erfüllt) gegeben ist.

Hierbei ist aber wohl zu unterscheiden, ob sich z. B. gesättigter Dampf in Berührung mit flüssigen oder mit festen Bestandtheilen des nämlichen Körpers befindet, indem für diese beiden Fälle die Functionen, welche Druck und specifisches Volumen des gesättigten Dampfes in ihrer Abhängigkeit von der Temperatur darstellen, verschiedenartig ausfallen. Der Begriff des gesättigten Dampfes ist erst dann bestimmt, wenn angegeben ist, mit welchem Aggregatzustand der Dampf sich in Berührung befindet.

Wenn wir daher zur Unterscheidung der drei Aggregatzustände die Ziffern 1, 2, 3 der Reihe nach auf den dampfförmigen, flüssigen und festen Zustand beziehen, so müssen wir zur Bezeichnung eines gesättigten Körperbestandtheils zwei Indices verwenden, von denen der erste den Aggregatzustand des Bestandtheils selbst, der zweite denjenigen Aggregatzustand angibt, mit dem der betreffende Bestandtheil in Berührung gedacht ist. So haben wir zur Bezeichnung des specifischen Volumens des gesättigten Dampfes die beiden Ausdrücke v_{12} und v_{13}, wobei der erste Dampf in Berührung mit flüssigen, der zweite Dampf in Berührung mit festen Bestandtheilen darstellt. Analog ergeben sich die Bezeichnungen v_{23} und v_{21}, v_{31} und v_{32} für die specifischen Volumina flüssiger und fester Bestandtheile im Zustand der Sättigung; jede von diesen sechs Grössen ist eine bestimmte Function der Temperatur allein. Sind diese Functionen bekannt, so ergeben sich daraus unmittelbar auch die entsprechenden Werthe des Druckes P, vorausgesetzt, dass die allgemeine Zustandsgleichung des Körpers bekannt ist.

Zur Bestimmung der sechs Grössen v dienen nun folgende drei Systeme von Gleichungen[1]):

1) Das durch diese Gleichungen ausgesprochene Gesetz ist bewiesen an folgenden Orten: J. Clerk-Maxwell: Nat. journ. of science, XI. p. 358. 1875. R. Clausius, Wied. Ann. IX. p. 356. 1880. M. Planck, Gleichgewichtszustände isotroper Körper, München, Th. Ackermann,

$$(1)\quad \begin{cases} T_{12} = T_{21} \qquad P_{12} = P_{21} \qquad \int\limits_{v_{21}}^{v_{12}} P \partial v = P_{12}\,(v_{12} - v_{21}) \\ T_{23} = T_{32} \qquad P_{23} = P_{32} \qquad \int\limits_{v_{32}}^{v_{23}} P \partial v = P_{23}\,(v_{23} - v_{32}) \\ T_{31} = T_{13} \qquad P_{31} = P_{13} \qquad \int\limits_{v_{13}}^{v_{31}} P \partial v = P_{31}\,(v_{31} - v_{13}) \end{cases}$$

Hierbei sind die Integrationen partiell nach v (bei constantem T) auszuführen. Wenn P für alle homogenen Zustände als Function von T und v bekannt ist, lassen sich aus je einem System dieser Gleichungen (streng genommen aus einem einzigen, unter Berücksichtigung der verschiedenen Wurzelwerthe) je zwei zusammengehörige Werthe der v (etwa v_{12} und v_{21} nebst dem entsprechenden Druck $P_{12} = P_{21}$) als Functionen der Temperatur allein berechnen. Leider ist ersteres bis jetzt noch für keinen Körper der Fall.[1])

Legt man allen diesen Gleichungen die nämliche Temperatur T zu Grunde, so erhält man aus ihnen die einer bestimmten Temperatur entsprechenden Werthe der Drucke und specifischen Volumina gesättigter Körpertheile, und kann so z. B. die Drucke gesättigten Dampfes P_{12} und P_{13}, je nach der Berührung mit flüssigen oder festen Bestandtheilen, bei der nämlichen Temperatur miteinander vergleichen.

Es gibt für jeden Körper eine bestimmte Temperatur, für die $P_{12} = P_{13}$ wird, für welche also die beiden Arten gesättigten Dampfes identisch werden. Aus dieser Bedingung

---

p. 40. 1880. Ausserdem finden sich Anwendungen davon bei: J. D. van der Waals; Onderzoekingen omtrent de overeenstemmende eigenschappen etc. Amsterdam 1880, oder die deutsche Uebersetzung von F. Roth: Die Continuität des gasförmigen und flüssigen Zustandes, p. 127. 1881. R. Clausius, Wied. Ann. XIV. p. 283. 1881. R. Clausius, Compt. rend. **93.** p. 619. 1881. M. Planck, Wied. Ann. XIII. p. 537. 1881.

1) Es wäre gewiss ein lohnendes Unternehmen, für einen bestimmten Körper, wenn auch nur auf rein empirischem Wege, eine möglichst genaue Zustandsgleichung aufzustellen, deren Gültigkeit sich auf alle drei Aggregatzustände erstreckt. Der durch dieselbe dargestellte Werth von P müsste in Bezug auf v vom 5. Grade sein. Wasser dürfte sich hierfür wohl am besten eignen.

folgt unmittelbar auch $v_{12} = v_{13}$, und dann vermöge der obigen Gleichungen auch $v_{23} = v_{21}$, und $v_{31} = v_{32}$, ebenso $P_{12} = P_{31} = P_{23}$. Diese Temperatur ist diejenige, bei der sich der Körper in allen drei Aggregatzuständen nebeneinander im stabilen Gleichgewicht befinden kann. (Für Wasser etwa $\doteq 0{,}0078^0$ C.) Wir wollen diese Temperatur, die auch schon mit absoluter Sublimationstemperatur bezeichnet worden ist, aus später ersichtlichen Gründen die Fundamentaltemperatur des Körpers nennen.

Was nun zunächst gezeigt werden soll, ist dies, dass man auch ohne Kenntniss der allgemeinen Zustandsgleichung die Bestimmungsstücke der Sublimation, d. h. die Werthe der Grössen $P_{13} = P_{31}$, v_{13} und v_{31} für jede beliebige Temperatur zu berechnen im Stande ist, vorausgesetzt, dass die entsprechenden Grössen für Verdampfung und Schmelzung bekannt sind. Man hat nämlich für irgend eine bestimmte Temperatur T die Identität:

$$\int_{v_{12}}^{v_{13}} P\partial v + \int_{v_{13}}^{v_{31}} P\partial v + \int_{v_{31}}^{v_{32}} P\partial v + \int_{v_{32}}^{v_{23}} P\partial v + \int_{v_{23}}^{v_{21}} P\partial v + \int_{v_{21}}^{v_{12}} P\partial v = 0.$$

Daraus mit Berücksichtigung der Gleichungen (1):

$$(2)\quad \begin{cases} \int_{v_{12}}^{v_{13}} P\partial v + \int_{v_{31}}^{v_{32}} P\partial v + \int_{v_{23}}^{v_{21}} P\partial v + P_{31}(v_{31} - v_{13}) \\ \quad + P_{23}(v_{23} - v_{32}) + P_{12}(v_{12} - v_{21}) = 0. \end{cases}$$

Die drei stehen bleibenden Integrale unterscheiden sich durch eine wesentlich einfachere Eigenschaft von den durch die obigen Gleichungen eliminirten; während nämlich die Integrale in (1) über sogenannte theoretische Theile der Isotherme zu erstrecken sind (für welche der Druck mit wachsendem Volumen zum Theil wächst), die nicht direkt beobachtet werden können, sind die hier in (2) stehen gebliebenen Integrale nur über solche Werthe von P zu erstrecken, die einem und demselben Aggregatzustand angehören, und sich daher direkt aus der Compressibilität des Körpers berechnen lassen. Ist dies geschehen, so gibt die Gleichung (2) das Mittel, um, wenn Drucke und Volumina für Schmelzung und Verdampfung bekannt sind, daraus dieselben Grössen für Sublimation bei der nämlichen Temperatur zu berechnen.

In den meisten Fällen kann man sich mit grosser Annäherung einer aus dieser Gleichung abgeleiteten Näherungsformel bedienen, nämlich unter der Voraussetzung, dass die gewählte Temperatur nicht weit von der Fundamentaltemperatur des Körpers entfernt ist. Dann werden die Differenzen: $v_{12} - v_{13}$, $v_{23} - v_{21}$, $v_{31} - v_{32}$ klein, und man kann in (2) die drei Integrale vernachlässigen, wodurch man erhält:

$$P_{31}(v_{31} - v_{13}) + P_{23}(v_{23} - v_{32}) + P_{12}(v_{12} - v_{21}) = 0.$$

Setzt man hierin noch v_{12} statt v_{13} und v_{32} statt v_{31}, so ergibt sich daraus der Werth von $P_{31} = P_{13}$, durch die Bestimmungsstücke der Verdampfung und Schmelzung ausgedrückt:

$$P_{13} = \frac{P_{23}(v_{23} - v_{32}) + P_{12}(v_{12} - v_{21})}{v_{12} - v_{32}}.$$

Meistens ist das specifische Volumen des Dampfes sehr gross gegenüber den specifischen Volumina der festen und flüssigen Körperbestandtheile. Unter dieser Voraussetzung vereinfacht sich die Gleichung noch weiter zu:

$$P_{13} = \frac{P_{23} \cdot (v_{23} - v_{32})}{v_{12}} + P_{12},$$

oder:

$$P_{12} - P_{13} = \frac{P_{23}(v_{32} - v_{23})}{v_{12}}. \tag{3}$$

Kurz ausgedrückt: Die Differenz zwischen dem Verdampfungs- und dem Sublimationsdruck verhält sich zum Schmelzdruck wie die Differenz der Schmelzvolumina zum Dampfvolumen, alles bei der nämlichen Temperatur genommen.

Berechnen wir z. B. den Druck P_{13} gesättigten Wasserdampfes, der sich bei der Temperatur -1^0 C. in Berührung mit Eis im stabilen Gleichgewicht befindet. Für diese Temperatur haben wir, wenn der Druck in Millimetern Quecksilber, die specifischen Volumina in Cubikcentimetern und Grammen ausgedrückt sind, folgende angenäherte Werthe:

$P_{12} = 4{,}26$ } (Druck gesättigten Wasserdampfes in Berührung mit Wasser),

$v_{23} = 1$, $v_{32} = 1{,}1$ } (Specifische Volumina von Wasser und Eis),

$P_{23} = 92000$ (Schmelzdruck des Eises),

$v_{12} = 206\,000$ (Specifisches Volumen gesättigten Wasserdampfes in Berührung mit Wasser).

Für diese Werthe liefert die Gleichung (3) folgendes Ergebniss:

$$P_{12} - P_{13} = 0{,}0446.$$[1]

Daraus: $$P_{13} = 4{,}22.$$

Lässt man also Eis bei -1^0 C. in einem evacuirten Raume verdampfen, so stellt sich das Gleichgewicht schon bei einem Druck ein, der um 0,04 mm kleiner ist, als wenn der Dampf sich in Berührung mit Wasser befindet. Für Temperaturen oberhalb der Fundamentaltemperatur des Wassers wird die Differenz $P_{12} - P_{13}$ negativ, weil dann P_{23} negativ wird.

Haben wir somit ein Mittel zur Berechnung des Sublimationsdruckes (und daraus der übrigen Bestimmungsstücke der Sublimation) gewonnen, so sind wir dadurch noch nicht in den Stand gesetzt, im allgemeinen die Bedingungen anzugeben, unter welchen die Sublimation überhaupt eintritt. Dies wird erst ermöglicht durch die Beantwortung der allgemeinsten Frage, die man in Betreff des stabilen Gleichgewichts eines bestimmten äusseren Bedingungen unterworfenen Körpers stellen kann. Dieselbe kann in folgende Form gebracht werden: Welchen Zustand nimmt ein Körper an, der, in bestimmter Masse, ein bestimmtes Volumen einnimmt, wenn ihm eine bestimmte Gesammtenergie (durch Zuführung oder Entziehung von Wärme) mitgetheilt wird?

Die Antwort auf diese Frage lautet: Unter allen Zuständen, die unter den gegebenen äusseren Bedingungen möglich sind, stellt derjenige das stabile Gleichgewicht dar, dem der grösste Werth der Entropie entspricht.[2] (Ueber diesen Satz vgl. die Bemerkungen am Schlusse dieser Abhandlung). Es sollen nun die sich hieraus ergebenden Be-

---

1) Zu dem nämlichen Resultate gelangt G. Kirchhoff, Pogg. Ann. **103.** p. 208. 1858, auf einem ganz anderen Wege.

2) Aus dieser Bedingung allein habe ich in der schon oben citirten Abhandlung über Gleichgewichtszustände isotroper Körper die folgenden Gleichungen (4), (6), ferner (14), (15) und (16) abgeleitet, die ich hier ohne weiteres einführe.

dingungen eingehender erörtert und Anwendungen davon gemacht werden.

Ausdrücklich möge hier noch hervorgehoben sein, dass alle im Folgenden aufgestellten Sätze theoretisch strenge Folgerungen der beiden Hauptsätze der mechanischen Wärmetheorie darstellen, insbesondere völlig unabhängig sind von jeglicher Voraussetzung über die innere Beschaffenheit der Körper. Es scheint mir nämlich von Wichtigkeit, diejenigen Sätze der Wärmelehre, welche mit den fest fundirten Grundlagen derselben stehen und fallen, zunächst möglichst weit auszubilden, und Molecularhypothesen erst dann zu Hülfe zu nehmen, wenn die auf den erstgenannten Sätzen beruhenden Anhaltspunkte der Theorie vollständig ausgenützt sind. Man kann in dieser Richtung noch erheblich weiter gehen, als bis jetzt geschehen ist.

Gegeben denken wir uns die Gesammtmasse des Körpers M, das Gesammtvolumen V und die (stets nach mechanischem Maass gemessene) Gesammtenergie U. Statt der beiden letzteren Grössen ist es oft bequemer, die Werthe $V/M = v$ (mittleres specifisches Volumen) und $U/M = u$ (mittlere specifische Energie) zu betrachten.

Unter diesen gegebenen Bedingungen gibt es bekanntlich im allgemeinen m e h r e r e Zustände, denen ein relatives Maximum der Entropie entspricht. Von diesen stellt derjenige den stabilen Gleichgewichtszustand vor, dem der grösste unter den Maximalwerthen zukommt, während die übrigen labile Gleichgewichtszustände bezeichnen.

Diese verschiedenen Lösungen der Gleichung $\delta S = 0$ lassen sich in drei Classen theilen:

I. Die erste Lösung entspricht dem Falle, dass der Körper sich ganz homogen verhält. Dann stellen die oben definirten Werthe des mittleren specifischen Volumens v und der mittleren specifischen Energie u zugleich die wirklichen Werthe dieser Grössen im Körper dar, und es berechnet sich daraus dann auch die Temperatur T, da u eine bestimmte Function von v und T ist.

II. Die zweite Lösung zeigt einen Zustand an, bei dem der Körper sich in zwei verschiedenen Aggregatzuständen nebeneinander befindet. Behalten wir die oben gebrauchten Bezeichnungen bei, so entsprechen dieser Lösung die Gleichungen (1):

$$(4) \qquad T_{12} = T_{21} \quad P_{12} = P_{21} \quad \int_{v_{21}}^{v_{12}} P \partial v = P_{12}(v_{12} - v_{21}).$$

Ebenso für Schmelzung und Sublimation. Hat man hieraus T_{12}, P_{12}, v_{12} und v_{21} (also auch u_{12} und u_{21}) als Functionen einer einzigen unabhängigen Variabeln (z. B. T selber) berechnet, so ergeben sich aus den drei äusseren gegebenen Bedingungen:

$$(5) \qquad \begin{cases} M_{12} + M_{21} = M \\ M_{12} v_{12} + M_{21} v_{21} = V = M . v \\ M_{12} u_{12} + M_{21} u_{21} = U = M . u \end{cases}$$

die drei letzten Unbekannten: M_{12}, M_{21} und der Werth der unabhängigen Variabeln, wodurch dann der Zustand vollständig bestimmt ist.

III. Die dritte Lösung entspricht dem Falle, wo im Körper alle drei Aggregatzustände nebeneinander vertreten sind. Bezeichnen wir die specifischen Volumina des dampfförmigen, flüssigen und festen Bestandtheils mit v_1, v_2, v_3, so gelten folgende Bedingungen:

$$(6) \begin{cases} T_1 = T_2 = T_3 \qquad P_1 = P_2 = P_3 \\ \int_{v_2}^{v_1} P \partial v = P_1(v_1 - v_2) \; \int_{v_3}^{v_2} P \partial v = P_1(v_2 - v_3) \; \int_{v_1}^{v_3} P \partial v = P_1(v_3 - v_1). \end{cases}$$

Hieraus ergeben sich ganz bestimmte Werthe von T_1, P_1, v_1, v_2, v_3 (also auch von u_1, u_2, u_3), die Fundamentalwerthe dieser Grössen, sodass man dann aus den drei äusseren Bedingungen:

$$(7) \qquad \begin{cases} M_1 + M_2 + M_3 = M \\ M_1 v_1 + M_2 v_2 + M_3 v_3 = V = M . v \\ M_1 u_1 + M_2 u_2 + M_3 u_3 = U = M . u \end{cases}$$

die Massen M_1, M_2, M_3 der verschiedenen Bestandtheile des Körpers eindeutig berechnen kann.

Bei der Frage, welche von diesen drei Lösungen in jedem einzelnen Falle den Vorzug hat, d. h. das stabile Gleichgewicht darstellt, ist zunächst zu berücksichtigen, dass die zweite und die dritte Lösung nur dann einen physikalischen Sinn haben, wenn die aus den Gleichungen (5) und (7) sich ergebenden Werthe der Massen positiv ausfallen. Dies führt zu einer Einschränkung des Gültigkeitsbereichs dieser beiden Lösungen. Zuerst wollen wir diesen Gültigkeitsbereich feststellen und dann den Nachweis führen, dass innerhalb ihres Gültigkeitsbereiches stets die dritte Lösung den Vorzug hat vor den beiden ersten, und die zweite den Vorzug hat vor der ersten.

Zur Erleichterung der Uebersicht möge die geometrische Anschauung zu Hülfe genommen werden.[1]) Zu diesem Zwecke denken wir uns die von vornherein gegebenen Werthe v und u (der Werth von M ist hier nebensächlich) dadurch graphisch dargestellt, dass wir diese Grössen als die rechtwinkligen Coordinaten eines Punktes in einer Ebene (der Zeichnungsebene in der Fig. 2 Taf. VI) ansehen, sodass jedem Punkt der Ebene ein bestimmtes Werthenpaar dieser beiden Grössen entspricht. Unsere Aufgabe ist dann die, für jeden beliebig gegebenen Punkt dieser Ebene die Entscheidung zu treffen, welcher Art das stabile Gleichgewicht ist, welches bei den entsprechenden Werthen von v und u zu Stande kommt.

Was nun die erste Lösung anbetrifft, so hat dieselbe offenbar für alle Punkte der Ebene einen physikalischen Sinn; denn die gegebenen Werthe v und u entsprechen ja unmittelbar dem wirklichen specifischen Volumen und der wirklichen specifischen Energie, wie es die erste Lösung verlangt.

Betrachten wir aber jetzt den Gültigkeitsbereich der dritten Lösung. Die sich aus den Gleichungen (7) ergebenden Werthe der Massen M_1, M_2, M_3 sind:

$$(8)\qquad M_1 : M_2 : M_3 : M = \begin{vmatrix} 1 & 1 & 1 \\ v & v_2 & v_3 \\ u & u_2 & u_3 \end{vmatrix} : \begin{vmatrix} 1 & 1 & 1 \\ v & v_3 & v_1 \\ u & u_3 & u_1 \end{vmatrix} : \begin{vmatrix} 1 & 1 & 1 \\ v & v_1 & v_2 \\ u & u_1 & u_2 \end{vmatrix} : \begin{vmatrix} 1 & 1 & 1 \\ v_1 & v_2 & v_3 \\ u_1 & u_2 & u_3 \end{vmatrix}.$$

1) J. W. Gibbs, Trans. of the Connecticut Acad. **2.** p. 309 u. 382. 1873, hat zuerst durch Herstellung eines vollständigen thermodynamischen Modells diese Art der Betrachtung für alle wichtigeren Bestimmungsstücke des thermischen Verhaltens eines Körpers in sinnreicher Weise durchgeführt.

Hieraus sieht man, dass die Werthe von M_1, M_2, M_3 nur dann alle zugleich positiv ausfallen, wenn der dem Werthenpaar (v, u) entsprechende Punkt innerhalb des Dreiecks liegt, das von den Punkten mit den respectiven Coordinaten (v_1, u_1) (v_2, u_2) und (v_3, u_3) gebildet wird.

Der Gültigkeitsbereich der dritten Lösung wird daher durch das von diesen drei Punkten gebildete Dreieck dargestellt und ist in der Figur mit (123) bezeichnet. Da dieses Dreieck vermöge der Gleichungen (6) lediglich durch die chemische Natur des Körpers bestimmt wird und somit seinem ganzen thermischen Verhalten als Grundlage dient, so können wir es das Fundamentaldreieck der betreffenden Substanz nennen, und dem entsprechend die drei Ecken die Fundamentalpunkte, ebenso die entsprechende Temperatur und den entsprechenden Druck die Fundamentaltemperatur und den Fundamentaldruck[1]) der Substanz. Die Zeichnung ist für einen Körper ausgeführt, für den, wie bei Wasser, $v_1 > v_3 > v_2$ und $u_1 > u_2 > u_3$. Die Grössen u sind bestimmt bis auf eine additive Constante, die man willkürlich annehmen kann, da es hier überall nur auf die Differenzen verschiedener Werthe von u ankommt.

Wir kommen nun zur Betrachtung des Gültigkeitsbereichs der zweiten Lösung, welcher die Gleichungen (4) und (5) entsprechen. Diese Gleichungen ergeben drei Classen von Werthensystemen, je nach den drei paarweisen Combinationen der drei Aggregatzustände, deren jede den beiden anderen gleichberechtigt gegenübersteht. Wir betrachten zunächst die Combination des dampfförmigen und des flüssigen Zustandes. Um den Bereich zu finden, innerhalb dessen der Punkt mit den Coordinaten v, u liegen muss, damit M_{12} und M_{21} beide positiv ausfallen, suchen wir die Grenzen dieses Bereiches auf, d. h. die Curven, welche durch die Bedingungen $M_{12} = 0$ und $M_{21} = 0$ dargestellt werden; zunächst

1) Th. Carnelley, Nat. 22. p. 435. 1880, nennt diesen Druck den kritischen Druck. Diese Bezeichnung erscheint aber deshalb ungeeignet, weil die behauptete Analogie zwischen diesem Druck und der nach Andrews so benannten kritischen Temperatur nicht vorhanden ist.

die Curve: $M_{21} = 0$ (flüssige Masse $= 0$). Diese Bedingung in (5) eingeführt, ergibt: $M_{12} = M$ und:

$$v = v_{12} \quad u = u_{12}\,. \tag{9}$$

Da v_{12} und u_{12} Functionen einer einzigen Variabeln sind, ist durch diese beiden Gleichungen den Grössen v und u eine bestimmte Bedingung vorgeschrieben, und diese Bedingung ergibt die gesuchte Curve, eine Grenze des gesuchten Gültigkeitsbereiches. Diese Curve geht durch die Ecke 1 des Fundamentaldreiecks, weil für die Fundamentaltemperatur $v_{12} = v_1$ und $u_{12} = u_1$ wird. Zur Feststellung ihres weiteren Verlaufes bilden wir den Werth des Differentialquotienten du_{12}/dv_{12}. Hierfür hat man:

$$\frac{du_{12}}{dv_{12}} = \left(\frac{\partial u}{\partial v}\right)_{12} + \left(\frac{\partial u}{\partial T}\right)_{12} \cdot \frac{dT_{12}}{dv_{12}}\,. \tag{10}$$

Die partiellen Differentialquotienten $\partial u/\partial v$ und $\partial u/\partial T$ beziehen sich hier, wie überall, wo nicht das Gegentheil bemerkt ist, auf die unabhängigen Variabeln T und v. Es ist aber:

$$\frac{dP_{12}}{dT_{12}} = \left(\frac{\partial P}{\partial T}\right)_{12} + \left(\frac{\partial P}{\partial v}\right)_{12} \cdot \frac{dv_{12}}{dT_{12}}\,.$$

Daraus:

$$\frac{dT_{12}}{dv_{12}} = \frac{\left(\frac{\partial P}{\partial v}\right)_{12}}{\frac{dP_{12}}{dT_{12}} - \left(\frac{\partial P}{\partial T}\right)_{12}}\,. \tag{11}$$

Dies in (10) substituirt, ergibt:

$$\frac{du_{12}}{dv_{12}} = \left(\frac{\partial u}{\partial v}\right)_{12} + \frac{\left(\frac{\partial u}{\partial T}\right)_{12} \cdot \left(\frac{\partial P}{\partial v}\right)_{12}}{\frac{dP_{12}}{dT_{12}} - \left(\frac{\partial P}{\partial T}\right)_{12}}\,.$$

Setzen wir hierin noch für $\partial u/\partial T$, die specifische Wärme bei constantem Volumen, k, und für $\partial u/\partial v$ den Werth $T.(\partial P/\partial T) - P$, so ergibt sich:

$$\frac{du_{12}}{dv_{12}} = T_{12}\left(\frac{\partial P}{\partial T}\right)_{12} - P_{12} + \frac{k_{12} \cdot \left(\frac{\partial P}{\partial v}\right)_{12}}{\frac{dP_{12}}{dT_{12}} - \left(\frac{\partial P}{\partial T}\right)_{12}}\,. \tag{12}$$

Mittelst dieser Gleichung kann man den Verlauf der Curve (9) experimentell verfolgen, indem man T oder irgend eine andere geeignete Grösse zur unabhängigen Variabeln nimmt.

In gleicher Weise liefert die Gleichung $M_{12} = 0$ (dampfförmige Masse $= 0$) eine andere Grenze des gesuchten Gültigkeitsbereiches durch die Curve:

$$v = v_{21} \qquad u = u_{21},$$

welche durch die zweite Ecke des Fundamentaldreiecks geht und der Gleichung genügt:

$$(13) \qquad \frac{du_{21}}{dv_{21}} = T_{12}\left(\frac{\partial P}{\partial T}\right)_{21} - P_{12} + \frac{k_{21}\cdot\left(\frac{\partial P}{\partial v}\right)_{21}}{\frac{dP_{12}}{dT_{12}} - \left(\frac{\partial P}{\partial T}\right)_{21}}.$$

wobei berücksichtigt ist, dass $T_{12} = T_{21}$ und $P_{12} = P_{21}$.

Diese beiden Curven sind aber nichts anderes als Zweige einer und derselben Curve, da sie für den kritischen Punkt:

$$\frac{\partial P}{\partial v} = 0 \quad \text{und} \quad \frac{\partial^2 P}{\partial v^2} = 0 \text{ [1])}$$

in einander übergehen. Durch diese Bedingung wird nämlich in (4) $v_{12} = v_{21}$, sodass für diesen Punkt der dampfförmige Zustand mit dem flüssigen identisch ist. Einige Werthe für den kritischen Zustand sind:

$$\left(\frac{\partial P}{\partial v}\right)_{12} = \left(\frac{\partial P}{\partial v}\right)_{21} = -0 \text{ von der 2. Ordnung,}$$

$$\frac{dT_{12}}{dv_{12}} = -0 \text{ und } \frac{dT_{12}}{dv_{21}} = +0 \text{ von der 1. Ordnung,}$$

$$\frac{dP_{12}}{dT_{12}} = \left(\frac{\partial P}{\partial T}\right)_{12} = \left(\frac{\partial P}{\partial T}\right)_{21} > 0, \quad \frac{du_{12}}{dv_{12}} = \frac{du_{21}}{dv_{21}} = \left(\frac{\partial u}{\partial v}\right)_{12} = \left(\frac{\partial u}{\partial v}\right)_{21} > 0.$$

Wir können daher beide Curvenäste unter dem gemeinsamen Namen Verdampfungscurve zusammenfassen. Dann entspricht jedem Punkt (v_{12}, u_{12}) auf dem einen Ast ein bestimmter Punkt (v_{21}, u_{21}) auf dem anderen Ast, insofern beide Punkte die nämliche Temperatur $T_{12} = T_{21}$, und den nämlichen Druck $P_{12} = P_{21}$ bezeichnen. Diese Zuordnung je zweier Punkte auf den beiden Aesten wird bestimmt durch die Gleichungen (4) und ist in der Fig. 2 Taf. VI durch die

1) p. 57 meiner citirten Abhandlung.

Verbindungslinien einiger solcher Punktpaare angedeutet. So entsprechen sich auch die beiden Ecken des Fundamentaldreiecks (v_1, u_1) und (v_2, u_2). Der kritische Punkt entspricht sich selbst.

Vermittelst (4) lassen sich wichtige Relationen zwischen den Eigenschaften zweier solcher zugeordneter Punkte ableiten, so z. B. der Werth der Verdampfungswärme:

$$r_{12} = (u_{12} - u_{21}) + P_{12}(v_{12} - v_{21}) = T_{12}\frac{dP_{12}}{dT_{12}}(v_{12} - v_{21}),$$

woraus auch:

$$(14) \qquad \frac{u_{12} - u_{21}}{v_{12} - v_{21}} = T_{12}\frac{dP_{12}}{dT_{12}} - P_{12}.$$

Ferner die Differenz der specifischen Wärmen bei constantem Volumen:

$$(15) \quad k_{12} - k_{21} = \frac{dr_{12}}{dT_{12}} - \frac{r_{12}}{T_{12}} - T_{12}\left(\frac{\partial P}{\partial T}\right)_{12}\frac{dv_{12}}{dT_{12}} + T_{12}\left(\frac{\partial P}{\partial T}\right)_{21}\frac{dv_{21}}{dT_{12}}.$$

und die Differenz der specifischen Wärmen bei constantem Druck:

$$(16) \quad c_{12} - c_{21} = \frac{dr_{12}}{dT_{12}} - \frac{r_{12}}{T_{12}} + \frac{r_{12}}{v_{12} - v_{21}}\cdot\left[\left(\frac{\partial v_{12}}{\partial T}\right)_P - \left(\frac{\partial v_{21}}{\partial T}\right)_P\right].$$

Hier bedeutet der Index P, dass die Differentiation bei constantem Druck zu vollziehen ist.[1])

Aus dem allgemein gültigen Ausdruck für die Differenz der beiden specifischen Wärmen:

$$c - k = -T\cdot\frac{\left(\frac{\partial P}{\partial T}\right)^2}{\frac{\partial P}{\partial v}}$$

folgt ferner, dass für den kritischen Zustand die specifische Wärme bei constantem Druck:

$$c_{12} = c_{21} = \infty$$

1) Aus dieser Gleichung habe ich (p. 53 meiner citirten Abhandlung) die specifische Wärme des Wasserdampfes bei 100° C. (und 1 Atmosphäre Druck) zu 0,442 berechnet gegenüber dem Regnault'schen Werthe 0,478. G. Kirchhoff, Pogg. Ann. **103.** p. 185. 1858, fand (übereinstimmend mit Rankine) für dieselbe Grösse den Werth 0,305, und zwar wesentlich aus der Gleichung $c_{12} - c_{21} = dr_{12}/dT_{12}$, welche sich aus der obigen unmittelbar ergibt, wenn man unter Vernachlässigung des Flüssigkeitsvolumens gegen das Dampfvolumen das Gay-Lussac'sche Gesetz für das letztere als richtig annimmt, d. h. $(\partial v_{12}/\partial T)_P = v_{12}/T_{12}$ setzt.

wird, was mit der beobachteten Thatsache übereinstimmt, dass die specifische Wärme bei constantem Druck jedes Dampfes und jeder Flüssigkeit mit der Annäherung an den kritischen Zustand wächst.

Die gefundene Verdampfungscurve bildet somit die Grenze des Gültigkeitsbereiches derjenigen Classe der zweiten Lösung, welcher die Berührung von Dampf und Flüssigkeit entspricht, und man überzeugt sich leicht aus (5), dass der Gültigkeitsbereich in den von der Curve eingeschlossenen Raum der Ebene fällt. Gleichwohl ist die Curve nur bis zu den Ecken 1 und 2 des Fundamentaldreiecks gezeichnet, weil, wie sich später zeigen wird, die Lösung nur bis dahin das stabile Gleichgewicht angibt. Dieser Raum ist mit (12) bezeichnet.

Ganz analog der Verdampfungscurve ergibt sich nun auch der Verlauf der Schmelzcurve, deren beide Aeste durch die Gleichungen: $v = v_{23}$, $u = u_{23}$ und $v = v_{32}$, $u = u_{32}$ dargestellt werden, und der Sublimationscurve, für deren Aeste die Gleichungen $v = v_{31}$, $u = u_{31}$ und $v = v_{13}$, $u = u_{13}$ gelten. Die erstere Curve geht durch die Ecken 2 und 3, die letztere durch die Ecken 3 und 1 des Fundamentaldreiecks. Die hierdurch abgegrenzten Gültigkeitsbereiche der 2. und 3. Classe der 2. Lösung sind in der Fig. 2 Taf. VI mit (23) und mit (31) bezeichnet. Da sämmtliche für die Verdampfungscurve abgeleiteten Gleichungen auch hier, nur mit entsprechender Vertauschung der Indices, gelten, braucht hier nichts von dem oben Gesagten wiederholt zu werden, nur über den kritischen Zustand sei einiges bemerkt. Theoretisch genommen, hat jede Substanz drei kritische Punkte, in welchen je zwei Aggregatzustände identisch werden; es sind dies die Vereinigungspunkte der beiden Aeste der Verdampfungs-, Schmelz- und Sublimationscurve. Sie werden alle drei gefunden durch die Gleichungen $\partial P / \partial v = 0$ und $\partial^2 P / \partial v^2 = 0$, und es entsprechen ihnen je ein Werth der kritischen Temperatur, des kritischen Druckes und des kritischen Volumens.

Damit ist nicht gesagt, dass jeder kritische Punkt auch immer einen stabilen Gleichgewichtszustand der Substanz darstellt; so z. B. liegt der kritische Punkt der Sublimationscurve wohl für jede Substanz in dem Gültigkeitsbereich einer anderen Lösung, da die beiden Aeste der Sublimationscurve bei ihrem Austritt aus dem Fundamentaldreieck divergiren. Dagegen bezeichnet der auf der Schmelzcurve gelegene kritische Punkt ohne Zweifel für viele Substanzen einen stabilen, also der Beobachtung zugänglichen Zustand. Dies zeigt sich z. B. als sehr wahrscheinlich für Wasser, wenn man hierfür die Aenderung der Schmelzwärme r_{23} mit der Schmelztemperatur T_{23} berechnet. Die Gleichung (16) lautet nämlich, auf die Schmelzcurve angewandt:

$$c_{23} - c_{32} = \frac{d r_{23}}{d T_{23}} - \frac{r_{23}}{T_{23}} + \frac{r_{23}}{v_{23} - v_{32}} \cdot \left[\left(\frac{\partial v_{23}}{\partial T} \right)_P - \left(\frac{\partial v_{32}}{\partial T} \right)_P \right].$$

Hieraus lässt sich dr_{23}/dT_{23} für die Temperatur 0° C. berechnen. Dann hat man nämlich:

$T_{23} = 273$

$c_{23} = 1$, $c_{32} = 0{,}505$ } Specifische Wärme des Wassers und des Eises bei constantem Druck.

Die Wärmemengen sind hier alle auf calorisches Maass bezogen, was in der Gleichung offenbar keine Aenderung verursacht.

$r_{23} = 80$ Schmelzwärme des Eises,

$v_{23} = 1$, $v_{32} = 1{,}1$ } Specifische Volumina von Wasser und Eis, in Cubikcentimetern und Grammen.

$\left(\frac{\partial v_{23}}{\partial T} \right)_P = -0{,}00006$ nach Kopp[1]),

$\left(\frac{\partial v_{32}}{\partial T} \right)_P = 0{,}00011$ nach Brunner[2]) und Marchand.[3])

(Ausdehnung von Wasser und Eis bei Temperaturerhöhung unter constantem Druck.)

Mit Hülfe dieser Werthe ergibt sich:

$$\frac{d r_{23}}{d T_{23}} = 0{,}65,$$

1) H. Kopp, Pogg. Ann. **72.** p. 44. 1847.

2) C. Brunner, Pogg. Ann. **64.** p. 113. 1845.

3) R. F. Marchand, Journ. f. prakt. Chem. **35.** p. 255. 1845.

d. h. mit fallender Temperatur sinkt auch die Schmelzwärme, und zwar für 1° C. um 0,65 Wärmeeinheiten. Würde also dies Verhältniss für tiefere Temperaturen nahezu ungeändert bleiben, so wäre bei etwa $-120°$ C. $r_{23} = 0$, und es wäre dies der kritische Punkt der Schmelzcurve. Für diesen Punkt (dem ein Druck von etwa 15000 Atmosphären entsprechen würde) wäre Wasser und Eis identisch, was man sich durch die Annahme vorstellen kann, dass Wasser gegen diesen Punkt hin immer zäher, dagegen Eis immer weicher wird.[1])

Nachdem so auch für die 2. Lösung der Gültigkeitsbereich festgestellt ist, ersieht man unmittelbar, dass für alle Punkte (v, u), welche ausserhalb der nun abgegrenzten Flächenräume liegen, nur die erste Lösung einen physikalischen Sinn ergibt, woraus folgt, dass für diese Punkte das stabile Gleichgewicht jedenfalls durch die 1. Lösung dargestellt wird. Die entsprechenden Räume sind in der Figur mit (1), (2) und (3) bezeichnet, je nachdem der betreffende Zustand als dampfförmig, flüssig oder fest aufgefasst wird.

Es handelt sich nun um die weitere Frage: Welches ist der stabile Gleichgewichtszustand, der irgend einem gegebenen Werthsystem M, v, u, also irgend einem Punkte der Ebene entspricht? — Wie schon oben erwähnt, ist unter allen möglichen Zuständen derjenige der gesuchte, dem der absolut grösste Werth der Entropie S angehört. Da nun jede der drei besprochenen Lösungen einen ganz bestimmten Zustand angibt, so erhalten wir für jedes gegebene Werthensystem (M, v, u) ebenso viele Werthe der Entropie S, als Lösungen für dies Werthensystem vorhanden sind. Bezeichnen wir nämlich die der 1., 2., 3. Lösung entsprechenden Werthe der Entropie der Reihe nach mit S, S' und S'', so haben wir:

(17) $$S = M . s,$$

(18) $$S' = M_{12} s_{12} + M_{21} s_{21}$$

(als Prototyp der 2. Lösung),

---

1) Die nämliche Vermuthung ist kürzlich von J. H. Poynting, Phil. Mag. **12.** p. 45. 1881 ausgesprochen worden. Vgl. Beibl. **5.** p. 772. 1881.

(19) $$S'' = M_1 s_1 + M_2 s_2 + M_3 s_3,$$

wobei s immer die Entropie der Masseneinheit (specifische Entropie) des betreffenden Massentheils im betreffenden Zustand bedeutet. Diese Grössen sind vollständig bestimmt durch die gegebenen Werthe M, v, u, da die specifische Entropie s (bis auf eine willkürlich bestimmbare additive Constante) allgemein durch die Gleichung:

(20) $$ds = \frac{du + P dv}{T}$$

als Function von v und u definirt ist, während die Werthe der einzelnen Massentheile aus den Gleichungen der betreffenden Lösung hervorgehen.

Es lässt sich nun nachweisen, dass für jedes beliebige Werthensystem (M, v, u) stets $S'' > S' > S$, vorausgesetzt, dass sämmtliche Massentheile positiv sind. Statt der Entropien S, S', S'' selber betrachten wir bequemer die entsprechenden mittleren specifischen Entropien: $S/M = s$, $S'/M = s'$ und $S''/M = s''$, weil diese Grössen gar nicht von M, sondern nur von v und u abhängen.

Zur geometrischen Veranschaulichung kann man sich in jedem Punkte (v, u) der Ebene die entsprechenden Werthe von s, s' und s'' in senkrechter Richtung zu derselben als Strecken aufgetragen denken, wodurch die drei Entropieflächen s, s' und s'' entstehen. Zunächst soll nun gezeigt werden, dass $s' - s$ stets positiv ist, d. h. dass die Fläche s' stets oberhalb der Fläche s liegt.

Während sich s direct aus der Gleichung (20) ergibt, hat man für die Bestimmung des Werthes von s' durch v und u: Aus (18)

(21) $$Ms' = M_{12} s_{12} + M_{21} s_{21},$$

wobei die Gleichungen (4) gelten:

(22) $$T_{12} = T_{21}, \qquad P_{12} = P_{21}, \qquad \int_{v_{21}}^{v_{12}} P \partial v = P_{12}(v_{12} - v_{21}).$$

Die letzte Gleichung kann auch ersetzt werden durch[1]):

(23) $$s_{12} - s_{21} = \frac{(u_{12} - u_{21}) + P_{12}(v_{12} - v_{21})}{T_{12}}.$$

1) p. 39 meiner citirten Abhandlung.

Ferner:

$$(24) \quad \begin{cases} M_{12} + M_{21} = M, \qquad M_{12}v_{12} + M_{21}v_{21} = Mv, \\ M_{12}u_{12} + M_{21}u_{21} = Mu. \end{cases}$$

Durch diese Gleichungen wird s' als von v und u allein abhängig dargestellt und so die Fläche s' bestimmt, die in drei Blätter zerfällt, entsprechend den drei paarweisen Combinationen der drei Aggregatzustände. Wir beziehen uns im Folgenden zunächst auf die Verbindung von Dampf und Flüssigkeit.

Was nun die gegenseitige Lage der beiden Flächen s und s' anbelangt, so lässt sich leicht erkennen, dass dieselben eine Curve gemeinsam haben, deren Projection auf die (vu-) Ebene die Verdampfungscurve ist. Denn für irgend einen Punkt der Verdampfungscurve: $v = v_{12}$, $u = u_{12}$ hat man für die 1. Fläche: $s = s_{12}$ (selbstverständlich) und für die 2. Fläche zunächst aus (24):

$$(25) \qquad M_{21} = 0, \qquad M_{12} = M,$$

also aus (21): $s' = s_{12}$.

In der That fallen ja für die Punkte der Verdampfungscurve die 1. und 2. Lösung zusammen. Die Schnittcurve der Flächen s und s' wird dargestellt durch die Gleichungen:

$$v = v_{12} \qquad u = u_{12} \qquad s = s_{12},$$

wobei v, u, s die drei veränderlichen rechtwinkligen Coordinaten eines Punktes im Raume darstellen. v_{12}, u_{12}, s_{12} hängen ab von einem variablen Parameter (z. B. der Temperatur $T_{12} = T_{21}$). Diese Curve geht auch durch den Punkt (v_1, u_1, s_1), welcher der Ecke 1 des Fundamentaldreiecks entspricht.

Ein anderer Ast dieser Raumcurve ist gegeben durch die Gleichungen:

$$v = v_{21} \qquad u = u_{21} \qquad s = s_{21}.$$

Beide Aeste treffen sich in einem Punkte, der den kritischen Punkt zur Projection hat. Jedem Punkte des einen Astes ist ein bestimmter Punkt des anderen zugeordnet, insofern beiden die nämliche Temperatur $T_{12} = T_{21}$, und der nämliche Druck $P_{12} = P_{21}$ entspricht. So ist dem Punkte (v_1, u_1, s_1) des ersten Astes der Punkt (v_2, u_2, s_2) des zweiten zugeordnet. Ferner ist ersichtlich, dass die Fläche s' aus lauter Geraden besteht, und dass sie developpabel ist. Das erstere geht hervor aus der Betrachtung eines Punktes, dessen Coordinaten von der Form sind:

$$v = \frac{\lambda v_{12} + \mu v_{21}}{\lambda + \mu}, \quad u = \frac{\lambda u_{12} + \mu u_{21}}{\lambda + \mu}, \quad s = \frac{\lambda s_{12} + \mu s_{21}}{\lambda + \mu}.$$

Für alle beliebigen positiven Werthe von λ und μ erhält man hieraus alle Punkte der geradlinigen Strecke, welche die beiden zugeordneten Punkte (v_{12}, u_{12}, s_{12}) und (v_{21}, u_{21}, s_{21}) verbindet. Diese Gerade liegt offenbar ganz auf der Fläche s', weil für jedes beliebige λ und μ die entsprechenden Werthe von v, u, s die Gleichungen (24) und (21) befriedigen, indem jedesmal $M_{12} = \lambda$ und $M_{21} = \mu$ wird. Also wird die Fläche s' gebildet von den geradlinigen Strecken, welche je zwei zugeordnete Punkte der Schnittcurve der Flächen s und s' verbinden. Eine solche Gerade der Fläche ist auch die Verbindungslinie der Punkte (v_1, u_1, s_1) und (v_2, u_2, s_2), deren Projection die Seite (12) des Fundamentaldreiecks ist. Für den kritischen Punkt zieht sich diese Strecke auf einen Punkt zusammen, und hier erreicht die Fläche s' ihr Ende. Analog verhält es sich mit den beiden anderen Blättern der Fläche: das eine enthält die Verbindungslinie der Punkte (v_2, u_2, s_2) und (v_3, u_3, s_3), das andere die der Punkte (v_3, u_3, s_3) und (v_1, u_1, s_1).

Die Abwickelbarkeit der Fläche s' ergibt sich am einfachsten aus der Betrachtung der Gleichung einer Tangentialebene dieser Fläche:

$$P_{12}(v - v_{12}) + (u - u_{12}) - T_{12}(s - s_{12}) = 0,$$

worin v, u, s die veränderlichen Raumcoordinaten bedeuten. Diese Ebene, welche für eine bestimmte Temperatur T_{12} eine ganz bestimmte ist, enthält erstens die zugeordneten Punkte (v_{12}, u_{12}, s_{12}) und (v_{21}, u_{21}, s_{21}), den letzteren vermöge der Gleichung (23), also auch ihre Verbindungslinie, und zweitens die unendlich benachbarten zugeordneten Punkte mit den Coordinaten:

$$v_{12} + dv_{12}, \quad u_{12} + du_{12}, \quad s_{12} + ds_{12} \quad \text{und} \quad v_{21} + dv_{21},$$
$$u_{21} + du_{21}, \quad s_{21} + ds_{21},$$

wie aus (20) folgt, also auch ihre Verbindungslinie. Mithin liegen zwei benachbarte Erzeugende der Fläche in einer Ebene, und die Fläche ist developpabel.

Zur Feststellung des Werthes von $(s' - s)$ möge die Aenderung untersucht werden, welche diese Differenz dadurch erleidet, dass man von einem beliebigen Punkt (v, u) der Zeichnungsebene zu einem beliebigen, unendlich benachbarten $(v + \delta v, u + \delta u)$ übergeht. Dabei lassen wir M constant, was der Allgemeinheit keinen Eintrag thut, weil s und s' nur von v und u abhängen.

Nun haben wir nach (21):

(26) $M\delta s' = M_{12}\delta s_{12} + M_{21}\delta s_{21} + s_{12}\delta M_{12} + s_{21}\delta M_{21}$, also:

(27) $M\delta(s' - s) = M_{12}\delta s_{12} + M_{21}\delta s_{21} + s_{12}\delta M_{12} + s_{21}\delta M_{21} - M\delta s.$

Hierbei gelten aber stets die Bedingungen: Aus (20):

(28) $$\delta s = \frac{\delta u + P\delta v}{T}.$$

Aus (22): $\delta T_{12} = \delta T_{21}$, $\delta P_{12} = \delta P_{21}$. Aus (23):

(29) $$\begin{cases} \delta s_{12} - \delta s_{21} = \dfrac{(\delta u_{12} - \delta u_{21}) + P_{12}(\delta v_{12} - \delta v_{21})}{T_{12}} + \dfrac{(v_{12} - v_{21})\,\delta P_{12}}{T_{12}} \\ \qquad - \dfrac{(u_{12} - u_{21}) + P_{12}(v_{12} - v_{21})}{T_{12}^2} \cdot \delta T_{12}, \end{cases}$$

oder, wenn man berücksichtigt, dass nach (20):

(30) $$\delta s_{12} = \frac{\delta u_{12} + P_{12}\delta v_{12}}{T_{12}}, \qquad \delta s_{21} = \frac{\delta u_{21} + P_{12}\delta v_{21}}{T_{12}},$$

(31) $$\frac{u_{12} - u_{21}}{v_{12} - v_{21}} = T_{12}\,\frac{\delta P_{12}}{\delta T_{12}} - P_{12},$$

vgl. (14). Oder auch nach (23):

$$(s_{12} - s_{21})\,\delta T_{12} = (v_{12} - v_{21})\,\delta P_{12}.$$

Ferner aus (24):

(32) $\delta M_{12} + \delta M_{21} = 0.$

(33) $M_{12}\delta v_{12} + M_{21}\delta v_{21} + v_{12}\delta M_{12} + v_{21}\delta M_{21} = M\delta v.$

(34) $M_{12}\delta u_{12} + M_{21}\delta u_{21} + u_{12}\delta M_{12} + u_{21}\delta M_{21} = M\delta u.$

Diese Gleichungen genügen, um die Function $\delta(s' - s)$ auf die unabhängigen Variationen δv und δu zurückzuführen. Denn multiplicirt man (33) mit P_{12}, addirt dazu (34) und dividirt dann durch T_{12}, so erhält man unter Berücksichtigung von (32), (30) und (23):

(35) $M_{12}\delta s_{12} + M_{21}\delta s_{21} + (s_{12} - s_{21})\delta M_{12} = M \cdot \frac{\delta u + P_{12}\delta v}{T_{12}}$,

also nach (26):

(36) $$\delta s' = \frac{\delta u + P_{12}\delta v}{T_{12}}.$$

Dies in (27) eingesetzt und δs durch (28) ausgedrückt ergibt den gesuchten Werth:

(37) $$\delta(s' - s) = \left(\frac{1}{T_{12}} - \frac{1}{T}\right)\delta u + \left(\frac{P_{12}}{T_{12}} - \frac{P}{T}\right)\delta v.$$

Betrachten wir nun den Verlauf der Flächen s und s' in der Umgebung ihrer Schnittcurve, so ist aus (37) unmittelbar ersichtlich, dass sie sich längs dieser ganzen Curve berühren. Denn für irgend einen Punkt der Verdampfungscurve: $v = v_{12}$, $u = u_{12}$, dem nach (25) ein gemeinsamer Punkt beider Flächen entspricht, erhalten wir natürlich auch:

(38) $$T = T_{12}, \qquad P = P_{12},$$

und somit $\delta(s' - s) = 0$.

Um nun das Verhalten der beiden Flächen an diesen Berührungsstellen des näheren zu prüfen, variiren wir die Gleichung (37) noch einmal und wenden sie dann abermals auf dieselben Stellen an.

Wir erhalten allgemein aus (37):

$$\delta^2(s' - s) = \delta u \cdot \left(-\frac{\delta T_{12}}{T_{12}^2} + \frac{\delta T}{T^2}\right) + \delta v \cdot \left(\frac{\delta P_{12}}{T_{12}} - \frac{P_{12}\,\delta T_{12}}{T_{12}^2} - \frac{\delta P}{T}\right.$$
$$\left. + \frac{P\,\delta T}{T^2}\right) + \delta^2 u \cdot \left(\frac{1}{T_{12}} - \frac{1}{T}\right) + \delta^2 v \cdot \left(\frac{P_{12}}{T_{12}} - \frac{P}{T}\right).$$

Dies ergibt für die Berührungspunkte der beiden Flächen nach (38):

$$T^2\delta^2(s' - s) = \delta u . (-\delta T_{12} + \delta T) + \delta v . (T\delta P_{12} - P\delta T_{12}$$
$$- T\delta P + P\delta T),$$

oder mit Hülfe von (28):

(39) $$T\delta^2(s' - s) = (\delta T - \delta T_{12})\,\delta s + (\delta P_{12} - \delta P)\,\delta v.$$

Dieser Ausdruck lässt sich nun durch geeignete Umgestaltung als ein wesentlich positiver erkennen. Wir reduciren nämlich alle in ihm vorkommenden Variationen auf die beiden einzigen: δT und δv, indem wir setzen:

$$\delta s = \frac{k}{T}\delta T + \frac{\partial P}{\partial T}\delta v,$$

($k = \partial u / \delta T$ die specifische Wärme bei constantem Volumen):

(40) $$\delta P = \frac{\partial P}{\partial T} \delta T + \frac{\partial P}{\partial v} \delta v, \qquad \delta P_{12} = \frac{d P_{12}}{d T_{12}} \delta T_{12}.$$

Es erübrigt nun noch, δT_{12} durch δT und δv auszudrücken. Dies geschieht durch die Gleichungen (32), (33) und (34), welche mit Berücksichtigung der hier eintretenden Vereinfachung (25) die Bedingung liefern:

$$\frac{\delta u_{12} - \delta u}{u_{12} - u_{21}} = \frac{\delta v_{12} - \delta v}{v_{12} - v_{21}},$$

oder nach (14):

(41) $$\delta u_{12} - \delta u = (\delta v_{12} - \delta v) \cdot \left(T \frac{d P_{12}}{d T_{12}} - P \right).$$

Setzt man hierin:

(42) $$\delta u_{12} = \frac{d u_{12}}{d T_{12}} \delta T_{12}, \qquad \text{und:}$$

(43) $$\delta v_{12} = \frac{d v_{12}}{d T_{12}} \delta T_{12}$$

so ergibt sich:

$$\delta T_{12} = \frac{\delta u - \left(T \frac{d P_{12}}{d T_{12}} - P \right) \delta v}{\frac{d u_{12}}{d T_{12}} - \left(T \frac{d P_{12}}{d T_{12}} - P \right) \frac{d v_{12}}{d T_{12}}},$$

wodurch δT_{12} auf δu und δv, also mittelst: $\delta u = k \delta T + (\partial u / \partial v) \delta v$ auch auf δT und δv zurückgeführt ist. Die Werthe von $d u_{12} / d T_{12}$ und $d v_{12} / d T_{12}$ ergeben sich aus (11) und (12), wobei man zu bedenken hat, dass in dem betrachteten Falle:

$$k_{12} = k, \qquad \left(\frac{\partial P}{\partial v} \right)_{12} = \frac{\partial P}{\partial v}, \qquad \left(\frac{\partial P}{\partial T} \right)_{12} = \frac{\partial P}{\partial T}.$$

Diese Werthe, in (39) eingesetzt, ergeben nun nach gehöriger Reduction:

(44) $$\delta^2 (s' - s) = \frac{k \cdot \left[\left(\frac{d P_{12}}{d T_{12}} - \frac{\partial P}{\partial T} \right) \delta T - \frac{\partial P}{\partial v} \delta v \right]^2}{T \cdot \left[T \left(\frac{d P_{12}}{d T_{12}} - \frac{\partial P}{\partial T} \right)^2 - k \frac{\partial P}{\partial v} \right]}.$$

Dieser Ausdruck ist wesentlich positiv, da k seiner physikalischen Bedeutung nach stets positiv, und $\partial P / \partial v$ für jeden Gleichgewichtszustand wesentlich negativ ist. Ein Grenzfall tritt ein, wenn:

$$\frac{\delta v}{\delta T} = \frac{\frac{d P_{12}}{d T_{12}} - \frac{\partial P}{\partial T}}{\frac{\partial P}{\partial v}},$$

genommen wird; dann wird $\delta^2(s'-s) = 0$. Dann ist aber nach (11) $\delta v/\delta T = dv_{12}/dT_{12}$, d. h. in diesem Falle findet die Verrückung (δT, δv) in der Richtung der Berührungscurve beider Flächen statt, und es ist selbstverständlich, dass dann $s' = s$ bleibt.

Hieraus folgt, dass die Fläche s' sich in der Umgebung aller Berührungsstellen mit der Fläche s über dieselbe erhebt, mithin dass $s' - s$ stets > 0, und dadurch ist bewiesen, dass die zweite Lösung innerhalb ihres Gültigkeitsbereiches, also in den Räumen (12), (23) und (31) der Figur, stets das stabile Gleichgewicht darstellt.

Auf ähnliche Weise lässt sich zeigen, dass die dritte Lösung innerhalb ihres Gültigkeitsbereiches den Vorzug vor der zweiten hat. Sind v und u gegeben, so berechnet sich der dieser Lösung entsprechende Werth der mittleren specifischen Entropie s'' eindeutig aus folgenden Gleichungen:

(45) $$Ms'' = M_1 s_1 + M_2 s_2 + M_3 s_3,$$ wobei:

(46) $$\begin{cases} M_1 + M_2 + M_3 = M \\ M_1 v_1 + M_2 v_2 + M_3 v_3 = Mv \\ M_1 u_1 + M_2 u_2 + M_3 u_3 = Mu. \end{cases}$$

Die Grössen v_1, v_2, v_3, u_1, u_2, u_3, also auch s_1, s_2, s_3 haben ganz bestimmte Zahlenwerthe, die sich aus den Gleichungen (6) ergeben. Aus denselben folgt auch, analog (23):

(47) $$\begin{cases} s_1 - s_2 = \dfrac{(u_1 - u_2) + P_1(v_1 - v_2)}{T_1} \\ s_2 - s_3 = \dfrac{(u_2 - u_3) + P_1(v_2 - v_3)}{T_1} \\ s_3 - s_1 = \dfrac{(u_3 - u_1) + P_1(v_3 - v_1)}{T_1}. \end{cases}$$

Zunächst ist ersichtlich, dass die Fläche s'' nichts anderes ist als das ebene Dreieck, welches gebildet wird von den Punkten: (v_1, u_1, s_1), (v_2, u_2, s_2) und (v_3, u_3, s_3), deren Projectionen auf die (vu)-Ebene die Ecken des Fundamentaldreiecks sind. Denn jeder Punkt mit den Coordinaten:

(48) $$\begin{cases} v = \dfrac{\lambda v_1 + \mu v_2 + \nu v_3}{\lambda + \mu + \nu}, \quad u = \dfrac{\lambda u_1 + \mu u_2 + \nu u_3}{\lambda + \mu + \nu}, \\ s = \dfrac{\lambda s_1 + \mu s_2 + \nu s_3}{\lambda + \mu + \nu}, \end{cases}$$

wobei λ, μ, ν beliebige positive Werthe haben, befriedigt die Gleichungen (45) und (46), da man nur $M_1 = \lambda$, $M_2 = \mu$, $M_3 = \nu$ zu setzen braucht. Diese Ebene s'' hat mit den drei Blättern der abwickelbaren Fläche s' die drei geradlinigen Strecken gemeinsam, welche die Punkte (v_1, u_1, s_1), (v_2, u_2, s_2) und (v_3, u_3, s_3) verbinden.

In der That: Wird in (48) z. B. $\nu = 0$ angenommen, so liefern die Gleichungen (46) $M_3 = 0$, und die dritte Lösung fällt mit der zweiten zusammen, indem dann:

$$(49) \qquad \begin{array}{llll} M_1 = M_{12} & M_2 = M_{21} & v_1 = v_{12} & u_1 = u_{12} \\ v_2 = v_{21} & T_1 = T_{12} & P_1 = P_{12} \text{ etc.,} & \end{array}$$

wird. Setzt man ausserdem noch $\mu = 0$, so ergibt sich $v = v_1$, $u = u_1$, was ein Zusammenfallen aller drei Flächen s, s' und s'' bedeutet. (Im Punkte v_1, u_1, s_1).

Zur Untersuchung des Werthes von $(s'' - s')$ bilden wir nun wieder die Variation $\delta(s'' - s')$, die durch δv und δu bestimmt wird. Hierfür ergibt sich zunächst aus (45):

$$(50) \qquad M\delta s'' = s_1\delta M_1 + s_2\delta M_2 + s_3\delta M_3,$$

wobei aus (46) die Bedingungen folgen:

$$(51) \qquad \delta M_1 + \delta M_2 + \delta M_3 = 0.$$

$$(52) \qquad v_1\delta M_1 + v_2\delta M_2 + v_3\delta M_3 = M\delta v.$$

$$(53) \qquad u_1\delta M_1 + u_2\delta M_2 + u_3\delta M_3 = M\delta u.$$

Die Zurückführung des Ausdrucks (50) auf die unabhängigen Variabeln δv und δu geschieht am bequemsten auf folgende Weise: Ersetzt man δM_3 vermöge (51) durch δM_1 und δM_2 in (50), (52) und (53), multiplicirt dann (52) mit P_1, addirt dazu (53) und dividirt dann durch T_1, so folgt unter Berücksichtigung von (47):

$$(s_1 - s_3)\,\delta M_1 + (s_2 - s_3)\,\delta M_2 = M \cdot \frac{\delta u + P_1 \delta v}{T_1},$$

also aus (50):

$$\delta s'' = \frac{\delta u + P_1 \delta v}{T_1}.$$

Dies, mit (36) verbunden, ergibt die gesuchte Variation:

$$(54) \qquad \delta(s'' - s') = \left(\frac{1}{T_1} - \frac{1}{T_{12}}\right)\delta u + \left(\frac{P_1}{T_1} - \frac{P_{12}}{T_{12}}\right)\delta v$$

wobei die Fläche s' durch das Blatt (12) vertreten ist. Aus dieser Gleichung geht hervor, dass die Ebene s'' das betreffende

Blatt der Fläche s' in der beiden gemeinsamen Geraden berührt. Denn für irgend einen Punkt dieser Geraden (der Verbindungslinie der Punkte v_1, u_1, s_1 und v_2, u_2, s_2) ist nach (49) $T_1 = T_{12}$ und $P_1 = P_{12}$, sodass $\delta(s''-s')$ verschwindet. Die Ebene s' ist also gemeinsame Tangentialebene zu allen drei Blättern der Fläche s', und die Berührungscurven sind die drei Geraden, welche das ebene Dreieck s'' begrenzen. Für einen der Berührungspunkte haben wir nun aus (54) durch Variation, da T_1 und P_1 absolute Constante sind:

$$\delta^2(s''-s') = \frac{\delta T_{12}}{T_1^2}\,\delta u + \left(\frac{P_1\,\delta T_{12}}{T_1^2} - \frac{\delta P_{12}}{T_1}\right)\delta v,$$

welcher Ausdruck sich als wesentlich positiv herausstellt.

Zunächst erhält man nämlich mit Rücksicht auf (40):

$$T_1^2\,\delta^2(s''-s') = \delta T_{12}\cdot\left(\delta u - \left[T_1\frac{dP_{12}}{dT_{12}} - P_1\right]\delta v\right). \tag{55}$$

Die Abhängigkeit der Variation δT_{12} von δv und δu folgt aus (32), (33) und (34) durch Elimination der Grössen δM_{12} und δM_{21}:

$$\frac{M_{12}\,\delta v_{12} + M_{21}\,\delta v_{21} - M\,\delta v}{v_{12} - v_{21}} = \frac{M_{12}\,\delta u_{12} + M_{21}\,\delta u_{21} - M\,\delta u}{u_{12} - u_{21}}$$

Hieraus mit Rücksicht auf (14), (42) und (43):

$$M\left[\delta u - \left(T_1\frac{dP_{12}}{dT_{12}} - P_1\right)\delta v\right] = \delta T_{12}\left[M_{12}\frac{du_{12}}{dT_{12}} + M_{21}\frac{du_{21}}{dT_{12}} - \left(T_1\frac{dP_{12}}{dT_{12}} - P_1\right)\left(M_{12}\frac{dv_{12}}{dT_{12}} + M_{21}\frac{dv_{21}}{dT_{12}}\right)\right].$$

Dieser Ausdruck, in (55) eingesetzt und zugleich die Grössen du_{12}/dT_{12}, dv_{12}/dT_{12}, analog du_{21}/dT_{12} und dv_{21}/dT_{12} mittelst (11) und (12) durch ihre Werthe ersetzt, ergibt schliesslich:

$$\delta^2(s''-s') = \frac{\delta T_{12}^2}{M T_1^2}\left\{M_{12}\left[k_{12} - \frac{T_1\left(\frac{dP_{12}}{dT_{12}} - \left(\frac{\partial P}{\partial T}\right)_{12}\right)^2}{\left(\frac{\partial P}{\partial v}\right)_{12}}\right] + M_{21}\left[k_{21} - \frac{T_1\left(\frac{dP_{12}}{dT_{12}} - \left(\frac{\partial P}{\partial T}\right)_{21}\right)^2}{\left(\frac{\partial P}{\partial v}\right)_{21}}\right]\right\}.$$

Diese Grösse ist wesentlich positiv, da sowohl M_{12} und M_{21}, als auch k_{12} und k_{21} stets positiv, dagegen $(\partial P/\partial v)_{12}$ und

$(\partial P/\partial v)_{21}$ wesentlich negativ ist. Ein Grenzfall tritt dann ein, wenn man $\delta T_{12} = 0$ annimmt, d. h. wenn man in der Richtung der Berührungsgraden der Flächen s'' und s' fortgeht, wie es a priori klar ist. Daraus folgt also, dass die Ebene s'' sich in allen ihren Punkten über die Fläche s' erhebt, mithin dass $(s'' - s')$ niemals negativ wird, und damit ist bewiesen, dass die 3. Lösung innerhalb ihres Gültigkeitsbereiches, also innerhalb des Fundamentaldreiecks der Substanz: (123) das stabile Gleichgewicht darstellt.

Wir sind nun im Stande, die oben betreffs des stabilen Gleichgewichts gestellte Frage allgemein zu beantworten: Ist die Gesammtmasse M, das Gesammtvolumen V und die Gesammtenergie U eines Körpers gegeben, so wird der entsprechende stabile Gleichgewichtszustand bestimmt durch die Lage des Punktes, dem die Coordinaten $v = V/M$, $u = U/M$ angehören.

Fällt nämlich erstens dieser Punkt in einen der Räume (1), (2), (3) der Figur, so verhält sich der Körper ganz homogen, im gasförmigen, flüssigen oder festen Zustand. Fällt der Punkt zweitens in einen der Räume (12), (23), (31), so zerfällt der Körper in zwei verschiedene Aggregatformen, wie sie durch die Indices des betreffenden Bereiches angegeben werden. Hierdurch ist aber auch sowohl die gemeinsame Temperatur, als auch die Grössen der einzelnen Massentheile der beiden Aggregatformen vollständig bestimmt. Denn nach (5) liegt der Punkt (v, u) auf der Verbindungslinie zweier zugeordneter Punkte der Curve, welche den betreffenden Raum umgrenzt; man ziehe also durch den Punkt (v, u) diejenige Gerade, welche aus den beiden Aesten jener Curve zwei zugeordnete Punkte ausschneidet. Diese beiden Punkte geben die Beschaffenheit der beiden Aggregatformen an, in die sich der Körper spaltet; sie haben natürlich gleiche Temperatur und gleichen Druck. Die Grössen der Massentheile selber ergeben sich ebenfalls aus (5): ihr Quotient ist gleich dem Verhältniss, in welchem der Punkt (v, u) die Verbindungsstrecke der beiden zugeordneten Punkte theilt.

Wenn der Punkt drittens in den Raum des Fundamentaldreiecks (123) hineinfällt, wird das stabile Gleichgewicht durch eine

Vereinigung aller drei Aggregatformen dargestellt, die sich in der Fundamentaltemperatur und nnter dem Fundamentaldruck befinden. Es bleibt dann nur noch übrig, die Massen der einzelnen verschiedenartigen Theile des Körpers zu bestimmen, und dies geschieht durch die Gleichungen (7), aus denen hervorgeht, dass die Massentheile sich verhalten wie die Flächen der Dreiecke, welche der Punkt (v, u) mit den drei Seiten des Fundamentaldreiecks bildet.

So kann man in jedem Falle die Bestimmungsstücke des stabilen Gleichgewichts finden, vorausgesetzt, dass das Fundamentaldreieck und die Verdampfungs-, Schmelz- und Sublimationscurve für den betreffenden Körper gezeichnet sind. Zur besseren Uebersicht der obwaltenden Verhältnisse könnte man der Figur noch diejenigen Curven beifügen, welche Stellen gleicher Temperatur oder gleichen Druckes miteinander verbinden. Dann erhält man z. B. für Wasser das Resultat, dass Eis im stabilen Gleichgewicht unter keinerlei Umständen eine höhere Temperatur als die Fundamentaltemperatur (0,0078°C.) annehmen kann, also auch nicht, wenn der Druck noch so sehr erniedrigt werden sollte, während flüssiges Wasser bei geeigneter Behandlung in beliebig hohe und tiefe Temperaturen gebracht werden kann, ohne zu verdampfen oder zu gefrieren.

Aus dem Obigen lässt sich auch die Frage direct beantworten, welche Zustände ein Körper durchmacht, wenn man ihn einer Anzahl von bestimmten äusseren Veränderungen der Reihe nach unterwirft. So z. B. erfährt man das Verhalten eines Körpers mit der Masse M, der bei constantem Gesammtvolumen V abgekühlt oder erwärmt wird, durch die Betrachtung der Geraden $v = V/M$, einer Parallelen zur Ordinatenaxe. Die Flächenräume nämlich, welche diese Gerade durchschneidet, geben an, welche Zustände der Körper in diesem Falle durchmacht, also z. B. ob er im Laufe des Processes schmilzt, oder ob er direct sublimirt u. s. w.

Alle im Vorhergehenden ausgesprochenen Sätze sind strenge Folgerungen aus dem einen Satz, dass das stabile Gleichgewicht dem Maximum der Entropie entspricht, und dieser Satz wiederum folgt aus dem allgemeineren, dass durch jeden Naturprocess die Summe der Entropien aller an demselben betheiligten Körper vergrössert wird. Auf die Erscheinungen der Wärme angewendet, bildet dies Gesetz den allgemeinsten Ausdruck des zweiten Hauptsatzes der mechanischen Wärmetheorie und ist für diesen Fall von mir ausführlich bewiesen worden.[1]) Indess entspricht ihm unzweifelhaft ein weit allgemeineres, alle Naturvorgänge umfassendes Gesetz. Es gibt in der Natur eine Function (wir können für dieselbe die Clausius'sche Bezeichnung Entropie beibehalten), welche beständig im Zunehmen begriffen ist, in der Art, dass am Ende eines jeden Naturprocesses die Summe der Entropien sämmtlicher an diesem Process betheiligten Körper grösser ist, als sie am Anfang war. Dabei ist die Entropie als durch den Zustand eines Körpers (Inbegriff der Lagen und der Geschwindigkeiten aller seiner Theile) vollkommen gegeben anzusehen. So bedingt jeder chemische (Verbindungs- oder Zersetzungs-) Process, jede electrische Entladung ein Wachsthum der Entropie. Einen Grenzfall bilden diejenigen Processe, für welche die Entropie im Endzustand gleich der im Anfangszustand ist, zu ihnen gehören z. B. die direct umkehrbaren Processe. Diese Art von Processen (die ich neutrale Processe genannt habe) kommt aber nicht wirklich vor, sondern ist nur als ideal aufzufassen.

Hieraus nun ergibt sich die allgemeinste Bedingung für das stabile Gleichgewicht eines Systems von Körpern, das ganz beliebigen äusseren Bedingungen unterworfen ist; denn nach dem obigen Satze ist klar, dass in der Natur dann keine Zustandsänderung mehr stattfinden kann, wenn das System den grössten Werth der Entropie erreicht hat, der unter den gegebenen Bedingungen möglich ist. Das Maximum der Entropie bezeichnet also den stabilen Gleichgewichtszustand, und hierdurch ist ein Mittel gegeben, um die Untersuchung von Gleichgewichtsbedingungen jedweder Art auf eine allgemeine rationelle Grundlage zu basiren. Es unterliegt keinem Zweifel, dass z. B. für die Feststellung chemischer Gleichge-

1) M. Planck, Ueber den zweiten Hauptsatz der mechanischen Wärmetheorie. München, Th. Ackermann. 1879.

wichtszustände sich dies Princip von derselben Fruchtbarkeit erweisen wird, wie für die oben behandelten physikalischen Zustände.[1] Auch für die Auffindung der Gleichgewichtsbedingungen physikalischer Gemenge wird diese Untersuchungsmethode von wesentlicher Bedeutung sein, möge es sich nun um Diffusion von Gasen oder von Flüssigkeiten unter sich, oder um Absorption von Gasen durch Flüssigkeiten oder feste Körper, oder endlich um Löslichkeit fester Körper in Flüssigkeiten oder Gasen handeln. In jedem dieser Fälle wird durch die Bedingungen des Maximums der Entropie festgestellt, in wieviel verschiedenartige Bestandtheile ein solches Gemenge zerfällt, und welches das Mischungsverhältniss eines jeden dieser Bestandtheile ist.

Im allgemeinen wird der Fall eintreten, dass bei gewissen äusseren Bedingungen mehrere relative Maxima der Entropie möglich sind. Dann entspricht jedes relative Maximum, welches nicht das absolute ist, einem labilen Gleichgewichtszustand, während das absolute Maximum allein das stabile Gleichgewicht angibt. Hierbei ist der Begriff des labilen Gleichgewichts so aufzufassen, dass in einem Körper, der sich im labilen Gleichgewicht befindet, eine beliebig kleine (aber geeignete) Aenderung in den äusseren Bedingungen eine endliche Zustandsänderung zur Folge haben kann. Von diesem Gesichtspunkt aus betrachtet, befindet sich z. B. ein Knallgasgemenge nur im labilen Gleichgewicht, weil die Hinzufügung einer geeigneten, aber beliebig kleinen Menge Energie (z. B. eines electrischen Funkens, dessen Energie im Vergleich zu der des Gemenges verschwindend klein sein kann) eine endliche Zustandsänderung, also einen Uebergang zu einem Zustand grösserer Entropie, zur Folge hat. Von diesem Standpunkt aus sind auch alle Erscheinungen der Allotropie und der Isomerie aufzufassen.

Zum Schlusse möchte ich hier noch auf eine allerdings schon bekannte Thatsache ausdrücklich hinweisen. Der zweite Hauptsatz der mechanischen Wärmetheorie, consequent durch-

---

1) Der Anfang hierzu ist bereits von Horstmann, Chem. Ber. **14.** p. 1242. 1881 gemacht worden.

geführt, ist unverträglich mit der Annahme endlicher Atome.[1]) Es ist daher vorauszusehen, dass es im Laufe der weiteren Entwickelung der Theorie zu einem Kampfe zwischen diesen beiden Hypothesen kommen wird, der einer von ihnen das Leben kostet. Das Resultat dieses Kampfes jetzt schon mit Bestimmtheit voraussagen zu wollen, wäre allerdings verfrüht, indess scheinen mir augenblicklich verschiedenartige Anzeichen darauf hinzudeuten, dass man trotz der grossen bisherigen Erfolge der atomistischen Theorie sich schliesslich doch noch einmal zu einer Aufgabe derselben und zur Annahme einer continuirlichen Materie wird entschliessen müssen.

München, Dec. 1881.

Über die molekulare Konsitution verdünnter Lösungen

Es ist in neuerer Zeit mehrfach darauf hingewiesen worden, dass die Frage nach der Konstitution der Moleküle gelöster Stoffe in verdünnten Lösungen ihre Beantwortung finden könne durch die Beobachtung der Dampfspannung beziehungsweise des Gefrierpunkts solcher Lösungen, insbesondere dass die konstatierten Abweichungen von dem Gesetze der molekularen Dampfdruck- oder Gefrierpunktserniedrigung in gewissem Zusammenhang stehen mit einer chemischen Veränderung (Zersetzung) der Moleküle des gelösten Stoffes und somit unter Umständen geeignet sein würden, auf die Beschaffenheit der Moleküle in der Lösung ein Licht zu werfen. Welches aber diejenige Erklärung der Abweichungen von den obengenannten Gesetzen ist, aus welcher die richtige Verwertung derselben zur Bestimmung des Molekulargewichts der gelösten Stoffe entspringt, bildet eine Frage, zu deren Beantwortung bisher jede rationelle Basis fehlte [1]).

Blicken wir z. B. auf die Schlüsse, welche Raoult [2]) aus seinen zahlreichen, jahrelang fortgesetzten Beobachtungen über den Gefrierpunkt verschiedenartiger Lösungen gezogen hat. Das thatsächliche Resultat derselben lässt sich dahin zusammenfassen, dass in allen beobachteten Lösungen die molekulare Gefrierpunktserniedrigung (d. h. das Produkt aus dem Molekulargewicht des gelösten Stoffes in die Gefrierpunktserniedrigung einer Lösung von einem Gewichtsteil in 100 Gewichtsteilen des Lösungsmittels) für ein bestimmtes Lösungsmittel durch eine von zwei bestimmten Zahlen dargestellt wird, deren eine nahezu die Hälfte der anderen ist. So ist die molekulare Gefrierpunktserniedrigung für alle Lösungen in Essigsäure entweder nahezu 39 oder 19, für Lösungen in Ameisensäure entweder 28 oder 14, für Benzol entweder 47 bis 51 oder

---

1) Vgl. indessen J. H. van't Hoff, diese Zeitschr. S. 496 und die S. 481 angeführten älteren Schriften desselben Verfassers. Der Herausgeber W. O.

2) Raoult, Compt. rend. 95, 1030. 1882.

25, für Nitrobenzol entweder 68 oder 34, für Wasser entweder 33 bis 43, meistens gegen 37 (ausnahmsweise 50) oder 17 bis 20, im Mittel 18·5. Diese Thatsache sucht Raoult dadurch zu erklären, dass er für jedes Lösungsmittel die grössere der beiden angeführten Zahlen als die „normale" Gefrierpunktserniedrigung bezeichnet und das Auftreten der kleineren auf die Existenz von Doppelmolekülen in der Lösung zurückführt. Es ist klar, dass diese Erklärung ihren Zweck im allgemeinen erreicht; denn unter der gemachten Annahme kann nun der Satz ausgesprochen werden, dass die molekulare Gefrierpunktserniedrigung für ein bestimmtes Lösungsmittel durchaus konstant ist, da die Verdopplung des Molekulargewichts des gelösten Stoffes eine ebensolche der molekularen Gefrierpunktserniedrigung bedingt, wodurch dann in jedem Falle der normale Wert erreicht wird.

Indessen drängt sich gleich hier die Frage auf, welche Gründe es denn sind, die dazu veranlassen, gerade immer den grösseren der beiden Zahlenwerte als den normalen anzusehen; man könnte ja gerade so gut für irgend ein Lösungsmittel den kleineren, oder überhaupt irgend ein beliebiges Vielfaches des kleineren Wertes als den normalen betrachten, und die beobachtete Abweichung von dem normalen durch eine entsprechende Zersetzung oder höhere Verbindung der Moleküle in der Lösung erklären. Raoult giebt für sein Verfahren keinen besonderen Grund an, als etwa den, dass der „normale" Wert in der Mehrzahl der beobachteten Fälle auftritt; indes kann dieser Umstand natürlich nicht beweisend sein. Ferner erhebt sich die andere Frage, woher die kleineren Abweichungen von den angeführten Zahlen stammen, die, wenn auch meistens gering, doch beträchtlich über die Grenze der Beobachtungsfehler hinausgehen.

Eine rationelle Antwort auf diese Fragen ist enthalten in der Theorie der Lösungen, die aus der Anwendung der beiden Hauptsätze der mechanischen Wärmetheorie entspringt und die ich in einer kürzlich erschienenen Abhandlung entwickelt habe [1]). Die folgenden Ausführungen sollen dazu dienen, die Schlüsse darzulegen, welche die Beobachtungen der molekularen Gefrierpunktserniedrigung in betreff der molekularen Konstitution der gelösten Moleküle zu ziehen gestatten. Wir gehen von einem Satze aus, dessen Ableitung an der genannten Stelle von mir ge-

---

[1]) Planck, Wied. Ann. **32**, p. 499, 1887. Ich beziehe mich um so ausdrücklicher auf jene Abhandlung, weil sonst die hier gezogenen Schlussfolgerungen wohl allzu gewagt erscheinen dürften. Übrigens ersehe ich aus dem 9. Heft dieser Zeitschr., das mir kurz nach der Absendung dieser Arbeit zuging, dass van't Hoff, von anderen Betrachtungen ausgehend, einen ganz ähnlichen Satz entwickelt hat (p. 497) und auch zu ähnlichen Schlussfolgerungen hinneigt (p. 501).

geben ist: Bezeichnet in einer verdünnten Lösung n die Zahl der wirklich vorhandenen (gleichartigen oder ungleichartigen) Moleküle des gelösten Stoffes, n_0 die Zahl der Moleküle des Lösungsmittels, ferner ϑ_0 die (absolute) Gefrierpunktstemperatur des Lösungsmittels, ϑ die der Lösung, endlich Q_0 die mechanisch gemessene Schmelzwärme eines Moleküls des Lösungsmittels, so ist die Erniedrigung des Gefrierpunktes der Lösung:

$$\vartheta_0 - \vartheta = \frac{\vartheta_0^2}{Q_0} \cdot \frac{n}{n_0}.$$

Hierbei ist noch zu bemerken, dass in dieser Formel das Molekulargewicht nicht auf $H_2 = 2$ bezogen gedacht ist, sondern dass als Molekulargewicht eines Stoffes diejenige Masse des Stoffes genommen ist, welche im vollkommenen Gaszustand im Volumen 1 bei der Temperatur 1 den Druck 1 ausübt — eine Grösse, die ja nach dem Avogadroschen Gesetz dem Molekulargewicht proportional ist. Hiernach ist H_2 im absoluten Centimeter- Gramm- Sekunde- Celsiusgrad-System $= 242 \cdot 10^{-10}$; denn soviel Gramm Wasserstoff üben im Volumen 1 bei der Temperatur 1 den Druck 1 aus. Bezeichnen wir zum Behufe der Reduktion aller Grössen auf das gewöhnliche Masssystem das Molekulargewicht des Lösungsmittels, bezogen auf $H_2 = 2$, mit M_0, ferner die Schmelzwärme von 1 g des Lösungsmittels, in Kalorien ausgedrückt, mit q_0, so ergiebt sich demnach:

$$Q_0 = q_0 \cdot 42800 \cdot 981 \cdot \frac{M_0}{2} \cdot 242 \cdot 10^{-10} = \frac{q_0 . M_0}{1 \cdot 97}$$

(42800 das mechanische Wärmeäquivalent, 981 die Beschleunigung der Schwere, $\frac{1}{2} \cdot 242.10^{-10}$ der Reduktionsfaktor des Molekulargewichts von $H_2 = 2$ auf $H_2 = 242 \cdot 10^{-10}$). Dadurch wird die Gefrierpunktserniedrigung:

$$\vartheta_0 - \vartheta = 1.97 \cdot \frac{\vartheta_0^2}{q_0 M_0} \cdot \frac{n}{n_0}$$

und wenn M das gewöhnliche Molekulargewicht des gelösten Stoffes, auf $H_2 = 2$ bezogen, bedeutet, die Raoultsche „molekulare Gefrierpunktserniedrigung“:

$$T = M(\vartheta_0 - \vartheta) = 1 \cdot 97 \cdot \frac{\vartheta_0^2}{q_0} \cdot \frac{n M}{n_0 M_0}.$$

Denken wir uns nun mit Raoult eine Lösung von 1 Gewichtsteil in 100 Gewichtsteilen, so ist das Verhältnis der Masse des gelösten Stoffes zu der des Lösungsmittels $= 1 : 100$ zu setzen. Die Masse des Lösungsmittels entspricht dem Produkt $n_0 M_0$, dagegen lässt sich die Masse des gelösten Stoffes im allgemeinen nicht durch $n M$ ausdrücken; dies ist nur dann geboten, wenn jedes der n Moleküle des gelösten Stoffes in der Lösung wirklich das Molekulargewicht M hat. Sobald aber die n Moleküle des gelösten Stoffes entweder als zusammengesetzte Moleküle oder als Teile eines gewöhnlichen Moleküls in der Lösung vorhanden sind, stellt nM nicht mehr die Masse des gelösten Stoffes dar, sondern im ersteren Fall eine kleinere, im letzteren eine grössere Zahl. Wir wollen daher die Masse des gelösten Stoffes allgemein durch $\frac{nM}{i}$ ausdrücken, wobei die Zahl i einen Massstab für den Grad der Zersetzung der gelösten Moleküle bildet. Haben nämlich die gelösten Moleküle das normale Molekulargewicht, so ist $i = 1$, haben sie ein kleineres, so ist $i > 1$; wenn z. B. die normalen Moleküle in der Lösung sich in je zwei spalten, so ist $i = 2$. Haben aber die gelösten Moleküle ein grösseres Molekulargewicht als das normale, so ist $i < 1$; für lauter Doppelmoleküle ist $i = \frac{1}{2}$. Dann haben wir für die angenommene Lösung als Verhältnis der Gewichte des Stoffes und des Lösungsmittels:

$$\frac{nM}{i} : n_0 M_0 = 1:100$$

und damit wird:

$$T = 0{\cdot}0197 \cdot \frac{\vartheta_0^2}{q_0} \cdot i.$$

Bezeichnen wir als normale molekulare Gefrierpunktserniedrigung, ebenso wie Raoult, diejenige, die in Lösungen von normaler Molekülzahl auftritt, so verlangt hierfür die Theorie $i = 1$ und:

$$T\text{norm.} = 0{\cdot}0197 \cdot \frac{\vartheta_0^2}{q_0}. \qquad \text{(I)}$$

Ist der beobachtete Wert T, so folgt:

$$\frac{T}{T\text{norm.}} = i. \qquad \text{(Ia)}$$

Die folgende Tabelle enthält die theoretischen Werte der normalen molekularen Gefrierpunktserniedrigung, verglichen mit den Beobachtungen von Raoult. Hierin bedeutet:

ϑ_0 den absoluten Gefrierpunkt des Lösungsmittels.

q_0 die Schmelzwärme von 1 g Lösungsmittel in Kalorien. Die Zahlen sind den Angaben von Pettersson[1]) entnommen.

T norm. die aus Gleichung (I) berechnete normale molekulare Gefrierpunktserniedrigung.

T die von Raoult beobachtete molekulare Gefrierpunktserniedrigung

[1]) Pettersson, Journ. f. pr. Chem. **24**, 129, 293. 1881.

für verschiedene gelöste Stoffe, — dieselben Zahlen, die schon oben aufgeführt sind.

Lösungsmittel	ϑ_0	q_0	T norm.	T
Essigsäure	290·2	44·34	37·5	36—40; 19
Ameisensäure	281·9	58·44	26·8	28; 14
Benzol	278·4	29·09	52·5	47—51; 25
Nitrobenzol	278·7	22·30	68·7	69; 34
Wasser	273·4	79·58	18·5	33—43; 17—20

Hieraus ersieht man zunächst, dass der theoretische Wert von T norm. nahe mit einem der durch Beobachtung gefundenen Werte von T zusammenfällt. Daraus folgt, dass es für jedes der angeführten Lösungsmittel Stoffe giebt, die in der Lösung ihr Molekulargewicht behalten, für die also der Zersetzungskoëffizient i: das Verhältnis von T zu T norm. nach Gleichung (Ia) den Wert 1 annimmt. Während jedoch für die ersten 4 Lösungsmittel, in Übereinstimmung mit der Annahme von Raoult, der grössere der beiden Werte von T den normalen darstellt, ist beim Wasser gerade das Umgekehrte der Fall. Hier behalten die Stoffe, welche die molekulare Gefrierpunktserniedrigung 18·5 liefern, ihr Molekulargewicht in der Lösung bei, während für die übrigen i nahe $= 2$ wird; d. h. sie erleiden in der Lösung eine Zersetzung, indem sich jedes Molekül in 2 spaltet.

Wir können demnach folgende Sätze aussprechen: In den verdünnten Lösungen in Essigsäure, Ameisensäure, Benzol und Nitrobenzol existieren die Moleküle der meisten gelösten Stoffe in ihrer normalen Grösse ($i = 1$), nur für gewisse Stoffe, die Raoult l. c. namhaft macht, wird $i = \frac{1}{2}$, d. h. es existieren in der Lösung Doppelmoleküle. In wässerigen Lösungen dagegen erleiden im Gegensatz zu Raoults Annahme die meisten mineralischen Stoffe eine Zersetzung, deren Grad durch den Wert von i bestimmt wird. Für die gelösten Barium- und Strontiumchlorüre fand Raoult z. B. die molekulare Gefrierpunktserniedrigung T ungefähr $= 50$. Daraus folgt i nahezu $= 3$, d. h. die Molekülzahl ist in der Lösung nahezu verdreifacht.

Die nahe Übereinstimmung des theoretischen Wertes von T norm. mit einem der Werte von T bildet zugleich eine wertvolle Bestätigung der Zulässigkeit der theoretischen Gleichung (I). In allen Fällen aber, wo i nicht genau eine ganze Zahl oder das Reciproke einer ganzen Zahl ist, muss man eine unvollständige Zersetzung resp. Verbindung der Moleküle in der Lösung annehmen. Vielleicht rührt übrigens auch in manchen Fällen die gefundene Abweichung von dem Umstande her, dass die beobachtete Lösung nicht hinreichend verdünnt war, um die Anwendung der theoretischen Gleichung zu rechtfertigen. Diese Bedingung mit der anderen, dass sich beim Gefrieren das Lösungsmittel in reinem Zustand aus der Lösung abscheidet, bildet die Hauptgrundlage der ganzen Ableitung.

Die von uns eingeführte Konstante i, der Zersetzungskoëffizient der gelösten Moleküle, ist identisch mit der von van't Hoff[1]) in seiner Theorie des chemischen Gleichgewichts definierten und für wässerige Lösungen verschiedener Stoffe berechneten Konstanten i, nur mit dem Unterschiede, dass ihre physikalische Bedeutung dort eine etwas andere ist. Es lässt sich nämlich leicht zeigen, dass, sobald man die molekulare Konstitution einer Lösung in Übereinstimmung mit den hier aufgestellten Sätzen annimmt, das chemische Gleichgewicht durch die einfache Guldberg-Waagesche Theorie vollständig gegeben wird und eine besondere Modifizierung derselben im Sinne van't Hoffs entbehrlich wird. Denn wenn die Molekülzahl eines gelösten Stoffes i-mal grösser genommen wird, als sie bei normalem Molekulargewicht erscheinen würde, so beteiligt sich der Stoff bei einer eintretenden chemischen Reaktion statt mit 1 Molekül mit i Molekülen, und es tritt daher die Zahl i von selber in den Exponenten der Guldberg-Waageschen Formel ein, so dass dieselbe ihre allgemeine Bedeutung behält.

Von prinzipieller Wichtigkeit ist die Thatsache, dass die Beobachtung eines rein physikalischen Vorganges, wie der des Gefrierens ist, einen wesentlichen Einblick in die chemische Konstitution einer Lösung gestattet. Ganz in gleichem Sinne lässt sich auch das Gesetz der Dampfspannung verdünnter Lösungen für die Berechnung der Molekülzahl der gelösten Stoffe verwerten, das ja mit dem der Gefrierpunktserniedrigung viele Ähnlichkeiten aufweist; doch soll darauf hier nicht näher eingegangen werden.

[1]) van't Hoff, Lois de l'équilibre chimique, Stockholm 1886.

Kiel, Oktober 1887.

Das chemische Gleichgewicht in verdünnten Lösungen

Wie ich in einer kürzlich erschienenen Abhandlung nachgewiesen habe [1]), befinden sich die Hauptsätze der Wärmetheorie nur dann im Einklange mit den beim Gefrieren oder Verdampfen verdünnter Lösungen beobachteten Erscheinungen, wenn die Molecüle der gelösten Stoffe theilweise oder vollständig chemisch verändert gedacht werden, und zwar hat sich gezeigt, dass der von van't Hoff [2]) in seiner Theorie der chemischen Gleichgewichtszustände für eine verdünnte Lösung eingeführte Zahlencoëfficient i direct als das Maass der chemischen Zersetzung des gelösten Stoffes anzusehen ist, nämlich als das Verhältniss der wirklichen Molecülzahl zu derjenigen Molecülzahl, welche der normalen Beschaffenheit aller Molecüle entsprechen würde. Ist also z. B. i eine ganze Zahl, so hat sich jedes Molecül vollständig in i Molecüle gespalten.

Inzwischen ist von S. Arrhenius [3]) ein Aufsatz über die Dissociation der in Wasser gelösten Stoffe erschienen, in welchem der Verfasser ganz denselben Gedanken ausspricht und für eine Reihe von wässerigen Lösungen nach verschiedenen Richtungen durchführt. Wenn nun auch die Grundlage seiner Ausführungen: die durchgreifende Analogie, die er für das Verhalten des osmotischen Druckes in verdünnten Lösungen mit dem des Druckes vollkommener Gase festsetzt, wohl noch nicht den Rang eines vollgültigen Beweises beanspruchen dürfte, so scheint mir doch der Umstand, dass ganz unabhängig von den rein theoretischen Erörterungen die nämlichen Ideen von chemischer Seite angeregt und durch die verschiedenartigsten Gründe unterstützt werden, ein Anzeichen dafür zu sein, dass auch in diesem Falle wieder die Forderungen des zweiten Hauptsatzes der Wärmetheorie mit

---

1) M. Planck, Wied. Ann. **32**. p. 462. 1887; vgl. auch Zeitschr. f. phys. Chem. **1**. p. 577. 1887.

2) J. H. van't Hoff, Zeitschr. f. phys. Chem. **1**. p. 481. 1887.

3) S. Arrhenius, Zeitschr. f. phys. Chem. **1**. p. 631. 1887.

der Zeit eine durchgehende Anerkennung finden werden. Zugleich ist aber durch diese Unterstützung der theoretischen Sätze die Möglichkeit geboten, die weiteren Consequenzen derselben, soweit sie sich mit logischer Nothwendigkeit ergeben, rückhaltlos zu verfolgen; denn nur dadurch kann die Zulässigkeit der Theorie des weiteren geprüft werden.

Wir denken uns also den Gleichgewichtszustand einer verdünnten Lösung eines Stoffes im allgemeinen von ganz derselben Art, wie das chemische Gleichgewicht verschiedener aufeinander wirkender Stoffe; es stehen z. B. in der Lösung die unzersetzten Molecüle mit den zersetzten in steter chemischer Wechselwirkung, und das Gleichgewicht in diesem Gemenge wird im allgemeinen bei einem gewissen mittleren Zustande der Zersetzung eintreten, welcher durch die nämlichen allgemeinen Bedingungen gegeben ist, wie irgend ein anderer chemischer Gleichgewichtszustand. Dabei besteht jedes zersetzte Molecül aus zwei oder mehreren vollständigen Einzelmolecülen, die übrigens immer noch mit gewissen besonderen Kräften aufeinander wirken können; denn dass auch die Theilmolecüle unter sich ein einfaches mechanisches Gemenge bilden, darf aus verschiedenartigen Gründen nicht angenommen werden.[1]) Wollte man sich z. B. eine verdünnte wässerige HCl-Lösung, für die i nahezu $= 2$, als ein Gemenge von gelösten freien H- und Cl-Atomen vorstellen, so müsste man zu der erfahrungswidrigen Folgerung kommen, dass eine Vermischung oder auch eine Trennung von beiderlei Atomen von keiner Arbeitsleistung begleitet sei. Welches aber nun die Art des noch restirenden Zusammenhanges der einzelnen Theilmolecüle untereinander ist, können wir für die folgenden Untersuchungen ganz unentschieden lassen, es genügt vollkommen die Annahme, dass jedes Theilmolecül für sich ein vollständiges Molecül bildet.

Dieser Umstand ist auf eine ganze Reihe von Erscheinungen in verdünnten Lösungen von wesentlichem Einfluss, so bedingt er auch ihre sogenannten additiven Eigenschaften, die um so deutlicher hervortreten, je vollständiger die Dissociation ist.

---

1) S. Arrhenius, l. c. p. 638.

Da dieser Punkt schon von S. Arrhenius ausführlich hervorgehoben wurde, so genügt es, auf dessen Darlegung zu verweisen. Wir wollen für unsere weiteren Untersuchungen zunächst von den Sätzen ausgehen, die speciell aus den Erscheinungen des Gefrierens oder Verdampfens verdünnter Lösungen für die molecularen Verhältnisse der gelösten Stoffe entspringen. Bezeichnet $\vartheta_0 - \vartheta$ die Gefrierpunktserniedrigung, $p_0 - p$ die Dampfdruckerniedrigung, ferner n_0 die Zahl der Molecüle des Lösungsmittels, q_0 die Schmelzwärme eines Molecüls desselben (der Index 0 bezieht sich immer auf das reine Lösungsmittel), so findet man für irgend eine verdünnte Lösung nichtflüchtiger Stoffe in einem beliebigen Lösungsmittel die Zahl n der Molecüle der gelösten Stoffe durch die Gleichungen[1]):

$$n = \frac{n_0 q_0}{\vartheta_0^2} \cdot (\vartheta_0 - \vartheta) = n_0 \cdot \frac{p_0 - p}{p_0}.$$

Die so berechnete Molecülzahl n stimmt im allgemeinen nicht überein mit der „normalen" Molecülzahl, d. h. derjenigen Zahl, die man aus dem gewöhnlichen Moleculargewicht der gelösten Stoffe erhält, und die wir mit N bezeichnen wollen. Für wässerige Lösungen wird nämlich n gewöhnlich $> N$, für Benzollösungen u. s. w. dagegen wird n oft $< N$. Setzen wir nun $n/N = i$, so ergibt sich für $i > 1$ eine Zersetzung, für $i < 1$ eine chemische Verbindung der normalen Molecüle in der Lösung. Immer erfährt man aber eben nur die Gesammtzahl der wirklichen Molecüle, wodurch in der Regel ihre Beschaffenheit im einzelnen noch gar nicht bestimmt sein wird. Insbesondere bleibt es z. B. ganz offen, ob etwa die Molecüle der gelösten Stoffe mit einzelnen Molecülen des Lösungsmittels chemisch verbunden sind, und ich möchte auf diesen Punkt hier besonders hinweisen wegen der Frage der Hydratbildung in wässerigen Lösungen. Diese Frage kann durch die Beobachtung des Gefrierpunktes oder der Dampfspannung durchaus nicht entschieden werden; denn die chemische Verbindung der Salz- oder Säuremolecüle mit je einem oder mehreren Molecülen Wasser ändert nichts an der Gesammtzahl der gelösten Molecüle, auf die es hier allein ankommt. Auch das Verhältniss dieser Zahl zu der der

1) M. Planck, Wied. Ann. 32. p. 502. 1887.

Wassermolecüle wird hierdurch nicht wesentlich alterirt, da die letztere sehr gross ist gegen die erstere. Alle Versuche daher, die Abweichung von dem molecularen Gefrierpunkts- oder Dampfspannungsgesetz verdünnter Lösungen durch Hydratbildung zu erklären, sind principiell aussichtslos; die einzig mögliche Erklärung führt zu einer chemischen Veränderung der gelösten Molecüle untereinander.

In manchen Fällen jedoch wird die Gesammtzahl der wirklichen Molecüle einen eindeutigen Schluss auf ihre Beschaffenheit zulassen. Dies tritt z. B. immer ein, wenn ein normales Molecül nur auf einerlei Weise in zwei Einzelmolecüle zerfallen kann, wie es oft bei der Dissociation der Ionen in wässerigen Lösungen der Fall ist. Bezeichnet nämlich n_1 die Zahl der unzersetzten, n_2 die der in je zwei Ionen gespaltenen Molecüle, so haben wir: $N = n_1 + n_2$ und $n = n_1 + 2n_2$, also:

$$i = \frac{n}{N} = \frac{n_1 + 2n_2}{n_1 + n_2} = \frac{n_0}{N} \cdot \frac{q_0(\vartheta_0 - \vartheta)}{\vartheta_0^2} = \frac{n_0}{N} \cdot \frac{p_0 - p}{p_0}.$$

Hiernach lassen sich die Werthe von n_1 und n_2 eindeutig aus N und i berechnen. Wir wollen für unsere folgenden Untersuchungen an diesem einfachen Falle festhalten. Dann liegt i nothwendig zwischen den Grenzen 1 und 2, die einerseits dem normalen Zustand der gelösten Molecüle: $n_2 = 0$ (in wässeriger Lösung annähernd Alkohol, Zucker, Ammoniak, Schwefelwasserstoff, Ameisensäure, die Sulfate von Kupfer, Zink, Eisen), andererseits der vollständigen Dissociation: $n_1 = 0$ (in wässeriger Lösung annähernd die Hydroxyde von Kalium, Natrium, Lithium, die Halogensäuren, Schwefelsäure, Salpetersäure, viele Salze) entsprechen. Untersuchen wir nun specieller die Eigenschaften des Zersetzungscoëfficienten i, wie sie unmittelbar aus der allgemeinen Theorie des chemischen Gleichgewichtes folgen.

Veränderlichkeit des Zersetzungsgrades i.

Wenn der Zustand der theilweisen Dissociation der Molecüle eines Stoffes in verdünnter Lösung wirklich ein chemischer Gleichgewichtszustand ist, bedingt durch die Wechselwirkung der zersetzten und der unzersetzten Molecüle, so müssen auf ihn die allgemeinen Gesetze des thermodynamisch-chemischen Gleichgewichts Anwendung finden. Wir haben somit als Symbol des in Betracht kommenden Systems:

$$n_0 m_0, \quad n_1 m_1, \quad n_2 m_2, \quad n_3 m_3 .$$

Dasselbe stellt einen homogenen Körper dar: die Lösung, bestehend aus n_0 Molecülen Lösungsmittel vom Moleculargewicht m_0, n_1 unzersetzten (normalen) Molecülen vom Moleculargewicht m_1, und $n_2 = n_3$ in je zwei Ionen mit den Moleculargewichten m_2 und m_3 zersetzten Molecülen. Die numerischen Concentrationen, d. h. die Verhältnisse der einzelnen Molecülzahlen zur gesammten Molecülzahl, sind:

$$c_0 = \frac{n_0}{n_0 + n_1 + 2n_2}, \quad c_1 = \frac{n_1}{n_0 + n_1 + 2n_2}, \quad c_2 = \frac{n_2}{n_0 + n_1 + 2n_2}, \quad c_3 = c_2 .$$

Für eine etwa eintretende Reaction sind die Verhältnisse der Aenderungen der Molecülzahlen:

$$\delta n_0 : \delta n_1 : \delta n_2 : \delta n_3 = \nu_0 : \nu_1 : \nu_2 : \nu_3 .$$

Besteht nun die Reaction in der Zersetzung eines normalen Molecüls in zwei Theilmolecüle, so ist zu setzen:

$$\nu_0 = 0, \quad \nu_1 = -1, \quad \nu_2 = 1, \quad \nu_3 = 1,$$

und die Bedingung des Gleichgewichtes wird:

$$\nu_0 \log c_0 + \nu_1 \log c_1 + \nu_2 \log c_2 + \nu_3 \log c_3 = \log K,$$

wobei K nur von Temperatur und Druck abhängig. Berücksichtigt man die Werthe der c und ν und bedenkt, dass n_0 sehr gross ist gegen n_1 und n_2, so lässt sich die letzte Gleichung schreiben:

$$\frac{n_2^2}{n_0 n_1} = K,$$

oder, wenn man n_1 und n_2 durch N und i (s. oben) ausdrückt und dabei $2/K = K'$ setzt:

$$i = 1 + \frac{\sqrt{1 + 2K' \cdot \frac{N}{n_0}} - 1}{K' \cdot \frac{N}{n_0}} .$$

Diese Gleichung lehrt, dass der Zersetzungsgrad i im allgemeinen veränderlich ist, einmal mit Temperatur und Druck, ausserdem aber in angebbarer Weise mit der normalen Concentration, d. h. dem bekannten Verhältniss der normalen Molecülzahl N des gelösten Stoffes zu der Molecülzahl n_0

des Lösungsmittels. Die Art der Veränderlichkeit wird geregelt durch die positive Constante K', welche ein vom Grad der Verdünnung unabhängiges Maass für die chemische Festigkeit des normalen Molecüls in dem betreffenden Lösungsmittel liefert. Denn für $K' = 0$ ist $i = 2$ und für $K' = \infty$ ist $i = 1$, wodurch die beiden Grenzen von i gegeben sind. Nur für diese Grenzfälle ist i unabhängig von der Verdünnung, im allgemeinen findet eine Vermehrung des Zersetzungsgrades mit zunehmender Verdünnung statt.

Zum Zwecke der Prüfung dieser Gleichung durch die Erfahrung führen wir den Procentgehalt P der Lösung ein, d. h. wir setzen das Verhältniss des Gewichts des gelösten Stoffes zu dem des Lösungsmittels $= P:100$. Ist also M das bekannte normale Moleculargewicht des gelösten Stoffes, m_0 das des Lösungsmittels, so haben wir:

$$NM : n_0 m_0 = P : 100.$$

Setzen wir endlich noch zur Abkürzung $m_0 . K'/100 M = k$, eine Grösse, der wesentlich dieselben Eigenschaften zukommen, wie K', so verwandeln sich die obigen Gleichungen für i in folgende:

$$i = \frac{100\,M}{P m_0} \cdot \frac{q_0(\vartheta_0 - \vartheta)}{\vartheta_0^2} = \frac{100\,M}{P m_0} \cdot \frac{p_0 - p}{p_0} = 1 + \frac{\sqrt{1 + 2kP} - 1}{kP}.$$

Für Wasser ist $q_0/\vartheta_0^2 = 1/103$[1]), ferner $m_0 = H_2O = 18$, wenn man m_0 und M auf $H_2 = 2$ bezieht, folglich:

$$i = \frac{M(\vartheta_0 - \vartheta)}{18{,}5 . P} = \frac{5{,}56 . M . (p_0 - p)}{P . p_0} = 1 + \frac{\sqrt{1 + 2kP} - 1}{kP}.$$

Diese Gleichung spricht das allgemeine Gesetz der molecularen Gefrierpunkts- und Dampfspannungserniedrigung in verdünnten wässerigen Lösungen aus. Nur in den Grenzfällen $k = \infty$ und $k = 0$ findet vollkommene Constanz für das Verhältniss der Gefrierpunktserniedrigung (Gesetz von Blagden) oder der relativen Dampfdruckerniedrigung (Gesetz von Wüllner) zum Procentgehalt P der Lösung statt; es sind dies also die Fälle, in denen entweder gar keine, oder vollständige Zersetzung eingetreten ist. Im allgemei-

1) Diese Zahl ist besser als die früher Wied. Ann. **32.** p. 499. 1887 von mir benutzte: 1/102.

nen werden diese Gesetze aber nicht erfüllt sein, sondern i wird sich mit dem Procentgehalt ändern.

Bei der Anwendung auf andere Lösungsmittel hat man nur in der vorletzten Gleichung das Moleculargewicht m_0 des Lösungsmittels und die Werthe der molecularen Schmelzwärme q_0 und Schmelztemperatur ϑ_0 einzusetzen. Die Vergleichung mit den Raoult'schen Gefrierpunktsbestimmungen[1]) habe ich schon früher angestellt, ebenso unmittelbar lassen sich die inzwischen von Raoult veröffentlichten allgemeinen Ergebnisse der Beobachtungen über die Dampfspannungen[2]) der verschiedenartigsten Lösungen für die Theorie verwerthen. Raoult folgert u. a. aus seinen Versuchen, dass in sehr vielen Fällen der Werth von:

$$\frac{p_0 - p}{p_0} \cdot \frac{M}{P \cdot m_0}$$

für beliebige Lösungen in beliebigen Lösungsmitteln constant $= 0{,}0105$ ist. Der Vergleich mit der Theorie ergibt, dass in diesen Fällen $i = 1$ (d. h. die gelösten Molecüle sind von normaler Grösse). Denn hierfür wird jener Ausdruck $= 1/100 = 0{,}01$.

Am meisten interessirt hier jedoch die Abhängigkeit des Zersetzungsgrades i vom Procentgehalt P der Lösung, wobei indess festzuhalten ist, dass die in der theoretischen Formel dargestellte Abhängigkeit nur für binäre Molecüle Gültigkeit beansprucht ($2 > i > 1$) — ein Fall, der in den wässerigen Lösungen vieler unorganischer Stoffe realisirt erscheint. Daher bieten sich hier zunächst zur Vergleichung dar die sorgfältigen und umfangreichen Beobachtungen von G. Tammann[3]), über die Dampftensionen wässeriger Lösungen bei verschiedenen Concentrationsgraden, und zwar gestatten die von Tammann mitgetheilten Tabellen eine bequeme Prüfung der Theorie durch die Erfahrung. Die Beobachtungen gelten für eine Temperatur von nahezu 100° C., also für einen Druck von nahezu 1 Atmosphäre, sodass

1) Raoult, Compt. rend. **95.** p. 1030. 1882.

2) Raoult, Compt. rend. **104.** p. 1430. 1887.

3) Tammann, Mém. de l'Acad. de St. Pétersbourg. (7) **35.** Nr. 9. 1887.

man in der theoretischen Formel k wohl mit genügender Annäherung als constant betrachten darf. Der Procentgehalt P der Lösung ist in Tammann's Tabellen durch m bezeichnet, ferner der Werth von $1000/P.(p_0-p)/p_0$ durch μ. Man hat also das μ der Tabellen nur mit 0,00556 M zu multipliciren (M das normale Moleculargewicht des gelösten Stoffes), um daraus i zu erhalten, d. h. für einen bestimmten Stoff ist μ proportional i.

Die so berechneten Werthe von i, in ihrer Abhängigkeit von P betrachtet, ergeben einen directen Widerspruch mit der theoretischen Formel; ein Blick auf die Tabellen zeigt nämlich, dass i (oder μ) statt mit steigendem Procentgehalt abzunehmen, im Gegentheil meistens wächst, d. h. dass der Zersetzungsgrad mit der Concentration der Lösung zunimmt — ein Resultat, das von vornherein mit der Theorie unvereinbar ist. Ohne mir für jetzt ein endgültiges Urtheil über den muthmasslichen Grund dieser auffallenden Discrepanz zwischen Erfahrung und Theorie anzueignen, möchte ich hier auf eine Ueberlegung hindeuten, die sich mir schon bei früherer Gelegenheit aufgedrängt hat. Bekanntlich erfordert die Herstellung des chemischen Gleichgewichts in einem theilweise dissociirten Gase, z. B. Jodwasserstoff, oft eine sehr lange Zeit, die unter Umständen nach Monaten und noch längeren Perioden gemessen wird und dann die Gewinnung des Gleichgewichtszustandes praktisch ganz unmöglich macht. Setzt man dieselbe Erscheinung für den Eintritt des chemischen Gleichgewichts zwischen zersetzten und unzersetzten Molecülen in einer verdünnten Lösung voraus, wie es durch die Analogie geboten erscheint, so könnte darin ein Grund erblickt werden für die hier in Rede stehende Abweichung, sowie überhaupt für die zahlreichen Widersprüche, die sich in den Resultaten der von verschiedenen Forschern angestellten Beobachtungen über Dampfspannung und Gefrierpunkt der Lösungen ergeben haben. Zugleich wird dadurch allerdings die Aussicht auf die Möglichkeit einer scharfen Prüfung der theoretischen Formel durch diese Art von Messungen aufgehoben.

Unter diesen Umständen erscheint die obige Formel

zum mindesten bedeutungslos, und ich würde daher mit ihrer Veröffentlichung jedenfalls noch gezögert haben, wenn sich nicht auf einer anderen Seite die Aussicht auf eine Bestätigung derselben durch die Erfahrung darbieten würde, die an Schärfe nichts zu wünschen übrig lässt. Arrhenius[1]) hat gezeigt, dass sich i auch mittelst der electrischen Leitfähigkeit der Lösung berechnen lässt. Bezeichnet nämlich α den „Activitätscoëfficienten" der Lösung, d. h. das Verhältniss zwischen ihrem wirklichen molecularen Leitungsvermögen und dem Grenzwerth dieses Leitungsvermögens bei unendlicher Verdünnung, so ist für binäre Electrolyte, die wir ja hier voraussetzen, $i = 1 + \alpha$, und diese Bestimmung von i ist schärfer als jede andere, da das Leitungsvermögen mit der grössten Genauigkeit und Uebereinstimmung der verschiedensten Messungen beobachtet worden ist. Dieser Umstand lässt übrigens zugleich darauf schliessen, dass das chemische Gleichgewicht in einer verdünnten Lösung sich viel schneller einstellt, wenn Wechselströme hindurchgeleitet werden (eine Annahme, die unwillkürlich an die Thatsache erinnert, dass durch mechanisches Schütteln einer Flüssigkeit der Eintritt des physikalischen (Wärme-, Diffusions-) Gleichgewichts erheblich beschleunigt wird).

Indem ich damit beschäftigt war, die aus dem Leitungsvermögen berechneten Werthe von i in ihrer Abhängigkeit vom Procentgehalt P zunächst an der Hand der Beobachtungen von F. Kohlrausch zu prüfen, las ich eine Notiz von Ostwald[2]), in welcher eine Formel für die Abhängigkeit des Leitungsvermögens von der Verdünnung mitgetheilt ist, die zwar nicht der Form, wohl aber der Sache nach vollkommen übereinstimmt mit der von mir oben gegebenen. Da Ostwald sich künftige eingehende Mittheilungen über diesen Punkt noch vorbehalten hat, indem er einstweilen nur die durchaus befriedigende Uebereinstimmung seiner Formel mit den Ergebnissen seiner früheren Beobachtungen constatirt, so glaube ich, ihm darin hier nicht vorgreifen zu sollen. Nur

1) Arrhenius, Zeitschr. f. phys. Chem. **1.** p. 632. 1887.

2) Ostwald, Zeitschr. f. phys. Chem. **2.** p. 36. 1888.

sei mir eine allgemeine vorläufige Bemerkung gestattet über die Resultate, die ich bei der Vergleichung der von F. Kohlrausch[1]) beobachteten Werthe der Leitungsfähigkeit mit den von mir aus der obigen Formel für i berechneten Werthen erhielt; denn in ihnen ist die Berechtigung der oben und im Folgenden mitgetheilten theoretischen Untersuchungen enthalten. Meine Formel für die Leitungsfähigkeit eines binären Electrolyts in verdünnter Lösung lautet, der obigen Auseinandersetzung gemäss:

$$K = \text{const.}(i-1).P = a.(\sqrt{1+bP}-1),$$

wobei a und b bei constanter Temperatur und constantem Druck constant. Da die Gültigkeit der Formel sich nur auf sehr verdünnte Lösungen, als erste Annäherung, erstreckt, so ist es gleichgültig, ob man in ihr den Gehalt P nach Gewichtsprocenten oder nach der Zahl der Molecüle in der Volumeneinheit misst. Dennoch schliesst sie sich auch für mässige Verdünnungenden Beobachtungen merklich besser an als die gewöhnliche quadratische Interpolationsformel. Bildet man aber eine zweite Annäherung, indem man nicht mehr P gegen 100 vernachlässigt, wodurch die Formel allerdings ein etwas complicirteres Aussehen gewinnt, so ist in den von mir bis jetzt untersuchten Fällen die Uebereinstimmung zwischen den beobachteten und den theoretischen Werthen noch erheblich besser, und in diesem Umstand sehe ich die kräftigste Stütze für die Theorie. Die ausführliche Ableitung der genaueren Formel denke ich an einer anderen Stelle zu geben, möchte aber gleich jetzt bemerken, dass auch diese von dem Erscheinen eines Maximums der Leitfähigkeit, wie es z. B. beim LiCl beobachtet wird, keine Rechenschaft gibt. Denn wenn auch der Activitätscoëfficient α, das Verhältniss der Zahl der dissociirten Molecüle n_2 zur normalen Gesammtzahl $N = n_1 + n_2$, mit wachsendem N stets abnimmt, so zeigt doch die absolute Zahl der activen Molecüle n_2, also auch das Leitungsvermögen, ein stetiges Anwachsen mit zunehmender Concentration, mithin kein Maximum. Daher reicht für concentrirtere Lösungen die hier behandelte Theorie nicht aus.

1) F. Kohlrausch. Wied. Ann. 6. p. 1. 145. 1879.

Allgemeine Bedingungen des chemischen Gleichgewichtes.

Nachdem durch Theorie und Erfahrung hinlänglich festgestellt scheint, dass die Molecüle vieler Stoffe in verdünnten Lösungen nicht in ihrer normalen Grösse, sondern manchmal in zersetztem, manchmal in mehrfach verbundenem Zustande existiren, und dass noch dazu der Grad der Zersetzung, resp. der Vereinigung mit dem Procentgehalt der Lösung variirt, erhebt sich die Frage, welche Correction an den allgemeinen, unter Voraussetzung der normalen Verhältnisse abgeleiteten Formeln für das chemische Gleichgewicht von Lösungen u. s. w. anzubringen ist, wenn man den nachgewiesenen Verhältnissen Rechnung trägt. Denn auch die von van't Hoff gegebene Gleichung kann nicht mehr genügen, wenn auf die Veränderlichkeit von i Rücksicht genommen wird.

Als Ausgangspunkt unserer Untersuchung benutzen wir die allgemeine, früher von mir entwickelte Formel[1]) für das chemisch-thermodynamische Gleichgewicht eines Systems von einander berührenden verdünnten Lösungen, festen Körpern, Gasgemischen u. s. w. Dieselbe behält unter allen Umständen ihre Gültigkeit, sofern nur die wirklichen Molecülzahlen und die wirklichen Moleculargewichte für alle Stoffe in Rechnung gebracht werden. Aber eben deswegen ist diese Formel im allgemeinen zur unmittelbaren Anwendung nicht brauchbar; sie wird es nur dann, wenn alle in einer Lösung vorkommenden Stoffe ihr normales Moleculargewicht besitzen. Wir wollen daher im Folgenden durchweg unterscheiden zwischen „wirklicher" Molecülzahl n und „normaler" Molecülzahl N eines Stoffes. Als letztere bezeichnen wir immer die, welche sich aus der Annahme ergibt, dass alle Molecüle des Stoffes ihre normale durch die gewöhnliche Formel definirte Grösse haben; nur sie ist durch das Gewicht des Stoffes unmittelbar bestimmt. Ferner wollen wir, um ganz sicher zu gehen, die Reihe unserer Schlüsse noch von einer Voraussetzung befreien, die wir bisher immer gemacht haben, die aber nicht nur an und für sich unbegründet, sondern sogar einigermassen unwahrscheinlich ist. Es ist die Annahme,

1) M. Planck, Wied. Ann. **32**. p. 489. 1887.

dass ein Molecül des flüssigen Lösungsmittels (z. B. Wasser) identisch sei mit einem Molecül des dampfförmigen oder des festen Lösungsmittels. Hier, wo es so speciell auf Moleculargrössen ankommt, ist eine solche Annahme offenbar von vornherein unzulässig; es könnte ja z. B. ein flüssiges Molecül ebensowohl irgend ein Vielfaches eines Dampfmolecüls sein. Daher dehnen wir die Unterscheidung zwischen wirklicher und normaler Molecülzahl auch auf das Lösungsmittel selber (n_0 und N_0) aus; N_0 ist immer bekannt, dagegen n_0 nur für den gasförmigen Aggregatzustand, aus dem Avogadro'schen Gesetz. Nach diesen Festsetzungen lässt sich nun die Aufgabe einfach dahin präcisiren: die bekannte, für die wirklichen Molecülzahlen n gültige Gleichgewichtsformel so umzuformen, dass in ihr nur die normalen, der Beobachtung zugänglichen Molecülzahlen N vorkommen.

Es sei irgend eine verdünnte Lösung gegeben durch das Symbol: $N_0 M_0, \quad N_1 M_1, \quad N_2 M_2, \ldots,$

wobei die N und M die normalen Molecülzahlen und Moleculargewichte bedeuten. Hiervon verschieden ist das Symbol der wirklichen Grössen:

$$n_0 m_0, \quad n_1 m_1, \quad n_2 m_2, \ldots$$

Haben wir z. B. die Chlorkaliumlösung:

$$N_0 . H_2O, \qquad N . KCl,$$

so lautet deren wirkliches Symbol:

$$n_0 m_0, \quad n_1 KCl, \quad n_2 K, \quad n_3 Cl,$$

wobei m_0 ein gewisses unbekanntes Vielfaches von H_2O, n_1 die Zahl der unzersetzten, $n_2 = n_3$ die der zersetzten Molecüle des Salzes bezeichnet. Hierbei ist $n_1 + n_2 = N$ und $(n_1 + 2n_2)/N = i$, folglich $n_1 = N(2 - i)$ und $n_2 = N(i - 1)$.

Wir stellen nun zunächst die allgemeine, für die wirklichen Molecülzahlen gültige Gleichgewichtsbedingung eines Systems von homogenen Körpern auf. Wenn die numerischen Concentrationen der einzelnen Molecülarten eines Körpers dargestellt werden durch:

$$c_0 = \frac{n_0}{n_0 + n_1 + n_2 + \cdots}, \quad c_1 = \frac{n_1}{n_0 + n_1 + n_2 + \cdots}, \quad \ldots\ldots$$

und bei einer etwaigen Reaction die Molecülzahlen geändert werden um:

$$\delta n_0 : \delta n_1 : \delta n_2 : \cdots = \nu_0 : \nu_1 : \nu_2 : \cdots,$$

so besteht Gleichgewicht gegen diese Reaction, wenn:

$$\sum \nu_0 \log c_0 + \nu_1 \log c_1 + \nu_2 \log c_2 + \cdots = K,$$

wobei K allein durch Temperatur und Druck bestimmt ist. Die Summe ist über alle einzelnen Körper des Systems zu erstrecken.

Diese Formel wird sich nun ändern, wenn statt der wirklichen Molecülzahlen n und Concentrationen c die normalen Molecülzahlen N und Concentrationen: $C_0 = N_0/(N_0 + N_1 + N_2 + \cdots)$ u. s. w., ferner statt der wirklichen Umsetzungszahlen ν die bekannten normalen: $\delta N_0 : \delta N_1 : \delta N_2 : \cdots = \mathrm{N}_0 : \mathrm{N}_1 : \mathrm{N}_2 : \cdots$ eingeführt werden, wir können aber die Aufgabe gleich vereinfachen durch die Erwägung, dass die Molecülzahlen der einzelnen Körper des Systems unabhängig voneinander in die obige Summe eingehen. Wenn daher irgend ein Körper eine von der normalen abweichende wirkliche Molecülzahl hat, so genügt es, ihn für sich allein zu betrachten. Daher fassen wir im Folgenden nur eine einzelne verdünnte Lösung ins Auge, welche den Beitrag:

$$\nu_0 \log c_0 + \nu_1 \log c_1 + \nu_2 \log c_2 + \cdots$$

zu der allgemeinen Summe liefert, und berechnen die Form, die sie annimmt, wenn man darin die Zahlen N, resp. C einführt.

Beachten wir, dass c_0 nahezu $= 1$, dagegen $c_1, c_2 \ldots$ sehr klein sind, so ergibt sich von selbst eine Eintheilung der möglichen Reactionen in zwei wesentlich verschiedene Classen, je nachdem durch sie die Molecülzahlen der gelösten Stoffe eine Aenderung erleiden oder nicht.

Erste Classe von Reactionen. Bei diesen Reactionen erleidet keine der Molecülzahlen der gelösten Stoffe eine Aenderung, d. h. für sie ist $\nu_1 = \nu_2 = \cdots = 0$. (Reactionen physikalischer Art, z. B. Verdampfen, Gefrieren einer Lösung.) Dann reducirt sich die obige Summe auf das erste Glied:

$$\nu_0 \log c_0 = - \nu_0 \cdot \frac{n_1 + n_2 + n_3 + \cdots}{n_0}.$$

In diesen Ausdruck gehen die Molecüle der gelösten Stoffe nur mit ihrer Gesammtzahl ein; bezeichnet also wie bisher

i das Verhältniss der wirklichen Molecülzahl n eines gelösten Stoffes zur normalen Molecülzahl N, so ist der Zähler des Bruches zu ersetzen durch die Summe der Producte iN für alle Stoffe und dadurch ist die Umformung vollzogen.

Während so für die gelösten Stoffe die Einführung der N statt der n eine bestimmte Formänderung der Gleichgewichtsgleichung bedingt, ist dasselbe nicht der Fall für das Lösungsmittel. Denn das Verhältniss $\nu_0 : n_0$ bleibt offenbar ungeändert, wenn man statt ν_0 und n_0 N_0 und N_0 einführt, da δN_0 dasselbe Vielfache von δn_0 ist, wie N_0 von n_0. Daher darf man für das wirkliche Moleculargewicht des Lösungsmittels ohne weiteres das bekannte normale setzen, und alle Schlüsse, welche die statischen Erscheinungen des Gefrierens und des Verdampfens verdünnter Lösungen auf die Molecülzahl der gelösten Stoffe zu ziehen gestatten, sind unabhängig von einer Voraussetzung über das Grössenverhältniss der festen, flüssigen und dampfförmigen Molecüle des Lösungsmittels. Ebendeswegen gestatten sie aber auch keinen Einblick in diese Verhältnisse.

Zweite Classe von Reactionen. Bei diesen Reactionen wird die Molecülzahl eines oder mehrerer der gelösten Stoffe geändert, d. h. die Zahlen $\nu_1, \nu_2 \ldots$ sind nicht alle $=0$. Dann verschwindet das Glied mit $\log c_0$ gegen die übrigen, in denen die Logarithmen grosse Werthe annehmen, und es bleibt ein Ausdruck von der Form:

$$\nu_1 \log c_1 + \nu_2 \log c_2 + \cdots = \nu_1 \log \frac{n_1}{n_0} + \nu_2 \log \frac{n_2}{n_0} + \cdots,$$

da der Nenner in den Werthen der c sich wesentlich auf n_0 reducirt. Nun sieht man zunächst wieder, dass man ohne Aenderung der Bedeutung des Ausdruckes für die Molecülzahl des Lösungsmittels N_0 statt n_0 setzen darf. Denn dadurch wird der Werth des Ausdruckes im allgemeinen zwar geändert, aber nur um eine additive Constante, die man sich in das K auf der rechten Seite der Gleichgewichtsgleichung einbegriffen denken mag. Also auch in diesem Falle ändert eine specielle Annahme über das Moleculargewicht des flüssigen Lösungsmittels nichts an dem Charakter des Gleichgewichtes.

Eine eingehendere Erörterung erheischt dagegen die Einführung der N und N statt der n und ν für die gelösten Stoffe. Da die einzelnen Stoffe unabhängig voneinander in die zu betrachtende Summe eingehen, so genügt es offenbar, jeden gelösten Stoff für sich zu betrachten und die Aenderung zu untersuchen, welche die Form des ihm entsprechenden Ausdruckes durch die Einführung der normalen Molecülzahlen erleidet. Zunächst ist zu bemerken, dass die Werthe der ν durch die N gar nicht bestimmt sind. Handelt es sich z. B. um eine Reaction, an der KCl in verdünnter wässeriger Lösung mit a Molecülen theilnimmt, so ist hierfür N $= a$ zu setzen (die Reaction in dem Sinne genommen, dass die a Molecüle entstehen); aber die ν sind noch theilweise willkührlich, da gar nicht gesagt ist, welche Art von Molecülen an der Reaction betheiligt ist. Bezeichnet nämlich n_1 die Zahl der unzersetzten Molecüle KCl, ferner $n_2 = n_3$ die der zersetzten K und Cl, so kann man etwa annehmen: $\nu_1 = a$, $\nu_2 = \nu_3 = 0$, oder auch: $\nu_1 = 0$, $\nu_2 = \nu_3 = a$ u. s. w. Wenn Gleichgewicht bestehen soll, so muss für jede dieser beliebigen (virtuellen) Reactionen die allgemeine Bedingungsgleichung befriedigt sein. Theoretisch genommen ist es also ganz gleichgültig, welche von ihnen man zur Bildung der Gleichgewichtsgleichung benutzt, dagegen leiten praktische Gründe dazu, diejenige Reaction herauszugreifen, welche nur die am zahlreichsten vorhandenen Molecülarten verändert, und die übrigen ganz unberührt lässt. Dann werden die den letzteren entsprechenden Umsetzungszahlen $\nu = 0$, und die betreffenden Glieder fallen ganz aus der betrachteten Summe heraus. In dem angeführten Beispiel von verdünnter KCl-Lösung wird man also, da die meisten Molecüle zersetzt sind, $\nu_1 = 0$ und $\nu_2 = \nu_3 = a$ annehmen, und diese Werthe in die Gleichung einsetzen. Daraus ergibt sich nun folgende allgemeine Regel:

„Wenn die Molecüle eines Stoffes in verdünnter Lösung nicht alle von normaler Beschaffenheit sind, so hat man bei der Aufstellung der Gleichgewichtsformel gerade so zu verfahren, als ob nur die am zahlreichsten auftretenden Molecülarten des Stoffes in der Lösung vorhanden wären. Auf die anderen Molecülarten wird dabei gar keine Rücksicht genommen.“

Dieser Satz beansprucht Gültigkeit für beliebige Lösungen in beliebigen Lösungsmitteln, einerlei ob $i >$ oder < 1. Vor der van't Hoff'schen Formel hat er den Vorzug, dass er auf die Veränderlichkeit von i Rücksicht nimmt; ob er sich für den Gebrauch praktischer erweist, ist eine weitere Frage. Vergleichen wir für einen speciellen Fall, z. B. für die oben angeführte KCl-Lösung, die Ausdrücke, welche die Theorien von Guldberg-Waage, von van't Hoff und von mir für die Aufstellung des Gleichgewichts ergeben. Nach Guldberg-Waage[1]) hat man einfach einzusetzen: $a \log C$, nach van't Hoff[2]): $ia \log C$, nach mir: $2a \log\{C(i-1)\}$; denn $C.(i-1)$ ist die Concentration der Ionen K und Cl, $= n_2/N_0$, die grösser ist, als die der unzersetzten Molecüle KCl. Je mehr sich i der 2 nähert, um so geringer wird der Unterschied zwischen dem van't Hoff'schen Ausdruck und dem meinigen. Wenn i näher an 1 liegt (z. B. bei $CuSO_4$), so ist die Zahl der unzersetzten Molecüle: $n_1 = N.(2-i)$ grösser als die der zersetzten, mithin liefert meine Formel den Ausdruck: $a \log\{C.(2-i)\}$, der für $i = 1$ mit dem van't Hoff'schen zusammenfällt. — Wenn meine oben ausgesprochene Vermuthung richtig ist, dass sich das chemische Gleichgewicht zwischen den verschiedenen Molecülarten eines und desselben Stoffes in verdünnter Lösung unter gewöhnlichen Umständen nur sehr langsam einstellt, so dürfte eine scharfe Bestätigung meiner unter Voraussetzung der Veränderlichkeit von i abgeleiteten Gleichgewichtsformel Schwierigkeiten darbieten; immerhin wird es von Interesse sein, die Bedingungen des von der Theorie geforderten absoluten Gleichgewichtszustandes möglichst vollständig kennen zu lernen.

Kiel, im Februar 1888.

---

1) Guldberg-Waage, Journ. f. prakt. Chem. **19.** p. 69. 1879.
2) van't Hoff, Zeitschr. f. phys. Chem. **1.** p. 481. 1887.

Über die Dampfspannung von verdünnten Lösungen flüchtiger Stoffe

Lässt man eine verdünnte Lösung eines nichtflüchtigen Stoffes (z. B. Salz in Wasser) verdampfen, so ist bekanntlich die Spannung des gesättigten Dampfes stets kleiner als die Dampfspannung des reinen Lösungsmittels bei derselben Temperatur, und zwar giebt die Grösse der sogenannten relativen Dampfdruckerniedrigung ein direktes Mass für die Zahl der gelösten Moleküle an. Dies Gesetz erleidet aber eine Modifikation, wenn der gelöste Stoff selber einen Dampf von merklicher Spannkraft aussendet, wie es z. B. bei Lösungen von Alkohol in Wasser der Fall ist. Es soll nun im folgenden untersucht werden, welche Form das Dampfspannungsgesetz unter den genannten Umständen annimmt, oder mit anderen Worten: es sollen die Bedingungen des Gleichgewichts bei der Berührung zweier Aggregatzustände (Flüssigkeit und Dampf) für den Fall entwickelt werden, dass nicht nur der eine (die Flüssigkeit), sondern auch der andere eine variable innere Zusammensetzung hat.

Zuvor ist noch bemerkenswert, dass die unten aufgestellten Gesetze einen ziemlich ausgedehnten Gültigkeitsbereich besitzen. Zunächst erstrecken sie sich, da über den Grad der Flüchtigkeit des gelösten Stoffes keine Voraussetzung gemacht wird, auch auf die extremen Fälle: die eingangs erwähnte Nichtflüchtigkeit und andrerseits die absolute Flüchtigkeit (unlösliche Gase). Ferner gelten sie überhaupt für die Berührung zweier beliebiger Aggregatzustände, so namentlich auch für das Gefrieren von Lösungen oder für das Schmelzen von Metalllegierungen. Demgegenüber muss als wesentliche Beschränkung die Bedingung festgehalten werden, dass jeder der beiden sich berührenden Körper als „verdünnte Lösung“ zu betrachten ist, d. h. dass die Zahl der Moleküle des Lösungsmittels sehr gross ist gegen die des gelösten Stoffes. Diese Bedingung gilt für den Dampf ebensowohl wie für die Flüssigkeit und lässt sich immer mit beliebiger Annäherung erfüllen, wenn man nur den gelösten Stoff in genügend geringer Menge verwendet. Eine zweite Voraussetzung, die wir ausdrücklich betonen wollen, ist die, dass der gelöste Stoff in der Lösung keinerlei chemische Veränderung erleidet, sondern in ihr mit seinem normalen Molekulargewicht enthalten ist. Beide Bedingungen sind als erfüllt zu betrachten, wenn eine weitere Verdünnung weder Wärmetönung noch Volumenveränderung hervorruft.

Das zu betrachtende System, bestehend aus zwei sich berührenden homogenen Körpern (Flüssigkeit und Dampf), hat zum Symbol:

$$n m, \; n_1 m_1 + n' m', \; n'_1 m'_1 .$$

Hierbei sind n die Molekülzahlen, m die Molekulargewichte; die gestrichenen Grössen beziehen sich auf den Dampf, die ungestrichenen auf die Flüssigkeit, die mit dem Index 1 auf den gelösten Stoff, die ohne Index auf das Lösungsmittel. n ist gross gegen n_1, n' gegen n'_1. Die numerischen Konzentrationen der einzelnen Stoffe sind:

$$c = \frac{n}{n+n_1} \quad c_1 + \frac{n_1}{n+n_1} \quad c' = \frac{n'}{n'+n'_1} \quad c'_1 = \frac{n'_1}{n'+n'_1} .$$

Wenn nun eine Reaktion folgende Änderungen unter den Molekülzahlen hervorruft:

$$\delta n : \delta n_1 : \delta n' : \delta n'_1 = \nu : \nu_1 : \nu' : \nu'_1 ,$$

so besteht Gleichgewicht gegen diese Reaktion; wenn die Bedingung erfüllt ist[1]):

$$\nu \log c + \nu_1 \log c_1 + \nu' \log c' + \nu'_1 \log c'_1 = \log K,$$

wobei K durch Temperatur und Druck bestimmt ist.

In unserem Falle haben wir zwei verschiedenartige Reaktionen zu beachten: einmal die Verdampfung des Lösungsmittels, dann die des gelösten Stoffes, also:

$$1) \quad \nu = -1 \quad \nu_1 = 0 \quad \nu' = 1 \quad \nu'_1 = 0,$$
$$2) \quad \nu = 0 \quad \nu_1 = -1 \quad \nu' = 0 \quad \nu'_1 = 1.$$

Daher erfordert das Gleichgewicht die beiden Bedingungen:

$$-\log c + \log c' = \log K,$$
$$-\log c_1 + \log c'_1 = \log K_1$$

oder, wenn wir bedenken, dass c und c' nahezu $= 1$, und die Glieder höherer Ordnung vernachlässigen:

$$c_1 - c'_1 = \log K, \tag{I}$$

$$\log \frac{c'_1}{c_1} = \log K_1 . \tag{II}$$

Diese Gleichungen sprechen das gesuchte Gesetz des Gleichgewichts aus, sie lehren zunächst, dass im allgemeinen für jedes beliebig ange-

[1]) M. Planck, Wied. Ann. **32**, 489. 1887.

nommene Wertepaar von Temperatur ϑ und Druck p (wodurch K und K_1 bestimmt sind) eine ganz bestimmte Zusammensetzung der Flüssigkeit und des Dampfes existiert, denn c_1 und c'_1 sind die Konzentrationen des gelösten Stoffes in der Flüssigkeit und im Dampf. Hält man also von den vier Variabeln ϑ, p, c_1, c'_1 eine konstant und ändert eine zweite willkürlich, so ändern sich die beiden übrigen in bestimmter gesetzmässiger Weise. Man kann z. B. auch c_1 konstant machen, dadurch, dass bei allen Zustandsänderungen die gesamte Dampfmenge immer möglichst klein gegen die Flüssigkeitsmenge gehalten wird. Dann wird sich mit der Temperatur der Druck p und die Zusammensetzung des Dampfes: c'_1 in bestimmter Weise ändern. In dieser Art sind die unten noch näher zu besprechenden Versuche von Konowalow angestellt. Gehen wir nun über zur Betrachtung der Gleichungen (I) und (II) im einzelnen. Zwar sind K und K_1 nicht unmittelbar als Funktionen von ϑ und p bekannt, aber ihre Differentialquotienten lassen sich berechnen; es gelten nämlich sowohl für K als auch für K_1 die Gleichungen[1]):

$$\frac{\partial(\log K)}{\partial\vartheta} = \frac{Q}{\vartheta^2} \text{ und } \frac{\partial(\log K)}{\partial p} = -\frac{V}{\vartheta},$$

worin Q die mechanisch gemessene Wärmemenge bedeutet, die das System von aussen aufnimmt, wenn bei konstantem ϑ und p diejenige der beiden oben mit 1) und 2) bezeichneten Reaktionen eintritt, welcher das K entspricht, während V die Volumenveränderung des Systems bei eben dieser Reaktion bezeichnet. Hierbei ist noch besonders zu bemerken, dass das bei der genannten Reaktion sich umsetzende Molekül nicht auf $H_2 = 2$ bezogen werden darf, sondern auf das Masssystem, das ich bei der Ableitung der allgemeinen Gleichgewichtsformel a. a. O. eingeführt habe. Wir wenden uns zunächst zur Untersuchung der Gleichung (I).

Differenz der Konzentrationen.

$$c_1 - c'_1 = \log K. \qquad \text{(I)}$$

Es ist leicht, die Funktion K von ϑ und p zu berechnen, wenn man entweder die Dampfspannung p_0 des reinen Lösungsmittels bei der Temperatur ϑ oder die Siedetemperatur ϑ_0 des reinen Lösungsmittels beim Druck p einführt; wir wollen beides nacheinander thun.

Dampfspannung. — Nach Potenzen von $(p - p_0)$ entwickelt ist:

$$\log K = \log K_0 + (p - p_0) \cdot \left(\frac{\partial \log K}{\partial p}\right)_0 + \cdots$$

---

[1]) M. Planck, l. c. 494 f.

Hierbei bedeutet der Index 0, dass für p der Wert p_0 zu setzen ist; da wegen der starken Verdünnung $p - p_0$ jedenfalls klein ist, kann die Reihe bei der ersten Potenz abgebrochen werden. Setzen wir für den Differentialquotienten seinen auf voriger Seite angegebenen Wert, so folgt:

$$c_1 - c'_1 = \log K_0 - (p - p_0) \cdot \frac{V_0}{\vartheta}.$$

V_0 ist die Volumvergrösserung des Systems, wenn bei der Temperatur ϑ und dem Druck p_0 ein Molekül des Lösungsmittels aus der Flüssigkeit verdampft; wir können dafür direkt das Volumen eines Dampfmoleküls setzen. Dasselbe ist aber in dem von uns benutzten Masse nach dem Gesetz von Boyle und Gay-Lussac einfach $= \frac{\vartheta}{p_0}$, und wir erhalten:

$$c_1 - c'_1 = \log K_0 - \frac{p - p_0}{p_0}.$$

K_0 hängt nur von der Temperatur ab, bleibt also ungeändert, wenn p bei konstantem ϑ verändert wird. Nehmen wir nun $p = p_0$, so erhalten wir das reine Lösungsmittel, d. h. $c_1 = 0$ und $c'_1 = 0$, folglich $\log K_0 = 0$ und allgemein:

$$c_1 - c'_1 = \frac{p_0 - p}{p_0}.$$

In Worten: Die relative Dampfspannungserniedrigung ist gleich der Differenz der Konzentrationen des gelösten Stoffes in der Flüssigkeit und im Dampf. — Betrachten wir zuerst die qualitative Seite dieses Gesetzes: Je nachdem die Spannkraft p des Dampfgemisches kleiner oder grösser ist als die p_0 des reinen Lösungsmittels bei derselben Temperatur, enthält die Flüssigkeit oder der Dampf den gelösten Stoff in konzentrierterer Form; oder auch: Wird die Spannkraft des Lösungsmittels durch Auflösung eines Stoffes vermindert, so geht der letztere mit geringerem Prozentgehalt in das Destillat ein als in den Rückstand, und umgekehrt. Im Grenzfall, wenn $p = p_0$, wird $c_1 = c'_1$, d. h. das Gemisch siedet konstant. Diese Sätze sind bereits von Konowalow[1]) ausgesprochen worden. Für Lösungen nichtflüchtiger Stoffe erhalten wir $c'_1 = 0$ und das bekannte Gesetz der molekularen Dampfdruckerniedrigung; für Lösungen absolutflüchtiger Stoffe (unlösliches Gas) wird $c_1 = 0$ und $c'_1 = \frac{p - p_0}{p_0}$. Hierin ist $p - p_0$ der Partialdruck des Gases, p_0 der Partialdruck des Lösungsmittels im Dampfgemisch, und die Gleichung besagt, dass diese

[1]) D. Konowalow, Wied. Ann. **14**, 48 f. 1881.

Partialdrucke sich verhalten wie die Konzentrationen, da ja die Konzentration des Lösungsmittels nahezu = 1 ist — der Daltonsche Satz.

Im allgemeinen giebt uns das aufgestellte Gesetz ein Mittel, um aus der Spannkraft des Gemisches die Zusammensetzung des Dampfes zu berechnen, falls die der Flüssigkeit bekannt ist. Wir wollen die Rechnung für einige Versuche von Konowalow[1]) durchführen, und zwar wählen wir einen Fall, wo $p_0 > p$ (Ameisensäure in Wasser) und einen, wo $p_0 < p$ (Isobutylalkohol in Wasser). Allerdings ist die Verdünnung der untersuchten Lösungen nur eine mässige, doch gestattet sie immerhin eine Anwendung des für starke Verdünnung abgeleiteten Dampfspannungsgesetzes als Näherungsformel. Der Gang der Berechnung wird durch folgende Tabelle veranschaulicht.

Temperatur $\vartheta - 273$	Druck beob. p	Druck des gesättigten Wasserdampfes p_0	Relative Dampfdruckerniedrigung $\frac{p_0 - p}{p_0}$	$\frac{p_0 - p}{p}$	Konzentration in der Flüssigkeit c_1	Konzentration im Dampf ber. c'_1
18·9	15·3	16·2	0·056	0·059	0·115	0·058
42·35	58·0	62·2	0·068	0·072	0·115	0·045
61·35	147·4	158·5	0·070	0·075	0·115	0·043
80·8	343·6	366·6	0·063	0·067	0·115	0·050
100·0	719·8	760·0	0·053	0·056	0·115	0·061

Die beiden ersten Spalten enthalten die von Konowalow l. c. beobachteten Werte von Temperatur und Druck, letzteren in Millimetern Quecksilber, die dritte giebt den Druck des gesättigten Wasserdampfes p_0 bei der Temperatur ϑ, entnommen aus der von Ostwald[2]) mitgeteilten Spannkraftstabelle, die vierte Spalte liefert die relative Dampfdruckerniedrigung: $\frac{p_0 - p}{p_0}$, die nach der Theorie der Differenz der Konzentrationen c_1 und c'_1 gleich ist, genügende Verdünnung vorausgesetzt. Um ein Urteil über den Grad der Annäherung zu gewinnen, ist der Wert von $\frac{p_0 - p}{p}$ beigefügt, der für unendliche Verdünnung sich jenem asymptotisch nähert. Die Abweichung beträgt etwa 5 Prozent, und von derselben Ordnung wird die Annäherung des berechneten Wertes von $c_1 - c'_1$ an die Wirklichkeit sein. Da Konowalow bei seinen Beobachtungen die Menge

---

[1]) D. Konowalow, Wied. Ann. **14**, 43, 45. 1881.

[2]) W. Ostwald, Lehrb. d. allgem. Chem. **1**, 280. 1885.

des Dampfes gegen die Flüssigkeitsmenge stets klein nahm, so ist die Zusammensetzung der letzteren wesentlich als konstant zu betrachten. In dem hier behandelten Falle war das Gewichtsverhältnis von Ameisensäure und Wasser = 22·66:77·34, mithin, da $CH_2O_2 = 46$ und $H_2O = 18$:

$$c_1 = \frac{n_1}{n} = \frac{22{,}66 \cdot 18}{77{,}34 \cdot 46} = 0{,}115,$$

wobei wir in dem Ausdruck von c_1 n_1 gegen n vernachlässigen. Diese Zahl ist in die vorletzte Spalte eingesetzt, und aus der letzten endlich geht der aus der Theorie berechnete Wert der Konzentration c'_1 der Ameisensäure im Dampf hervor, wobei für die Differenz $c_1 - c'_1$ das Mittel aus den beiden Zahlen für die relative Dampfdruckerniedrigung genommen ist. Man sieht, dass der Gehalt des Dampfes an Säure ungefähr halb so gross ist als der der Flüssigkeit, dass derselbe ferner nicht konstant ist, sondern in der Gegend von 60° ein Minimum hat.

Ganz ebenso ist die folgende Tabelle eingerichtet.

Isobutylalkohol in Wasser.

$\vartheta - 273$	p beob.	p_0	$\frac{p-p_0}{p_0}$	$\frac{p-p_0}{p}$	c_1	c'_1 ber.
18·1	18·9	15·4	0·23	0·19	0·016	0·23
40·3	71·7	55·8	0·28	0·22	0·016	0.27
59·4	193·9	144·8	0·34	0·25	0·016	0·32
70·9	331·3	242·6	0·37	0·27	0·016	0·34
81·55	516·15	377·8	0·37	0·27	0·016	0·34
91·0	746·05	545·8	0·37	0·27	0·016	0·34

Hier haben wir statt der Erniedrigung eine Erhöhung des Dampfdruckes; daher ist $c_1 - c'_1$ negativ. Doch reicht der Verdünnungsgrad nicht aus, um sehr zuverlässige Zahlen zu erhalten, da, wie man sieht, die Werte der relativen Dampfdruckerhöhung, einmal auf p_0, einmal auf p bezogen, bis über 30% untereinander differieren; das Mittel aus beiden Zahlen ist wieder der Berechnung von c'_1 zu Grunde gelegt. Immerhin steht fest, dass der Gehalt des Dampfes an Alkohol etwa 20 mal so gross ist als der der Flüssigkeit und langsam mit der Temperatur zunimmt. Die Konzentration c_1 in der Flüssigkeit ist berechnet aus dem von Konowalow angegebenen Gewichtsverhältnis 6,1:93,9 von Alkohol und Wasser, woraus sich mit Rücksicht auf $C_4H_{10}O = 74$ ergiebt:

$$c_1 = \frac{6{,}1 \cdot 18}{93{,}9 \cdot 74} = 0{\cdot}0158.$$

Ein anderer, und zwar genauerer Weg zur Ermittelung der Zusammensetzung des Dampfes bietet sich dar durch die Einführung der Siedetemperatur ϑ_0 des reinen Lösungsmittels beim Druck p.

Siedetemperatur. — Von der Gleichung (I) ausgehend erhalten wir, nach Potenzen von $(\vartheta - \vartheta_0)$ entwickelt:

$$\log K = \log K_0 + (\vartheta - \vartheta_0) . \left(\frac{\partial \log K}{\partial \vartheta}\right)_0 + \cdots$$

Hierbei bedeutet der Index 0, dass für ϑ der Wert ϑ_0 zu setzen ist. Nun wird für den Differentialquotienten der auf S. 407 angegebene Wert eingeführt, und im übrigen die Gleichung genau entsprechend der oben für die Dampfspannung dargestellten Entwicklung behandelt, so dass wir uns hier wohl kürzer fassen können und gleich das Resultat mitteilen:

$$c_1 - c'_1 = (\vartheta - \vartheta_0) \cdot \frac{Q}{\vartheta_0^2} .$$

Q ist die Wärme, die das System von aussen aufnimmt, wenn bei der Temperatur ϑ_0 und dem Druck p ein Molekül des Lösungsmittels verdampft, und der Satz lautet demnach: Die Differenz der Konzentrationen des gelösten Stoffes in der Flüssigkeit und im Dampf ist gleich der Siedepunktserhöhung, dividiert durch das Quadrat der Siedetemperatur und multipliziert mit der Verdampfungswärme eines Moleküls des Lösungsmittels. Je nachdem also der Siedepunkt des Lösungsmittels durch Auflösung eines Stoffes erhöht oder erniedrigt wird, ist der letztere in der Flüssigkeit oder im Dampf stärker konzentriert.

Nehmen wir als Lösungsmittel Wasser, so lässt sich Q für verschiedene Temperaturen angeben. Nach Clausius[1]) ist die Verdampfungswärme von 1 g Wasser bei t^0C. in Kalorieen: $607 - 0{\cdot}708\, t$, und daraus folgt, wenn man für t $\vartheta_0 - 273$ setzt und die Reduktion auf ein Molekül Wasser[2]): $18:(828{\cdot}10^5)$ g und auf mechanisches Mass[3]) ausführt:

$$Q = [607 - 0{,}708 \cdot (\vartheta_0 - 273)] \cdot \frac{18}{828 \cdot 10^5} \cdot 424{,}36 \cdot 10^5,$$

$$Q = 7380 - 6{\cdot}531\, \vartheta_0 .$$

Demnach erhalten wir für eine verdünnte wässerige Lösung:

$$c_1 - c'_1 = (\vartheta - \vartheta_0) \cdot \frac{7380 - 6{\cdot}531\, \vartheta_0 .}{\vartheta_0^2}$$

---

1) R. Clausius, Pogg. Ann. **97**, 543. 1856.

2) M. Planck, Wied. Ann. **32**, 480. 1887.

3) C. Dieterici, Wied. Ann. **33**, 433. 1888.

Aus dieser Gleichung sind die in der folgenden Tabelle mitgeteilten Werte von c'_1 berechnet, unter Zugrundelegung derselben Beobachtungen von Konowalow, die oben zur Benutzung der Dampfspannungsformel Anlass gaben.

Ameisensäure in Wasser.

Druck p	Temperatur $\vartheta - 273$ beob.	Siedetemperatur des Wassers $\vartheta_0 - 273$	$c_1 - c'_1$ ber.	c_1	c'_1 ber. aus der Siedetemperatur	c'_1 ber. aus der Dampfspannung
15·3	18·9	18·0	0·060	0·115	0.055	0·058
58·0	42·35	41·1	0·070	0·115	0·045	0·045
147·4	61·35	59·8	0·074	0·115	0·041	0·043
343·6	80·8	79·2	0·066	0·115	0·049	0·050
719·8	100·0	98·5	0·054	0·115	0·061	0·061

Isobutylalkohol in Wasser.

18·9	18·1	21·4	— 0·21	0·016	0·23	0·23
71·7	40·3	45·1	— 0·25	0·016	0·27	0·27
193·9	59·4	65·8	— 0·29	0·016	0·31	0·32
331·3	70·9	78·3	— 0·30	0·016	0·32	0·34
516·15	81·55	89·5	— 0·30	0·016	0·32	0·34
746·05	91·0	99·5	— 0·30	0·016	0·32	0·34

Zur Vergleichung sind in der letzten Spalte die mittelst der Dampfspannungsformel berechneten Werte von c'_1 aus den obigen Tabellen noch einmal hierher gesetzt. Die Übereinstimmung der nach beiden Methoden erhaltenen Zahlen ist so gut, wie man nur erwarten kann, und liefert eine Bestätigung für die Zulässigkeit einer jeden. Doch ergiebt die Siedepunktsformel jedenfalls genauere Werte, da die relative Siedepunktsdifferenz nur klein ist.

Verhältnis der Konzentrationen.

Die andere Gleichung, welche zur Bestimmung von c_1 und c'_1 aus ϑ und p dient, lautet:

$$\log \frac{c'_1}{c_1} = \log K_1. \tag{II}$$

Zwar ist K_1, eine endliche Grösse, nicht unmittelbar als Funktion von ϑ und p bekannt, wohl aber die Differentialquotienten nach S. 407, so dass wir für das vollständige Differential der Gleichung (II) nach ϑ und p erhalten:

$$d \log \frac{c'_1}{c_1} = \frac{Q_1}{\vartheta^2} d\vartheta - \frac{V_1}{\vartheta} dp. \qquad \text{(II a)}$$

Hierin ist Q_1 die Wärme, welche das System von aussen aufnimmt, wenn bei der Temperatur ϑ und dem Druck p ein Molekül des gelösten Stoffes aus der flüssigen Lösung in den Dampf übergeht, während V_1 die Volumenzunahme des Systems bei diesem Vorgang bezeichnet. Da in der angegebenen Gleichung die Differentiale $d\vartheta$ und dp ganz unabhängig von einander sind, so muss noch eine beliebige Relation zwischen den Variabeln ϑ, p, c_1, c'_1 eingeführt werden, damit die Zustandsänderung nur von einer Variabeln abhängt. Daraus ergeben sich dann z. B. die Bedingungen für Zustandsänderungen bei konstanter Temperatur, konstantem Druck u. s. w. Für die oben benutzten Beobachtungen von Konowalow ist c_1 konstant, also:

$$\frac{d \log c'_1}{d\vartheta} = \frac{Q_1}{\vartheta^2} - \frac{V_1}{\vartheta} \cdot \frac{dp}{d\vartheta}.$$

Leider ist eine direkte Vergleichung dieser Formel mit Beobachtungsresultaten nicht möglich, da die Energie- und die Volumenverhältnisse der Dampfgemische noch nicht genau genug bekannt sind, um einen sicheren Wert für Q_1 und V_1 zu gewinnen. Nur ein oberer Grenzwert lässt sich für V_1 angeben: es ist das Volumen eines dampfförmigen Moleküls des gelösten Stoffes, wie es den Werten ϑ und p entspricht, unter der Voraussetzung, dass der Dampf ein vollkommenes Gas ist. Dies Volumen ist nach unserem Mass des Molekulargewichts einfach $= \frac{\vartheta}{p}$, folglich $V_1 < \frac{\vartheta}{p}$, und nach der letzten Gleichung:

$$Q_1 < \frac{\vartheta^2}{p} \frac{dp}{d\vartheta} + \vartheta^2 \cdot \frac{d \log c'_1}{d\vartheta}$$

oder:

$$Q_1 < \vartheta^2 \cdot \frac{d \log (c'_1 p)}{d\vartheta}.$$

Diese Ungleichung ergiebt einen oberen Grenzwert für die Verdampfungswärme eines gelösten Moleküls; zur Reduktion des Molekulargewichts auf $H^2 = 2$ und der Wärme auf rationelle Kalorieen K[1]) ist Q_1 noch mit 0·0195 zu multiplizieren. Dann erhält man mit Benutzung der in den früheren Tabellen mitgeteilten Werte von c'_1 und p für die molekulare Verdampfungswärme aus verdünnter wässeriger Lösung:

---

[1]) W. Ostwald, Lehrb. 2, 27. 1887.

Ameisensäure: $< 90\,K$, Isobutylalkohol: $< 100\,K$.

Gefunden ist für Ameisensäure $49\,K$ nach Ogier,[1]) nämlich $48\,K$ als Verdampfungswärme und $1\,K$ als Lösungswärme, während mir für Isobutylalkohol keine hierauf bezüglichen Daten bekannt sind.

Übrigens muss noch einmal ausdrücklich hervorgehoben werden, dass diese sowie alle vorhergehenden Rechnungen wesentlich auf der Annahme beruhen, dass die Moleküle des gelösten Stoffes in normalem Zustand, weder dissociiert noch mit einander verbunden, in der Lösung enthalten sind. Nur unter dieser Voraussetzung hat das Dampfspannungs- und das Siedepunktsgesetz Gültigkeit. Wenn die Moleküle eines Stoffes in verdünnter Lösung sich dagegen chemisch verändern, so treten wesentlich verwickeltere Beziehungen auf, die ich in einem kürzlich erschienenen Aufsatz[2]) dargelegt habe.

Zum Schluss möge noch eine Relation Platz finden, die eine Verallgemeinerung der bekannten von Clausius für die Verdampfungswärme einer Flüssigkeit von konstanter Zusammensetzung aufgestellten Formel enthält. Betrachten wir nämlich solche Zustandsänderungen, bei denen das Verhältnis $c'_1 : c_1$ konstant bleibt, so geht die Gleichung (IIa) über in:

$$Q_1 = \vartheta \cdot \frac{dp}{d\vartheta} \cdot V_1,$$

d. h. die bekannte Clausiussche Formel. Aus ihr lässt sich, wenn V_1 durch Beobachtung gefunden, Q_1 berechnen.

[1]) W. Ostwald, l. c. **2,** 322.

[2]) M. Planck, Wied. Ann. **34,** 139. 1888.

Kiel, April 1888.

Über den osmotischen Druck

Dass für den osmotischen Druck in einer verdünnten Lösung die Gasgesetze von Boyle, Gay-Lussac und Avogadro gelten, ist von van't Hoff[1]) sowohl auf experimentellem Wege, aus den Beobachtungen von Pfeffer u. a., als auch theoretisch, und zwar wesentlich unabhängig von besonderen Voraussetzungen über das Wesen der entsprechenden kinetischen oder statischen Vorgänge nachgewiesen worden. Da nun einerseits das direkte Beobachtungsmaterial bis jetzt noch ein verhältnismässig beschränktes ist, andererseits die sich einstweilen darbietenden Vorstellungen von dem näheren Verhalten der gelösten Molekeln unter allen Umständen mit erheblichen Schwierigkeiten verknüpft erscheinen, so dürfte es nicht überflüssig sein, noch auf einem anderen Wege nachzuweisen, dass sowohl die Existenz als auch die Grösse des osmotischen Druckes ohne jedes Eingehen auf molekulare Vorstellungen direkt aus denselben allgemeinen thermodynamischen Prinzipien hervorgeht, welche den Gesetzen der Dampfspannung und des Gefrierpunkts einer Lösung zu Grunde liegen.

Ich benutze dabei dieselbe Methode, aus der ich die letztgenannten Gesetze abgeleitet habe, indem ich die Gleichgewichtsbedingungen aufstelle, die für die Berührung einer verdünnten Lösung mit dem reinen Lösungsmittel gelten, wenn dieselben durch eine nur für das Lösungsmittel durchlässige Wand getrennt sind. Der wesentlichste Unterschied zwischen diesen und den vorher bezeichneten Fällen ist der, dass wegen des Vorhandenseins der Wand der Druck[2]) in den beiden sich berührenden Körpern (Phasen) nicht derselbe zu sein braucht.

---

[1]) Diese Zeitschr. 1, 481 (1887).

[2]) Unter „Druck" schlechtweg verstehe ich immer den auf ein Manometer wirkenden, sogenannten hydrostatischen Druck. Die im folgenden benutzte allgemeine Gleichgewichtsbedingung (Wied. Ann. 32, 489. 1887) ist zwar unter der Voraussetzung abgeleitet worden, dass der Druck in allen sich berührenden Phasen derselbe ist, sie gilt aber, wie man sich leicht allgemein (l. c. S. 469) überzeugen kann, ganz ungeändert, auch wenn in jeder Phase ein anderer Druck herrscht. Die Temperatur muss dagegen überall gleich sein.

Das hier zu betrachtende System zweier homogener Phasen kann durch folgendes Symbol dargestellt werden:

$$n\,m,\ n_1 m_1 + n' m'.$$

Hierbei sind n die Molekelzahlen, m die Molekulargewichte, die Grössen ohne Strich beziehen sich auf die erste Phase (die Lösung), die mit Strich auf die zweite Phase; die mit dem Zahlenindex 1 auf den gelösten Stoff, die ohne Zahlenindex auf das Lösungsmittel, n ist gross gegen n_1. Die numerischen Konzentrationen aller Stoffe sind dann:

$$c = \frac{n}{n+n_1} \quad c_1 = \frac{n_1}{n+n_1} \quad c' = \frac{n'}{n'} = 1.$$

Wenn nun eine „Reaktion" folgende Änderungen unter den Molekelzahlen hervorruft:

$$\delta n : \delta n_1 : \delta n' = \nu : \nu_1 : \nu',$$

so besteht Gleichgewicht gegen diese Reaktion, wenn die Bedingung erfüllt ist:

$$\nu \log c + \nu_1 \log c_1 + \nu' \log c' = \nu \varphi + \nu_1 \varphi_1 + \nu' \varphi',$$

wobei die Grössen φ in bestimmter Weise von Temperatur und Druck abhängen.

In unserem Falle ist, da die Wand für den gelösten Stoff undurchlässig ist, keine andere Veränderung möglich, als der Übergang des Lösungsmittels aus der einen in die andere Phase; also haben wir zu setzen:

$$\nu = -1 \qquad \nu_1 = 0 \qquad \nu' = 1,$$

und die (einzige) Gleichgewichtsbedingung wird:

$$-\log c + \log c' = -\varphi + \varphi'$$

oder mit Benutzung der Werte von c und c' und Vernachlässigung der Grössen kleinerer Ordnung:

$$-\log \frac{n}{n+n_1} = \frac{n_1}{n} = \varphi' - \varphi.$$

Die Funktionen φ und φ' beziehen sich beide auf das reine Lösungsmittel; ihre Werte unterscheiden sich nur dadurch, dass sie verschiedenen Drucken: p und p' entsprechen. Da nun bei hinreichender Verdünnung die Differenz $p' - p$ jedenfalls klein ist, so kann man setzen:

$$\varphi' = \varphi + \frac{\partial \varphi}{\partial p} \cdot (p' - p).$$

Also:
$$\frac{n_1}{n} = \frac{\partial \varphi}{\partial p} \cdot (p' - p).$$

Nun ist aber allgemein[1]):

$$\frac{\partial \varphi}{\partial p} = -\frac{v}{\vartheta},$$

[1]) l. c. S. 473.

wobei v das Molekularvolum des Lösungsmittels, ϑ die absolute Temperatur bedeutet; folglich lautet die gesuchte Gleichgewichtsbedingung:

$$\frac{n_1}{n} = \frac{v}{\vartheta}(p - p')$$

oder, wenn das Volum der ganzen Lösung mit V bezeichnet wird:

$$p - p' = n_1 \cdot \frac{\vartheta}{V}.$$

Hiernach ist im Gleichgewichtszustand der Druck p in der Lösung grösser als der p' im angrenzenden Lösungsmittel, und zwar ist die Druckdifferenz (d. i. der osmotische Druck) umgekehrt proportional dem Volum der Lösung, direkt proportional der absoluten Temperatur und direkt proportional der Zahl der gelösten Molekeln, unabhängig von der Natur derselben. (Die Proportionalitätskonstante ist $= 1$, weil in den benutzten Gleichungen die Molekulargewichtseinheit so gewählt ist, dass 1 Molekel eines vollkommenen Gases im Volum 1 bei der Temperatur 1 den Druck 1 ausübt.)

Dadurch sind aber die am Eingang genannten drei Gasgesetze erfüllt. Über die beobachteten scheinbaren Abweichungen vom Avogadroschen Gesetz, besonders bei wässerigen Lösungen, habe ich mich schon früher ausgesprochen.

Das Resultat dieser Untersuchung ist, dass, wie auch schon van't Hoff hervorgehoben hat, alle Schlüsse, die sich aus dem osmotischen Druck an und für sich ziehen lassen, dieselbe Sicherheit besitzen wie die allgemeinen thermodynamischen Prinzipien, aus denen die anderen Gesetze verdünnter Lösungen entspringen; und dies ist um so wichtiger, weil den Versuchen, sich das Zustandekommen des osmotischen Druckes irgendwie mechanisch, sei es durch kinetische oder durch statische Vorgänge, vorzustellen, in dem einen wie in dem anderen Falle entschieden ernstliche Schwierigkeiten entgegenstehen. Ob und wie diese Schwierigkeiten überwunden werden können, muss erst die Zukunft lehren; einstweilen ist es aber von allergrösstem Werte, dass durch sie die Gültigkeit der soeben abgeleiteten Gesetze ebenso unberührt bleibt, wie etwa die der für gesättigte Dämpfe aufgefundenen Beziehungen durch den Entwickelungsgang der kinetischen Gastheorie.

Berlin, Juli 1890.

Über die Potentialdifferenz zwischen zwei verdünnten Lösungen binärer Electrolyte

(Im Auszug, mit einer Einleitung in die Theorie der Lösungen, veröffentlicht in den Verhandlungen der physikalischen Gesellschaft zu Berlin, Sitzung vom 18. April 1890. Mitgetheilt vom Hrrn. Verf.)

Die von Nernst[1]) aufgestellte und dann von mir[2]) strenger begründete Theorie der Electricitätserregung in verdünnten electrolytischen Lösungen gestattet es, die electrischen Spannungen zu berechnen, welche innerhalb einer Lösung beliebiger Electrolyte auftreten, falls die Concentration eines jeden der gelösten Stoffe sich in beliebig gegebener Weise von Punkt zu Punkt ändert. Aber gerade in dem Fall, welcher für die Anwendung der interessanteste ist: dem der Berührung zweier verschiedener Lösungen, stellt sich dieser Berechnung eine Schwierigkeit entgegen, welche die unmittelbare Anwendung der allgemeinen Formel illusorisch macht. Aus diesem Grunde ist sowohl in den Untersuchungen von Nernst, als auch in den meinigen die Berechnung der Potentialdifferenz beschränkt geblieben auf den speciellen Fall, dass die beiden Lösungen den nämlichen Electrolyten, nur in verschiedener Concentration, enthalten.

In der nachfolgenden Arbeit beabsichtige ich zu zeigen, wie die Berechnung der Potentialdifferenz auch für den all-

---

1) W. Nernst, Zeitschr. f. phys. Chemie **2.** p. 613. 1888; **4.** p. 129. 1889.

2) M. Planck, Wied. Ann. **39.** p. 161. 1890.

gemeinen Fall zweier Lösungen beliebig vieler binärer Electrolyte ausgeführt werden kann.

Wir gehen aus von den allgemeinen Gesetzen, welche die Vorgänge innerhalb einer ungleichmässig concentrirten, bis zur vollständigen Dissociation aller gelösten Stoffe verdünnten Lösung beliebiger Electrolyte regeln und die ich a. a. O. aus den Principien der Electrostatik und der Hydrodynamik abgeleitet habe.

Bezeichnen c', c'', ... die räumlichen Concentrationen (Anzahl Ionen in der Volumeneinheit) der positiven Ionen, u', u'', ... ihre Beweglichkeiten, d. h. die jeweilige Geschwindigkeit, die ein Ion unter Einwirkung der mechanischen Kraft 1 besitzt, ferner $\bar{c}'$, $\bar{c}''$, ... die Concentrationen der negativen Ionen, v', v'', ... ihre Beweglichkeiten, wobei zur Abkürzung:

$$u' c' + u'' c'' + \cdots = U,$$
$$v' \bar{c}' + v'' \bar{c}'' + \cdots = V$$

gesetzt werden soll;[1]) des weiteren φ die electrische Potentialfunction, x die (einzige) Raumcoordinate, t die Zeit, endlich die Constante ε die electrische Ladung eines einwerthigen positiven Ions und die Constante R den osmotischen Druck eines die Volumeneinheit einnehmenden Ions, so ist die Bewegung der Ionen (und somit der Electricität) für alle Zeiten eindeutig bestimmt durch die Gleichungen:[2])

$$(1) \qquad c' + c'' + \cdots = \bar{c}' + \bar{c}'' + \cdots = c,$$

wobei c die „Gesammtconcentration" der Lösung bedeutet:

$$(2) \qquad \frac{\partial c'}{\partial t} = u' R \frac{\partial^2 c'}{\partial x^2} + u' \varepsilon \cdot \frac{\partial}{\partial x}\left(c' \frac{\partial \varphi}{\partial x}\right)$$

u. s. w. für alle positiven Ionen.

$$(3) \qquad \frac{\partial \bar{c}'}{\partial t} = v' R \frac{\partial^2 \bar{c}'}{\partial x^2} - v' \varepsilon \cdot \frac{\partial}{\partial x}\left(\bar{c}' \frac{\partial \varphi}{\partial x}\right)$$

u. s. w. für alle negativen Ionen.

---

1) Die hier definirten Grössen U und V unterscheiden sich von den in meiner früheren Arbeit gebrauchten, ebenso benannten Grössen durch den constanten Factor R. Im absoluten C.G.S.-System sind sie hier von der Dimension: $[C^{-3}GSH^{-2}]$. Ueber die Bedeutung des Dimensionszeichens H vgl. l. c. p. 164. Anm.

2) M. Planck, l. c. Gl. (10), (5), (6), (12).

Hierbei ist, wenn wir voraussetzen, dass kein Strom durch die Lösung fliesst:

$$(4) \qquad \frac{\partial \varphi}{\partial x} = -\frac{R}{\varepsilon} \cdot \frac{\frac{\partial (U - V)}{\partial x}}{U + V},$$

wie sich auch ergibt, wenn man die Gleichungen (2) addirt, davon die Gleichungen (3) subtrahirt und dann nach x integrirt.

Für den Anfangszustand sind die Concentrationen aller Ionen als Functionen von x beliebig festzusetzen, die nur überall der Gleichung (1) genügen müssen. Besondere Grenzbedingungen sind überflüssig, wenn die Lösung ein gehöriges Volumen besitzt.

Da es sich für uns nicht um den Vorgang der Diffusion, sondern nur um die Potentialdifferenz bei gegebenen Concentrationen handelt, so genügt im allgemeinen die Gl. (4), um, über ein endliches Intervall von x integrirt, die Potentialdifferenz zwischen irgend zwei Stellen der Lösung zu finden, die sich nur mit der fortschreitenden Diffusion, also verhältnissmässig langsam ändern wird. Jene Gleichung ist aber offenbar nur anwendbar auf eine *stetige* Veränderlichkeit der Concentrationen im Raume, sie lässt also zunächst im Stich, wenn man sie zur Berechnung der Potentialdifferenz zweier verschiedener homogener Lösungen anwenden will, da in diesem Fall die Concentrationen, deren Differentialquotienten nach x überall $= 0$ sind, an der Berührungsfläche Sprünge erleiden. Jedoch kann man statt dessen unmittelbar einen anderen Fall substituiren, in dem die Concentrationen stetig sind, wenn man nur statt einer Grenzfläche eine Grenzschicht von äusserst kleiner, aber endlicher Dicke δ annimmt, welche einen stetigen Uebergang der Werthe aller Concentrationen von der einen Lösung bis zur anderen vermittelt. Dadurch müssen die Differentialquotienten der Concentrationen nach x, die ausserhalb der Grenzschicht $= 0$ sind, innerhalb derselben sehr grosse Werthe annehmen; dasselbe gilt nach der Gleichung (4) auch für den Differentialquotienten von φ nach x.

Hier erwächst nun aber die am Eingang erwähnte Schwierigkeit, dass man je nach der Wahl der Functionen, welche die Abhängigkeit der Concentrationen von x in der Grenzschicht ausdrücken, verschiedene Werthe der Potentialdifferenz zu beiden Seiten der Grenzschicht erhält, wie man sich leicht durch die Betrachtung der Gleichung (4) überzeugt. In der That ist jeder der unendlich vielen verschiedenen so erhaltenen Werthe für die Potentialdifferenz als von vornherein gleich wahrscheinlich, und daher als in der Natur möglich anzusehen.

Aber man überzeugt sich ebenso leicht aus den Gleichungen (2) und (3), dass ein solcherweise angenommener Zustand sich im allgemeinen mit der Zeit äusserst schnell ändern muss; denn da die Differentialquotienten der Concentrationen c und der Potentialfunction φ nach x in der Grenzschicht sehr grosse Werthe haben, müssen auch die Abgeleiteten nach t sehr gross ausfallen. Es wird sich daher auch die einem solchen Zustand entsprechende Potentialdifferenz zugleich sehr schnell mit ändern und also gar nicht zur electrostatischen Beobachtung kommen können. Ein stabilerer Zustand — und dieser allein ist der electrostatischen Messung zugänglich — wird erst dann erreicht sein, wenn in der Grenzschicht die zeitlichen Differentialquotienten der Concentrationen mindestens endlich sind, also gegen die räumlichen Differentialquotienten verschwinden.

Die letzte Bedingung wollen wir nun auf die obigen Gleichungen, die allgemein für den Verlauf des ganzen Processes gelten, anwenden und daraus denjenigen Zustand der Grenzschicht ableiten, der sich nach verschwindend kurzer Zeit herstellt. Wenn sich dann weiter findet, dass die Potentialdifferenz, welche diesem Zustand entspricht, auch unabhängig ist von der oben willkürlich angenommenen Dicke δ der Grenzschicht, so werden wir diese Potentialdifferenz schlechthin als Potentialdifferenz der beiden Lösungen zu bezeichnen haben; denn diese ist es, welche thatsächlich gemessen wird.

Die besonderen Bedingungen, welche der von uns zu untersuchende stabile Zustand der Grenzschicht zu erfüllen hat, sind offenbar nach den Gleichungen (2) und (3) gegeben durch:

$$0 = R \frac{\partial^2 c'}{\partial x^2} + \varepsilon \frac{\partial}{\partial x}\left(c' \frac{\partial \varphi}{\partial x}\right),$$

. . . .

$$0 = R \frac{\partial^2 \bar{c}'}{\partial x^2} - \varepsilon \frac{\partial}{\partial x}\left(\bar{c}' \frac{\partial \varphi}{\partial x}\right)$$

. . . .

gültig für das Intervall von $x = 0$ bis $x = \delta$, oder durch Integration nach x:

$$A' = R \frac{\partial c}{\partial x} + \varepsilon c' \frac{\partial \varphi}{\partial x}, \tag{5}$$

. . . .

$$B' = R \frac{\partial \bar{c}'}{\partial x} - \varepsilon \bar{c}' \frac{\partial \varphi}{\partial x}. \tag{6}$$

. . . .

Die Integrationsconstanten $A', \ldots, B', \ldots$ werden im allgemeinen sehr grosse Werthe haben und können noch von t abhängen.

Setzen wir zur Abkürzung:

$$A' + A'' + \cdots = A, \qquad B' + B'' + \cdots = B,$$

so ergibt sich mit Rücksicht auf (1) durch Addition:

$$A = R \frac{\partial c}{\partial x} + \varepsilon c \frac{\partial \varphi}{\partial x}, \qquad B = R \frac{\partial c}{\partial x} - \varepsilon c \frac{\partial \varphi}{\partial x},$$

und hieraus einerseits durch Addition:

$$2 R \frac{\partial c}{\partial x} = A + B,$$

also durch Integration:

$$2 R c = (A + B) x + \text{const.},$$

d. h. die Gesammtconcentration c ändert sich in der Grenzschicht lineär mit x. Wenn also z. B. in beiden Lösungen die Gesammtconcentrationen gleich sind, so besitzt auch die Grenzschicht überall dieselbe Gesammtconcentration. Die Integrationsconstante bestimmt sich aus den Concentrationen in den beiden Lösungen. Unterscheiden wir die Werthe der auf die beiden Lösungen bezüglichen Constanten durch die Indices 1 und 2, so gelten für $x = 0$ die Grössen mit dem Index 1, für $x = \delta$ die mit dem Index 2, und es wird:

$$2 R (c_2 - c_1) = (A + B) \delta \tag{7}$$

und:

$$c = \frac{c_2 - c_1}{\delta} \cdot x + c_1.$$

Andererseits erhalten wir durch Subtraction:

$$2 \varepsilon c \frac{\partial \varphi}{\partial x} = A - B,$$

also mit Benützung des obigen Resultates:

(8) $$\frac{\partial \varphi}{\partial x} = \frac{(A-B)\delta}{2\varepsilon[(c_2-c_1)x+c_1\delta]},$$

und durch Integration über x von 0 bis δ als Potentialdifferenz der beiden Lösungen:

(9) $$\varphi_2 - \varphi_1 = \frac{(A-B)\delta}{2\varepsilon(c_2-c_1)}\log\frac{c_2}{c_1}.$$

Jetzt handelt es sich nur noch um die Bestimmung der Constanten $(A-B)$. Zu diesem Zwecke müssen wir noch eine Integration ausführen, wollen aber vorher noch zur Abkürzung die Constante:

(10) $$\xi = \left(\frac{c_2}{c_1}\right)^{\frac{(A-B)\delta}{2(c_2-c_1)R}}$$

einführen, wodurch die letzte Gleichung übergeht in:

(11) $$\varphi_2 - \varphi_1 = \frac{R}{\varepsilon}\log\xi.$$

Wir multipliciren die Gleichungen (5) mit u', u'' ... und addiren, wodurch entsteht:

$$u'A' + u''A'' + \cdots = R\frac{\partial U}{\partial x} + \varepsilon U\frac{\partial \varphi}{\partial x}.$$

Ebenso liefern die Gleichungen (6):

$$v'B' + v''B'' + \cdots = R\frac{\partial V}{\partial x} - \varepsilon V\frac{\partial \varphi}{\partial x}.$$

Aus diesen beiden Gleichungen folgt zunächst, unter Berücksichtigung des Werthes (4) von $\partial\varphi/\partial x$:

$$u'A' + u''A'' + \cdots = v'B' + v''B'' + \cdots = C,$$

und daher, mit gleichzeitiger Benützung von (8):

$$C = R\frac{\partial U}{\partial x} + U\cdot\frac{(A-B)\delta}{2[(c_2-c_1)x+c_1\delta]},$$
$$C = R\frac{\partial V}{\partial x} - V\cdot\frac{(A-B)\delta}{2[(c_2-c_1)x+c_1\delta]}.$$

Diese beiden Differentialgleichungen der Functionen U und V von x sind von der ersten Ordnung und lassen sich daher allgemein integriren. Das Resultat lautet für die erste Gleichung, wie sich auch unmittelbar verificiren lässt:

$$U = \frac{2C[(c_2-c_1)x+c_1\delta]}{2(c_2-c_1)R+(A-B)\delta} + [(c_2-c_1)x+c_1\delta]^{-\frac{(A-B)\delta}{2(c_2-c_1)R}} \times \text{const.}$$

Berücksichtigt man, dass für $x = 0$ $U = U_1$, und für $x = \delta$ $U = U_2$, so erhält man zwei Gleichungen, und daraus durch Elimination der const., mit Einführung der oben definirten Hülfsgrösse ξ:

$$(12) \qquad \xi U_2 - U_1 = \frac{2C\delta.(\xi c_2 - c_1)}{2(c_2 - c_1)R + (A - B)\delta},$$

und auf ganz analogem Wege:

$$V_2 - \xi V_1 = \frac{2C\delta.(c_2 - \xi c_1)}{2(c_2 - c_1)R - (A - B)\delta}.$$

Also durch Division, zur Eliminirung von C:

$$\frac{\xi U_2 - U_1}{V_2 - \xi V_1} = \frac{2(c_2 - c_1)R - (A - B)\delta}{2(c_2 - c_1)R + (A - B)\delta} \cdot \frac{\xi c_2 - c_1}{c_2 - \xi c_1}.$$

Endlich, wenn man hierin noch aus (10) ξ für $(A - B)$ einführt:

$$(13) \qquad \frac{\xi U_2 - U_1}{V_2 - \xi V_1} = \frac{\log \frac{c_2}{c_1} - \log \xi}{\log \frac{c_2}{c_1} + \log \xi} \cdot \frac{\xi c_2 - c_1}{c_2 - \xi c_1}.$$

Diese in ξ transscendente Gleichung enthält die Lösung der Aufgabe. Denn hat man aus ihr mit Hülfe der gegebenen Constanten c_1, c_2, U_1, V_1, U_2, V_2 den Werth von ξ bestimmt, so ist nach (11) die gesuchte Potentialdifferenz:

$$\varphi_2 - \varphi_1 = \frac{R}{\varepsilon} \log \xi,$$

oder, mit Benutzung der Werthe[1]):

$$\varepsilon = 9628 [C^{1/2} G^{-1/2} H]$$

und für 18° C.: $R = 2{,}414 . 10^{10} [C^2 S^{-2} H]$,

unter Reduction auf Volts:

$$\varphi_2 - \varphi_1 = \frac{2{,}414 . 10^{10}}{9628 . 10^8} \log \xi = 0{,}02507 . \log \xi \text{ Volt}.$$

Untersuchen wir nun die Eigenschaften der Grösse ξ näher. Zunächst ersieht man, dass ξ durch vier unabhängige Constante bestimmt ist: nämlich einmal durch das Verhältniss der Gesammtconcentrationen beider Lösungen $c_2 : c_1$, das wir künftig einfach mit k bezeichnen wollen, und dann durch die drei Verhältnisse $U_1 : V_1 : U_2 : V_2$. In der That darf nach dem Superpositionsprincip von Nernst die Potentialdifferenz sich nicht ändern, wenn alle Concentrationen gleichmässig

1) M. Planck, l. c. p. 164.

vervielfacht werden. Ebenso erkennt man, dass die Potentialdifferenz nicht von den absoluten, sondern nur von den relativen Werthen der Beweglichkeiten u und v der Ionen abhängt, sodass man für 18° C. direct die von F. Kohlrausch[1]) angegebenen Werthe benutzen kann:

K	NH_4	Na	Li	Ag	H
52	50	32	24	42	272
Cl	J	NO_3	ClO_3	$C_2H_3O_2$	OH
54	55	48	42	26	143

Ferner ist leicht zu sehen, dass bei Vertauschung der Indices 1 und 2 ξ in $1/\xi$ übergeht, wie es sein muss.

Um sich zu überzeugen, dass der Gl. (13) in jedem Falle ein bestimmter positiver Werth von ξ entspricht, — natürlich können für reelle Potentialdifferenzen nur positive ξ in Betracht kommen — ist es wohl am bequemsten, den Verlauf der beiden Curven zu untersuchen, welche durch die Gleichungen:

$$\frac{\log k - \log \xi}{\log k + \log \xi} \cdot \frac{k\xi - 1}{k - \xi} = \eta, \qquad \left(k = \frac{c_2}{c_1}\right), \qquad \frac{U_2 \xi - U_1}{V_2 - V_1 \xi} = \eta$$

dargestellt werden, wenn ξ als Abscisse, η als Ordinate eines Punktes aufgefasst wird. Der Schnittpunkt dieser beiden Curven liefert den gesuchten Werth von ξ.

Betrachten wir zunächst die erste Curve, deren Verlauf von der einen positiven Constanten k abhängt.

$$\text{Für } \xi = 0 \text{ ist } \eta = \frac{1}{k}, \qquad \text{für } \xi = 1 \text{ ist } \eta = 1,$$
$$\text{für } \xi = \infty \text{ ist } \eta = k.$$

Die Ordinate ändert sich also von $1/k$ bis k, und zwar ohne irgendwo ein Maximum oder Minimum anzunehmen. Man überzeugt sich davon durch die Bildung des Differentialquotienten $d\eta/d\xi$, der stets das gleiche Vorzeichen hat, was hier jedoch nicht näher ausgeführt werden soll. Daher ändert sich η fortwährend in gleichem Sinne mit ξ, bleibt also immer positiv und zwischen den Grenzen k und $1/k$. Die Untersuchung der Curve wird auch dadurch erleichtert, dass zu zwei reciproken Werthen ξ und $1/\xi$ offenbar reciproke Werthe η und $1/\eta$ gehören. Je mehr sich k dem Werthe 1 nähert, desto mehr nähern sich die extremen Werthe von

1) F. Kohlrausch, Wied. Ann. **26**. p. 214. 1885.

η einander, und die Curve geht schliesslich für $k = 1$ in die Gerade über, die in der Entfernung 1 parallel der Abscissenaxe verläuft. Dieser besonders einfache Fall soll unten noch näher besprochen werden.

Die zweite Curve, die durch die drei positiven Verhältnisse $U_1 : V_1 : U_2 : V_2$ charakterisirt wird, stellt eine gleichseitige Hyperbel dar, deren Asymptoten parallel den Coordinatenaxen sind. Für $\xi = 0$, sowie für $\xi = \infty$ wird η negativ; die positiven Werthe von η, die nach dem Vorigen hier allein in Betracht kommen können, liegen alle in dem Intervalle zwischen:

$$\xi = \frac{U_1}{U_2} \quad \text{und} \quad \xi = \frac{V_2}{V_1},$$

für welches η alle Werthe zwischen 0 und ∞, und zwar jeden einmal, annimmt. Daraus folgt, dass es in diesem Intervalle immer einen Schnittpunkt der beiden Curven gibt. Die nähere Bestimmung von ξ kann entweder durch graphische Darstellung oder durch eine der bekannten analytischen Näherungsmethoden der Auflösung transscendenter Gleichungen vorgenommen werden; wir beschränken uns hier auf einige allgemeine Folgerungen.

Da ξ zwischen U_1 / U_2 und V_2 / V_1 liegt, so liegt die Potentialdifferenz $\varphi_2 - \varphi_1$ stets zwischen:

$$0{,}02507 \,.\, \log \frac{U_1}{U_2} \quad \text{und} \quad 0{,}02507 \,.\, \log \frac{V_2}{V_1} \text{ Volt.}$$

Im speciellen Falle $U_1 V_1 = U_2 V_2$ ist also:

$$\varphi_2 - \varphi_1 = 0{,}02507 \,.\, \log \frac{U_1}{U_2} \text{ Volt.} \tag{14}$$

Hieraus folgt auch, dass die Potentialdifferenz nur dann unendlich gross werden kann, wenn eine der Grössen U, V gleich 0 wird. Dann sind aber die Concentrationen sämmtlicher Ionen einzeln $= 0$, d. h. die betreffende Lösung besteht aus reinem Wasser.

Fragen wir ferner, unter welcher Bedingung die Potentialdifferenz positiv oder negativ ausfällt. Diese Frage fällt zusammen mit der, ob $\xi >$ oder < 1. Für den Grenzfall $\xi = 1$ liefert die Gl. (13) die Bedingung:

$$U_1 + V_2 = V_1 + U_2,$$

also muss auch umgekehrt, wenn diese Bedingung erfüllt ist, $\xi = 1$ werden. Im allgemeinen ist daher, wie man durch Betrachtung eines speciellen Falles, etwa des in (14) dargestellten, ersieht, $\xi >$ oder < 1, d. h. $\varphi_2 - \varphi_1$ positiv oder negativ, je nachdem:

$$U_1 + V_2 > \quad \text{oder} \quad < V_1 + U_2.$$

Zu den speciellen Fällen, welche die Berechnung der Potentialdifferenz in geschlossener Form gestatten, gehört auch der am Eingang dieser Abhandlung erwähnte, dass die beiden Lösungen den nämlichen Electrolyten, nur in verschiedener Concentration, enthalten. Dann ist:

$$U_1 = u c_1, \qquad U_2 = u c_2,$$
$$V_1 = v c_1, \qquad V_2 = v c_2,$$

also:

$$\frac{U_2}{U_1} = \frac{V_2}{V_1} = \frac{c_2}{c_1},$$

und aus Gl. (13):

$$\log \xi = \frac{v - u}{v + u} \log \frac{c_2}{c_1};$$

$$\varphi_2 - \varphi_1 = \frac{R}{\varepsilon} \cdot \frac{v - u}{v + u} \log \frac{c_2}{c_1}$$

übereinstimmend mit der früher von Nernst und von mir auf anderem Wege gefundenen Lösung.

Wenn es sich um den Vergleich der hier entwickelten Theorie mit den Ergebnissen der Erfahrung handelt, so ist zunächst zu beachten, dass die von uns gemachte Annahme der vollständigen Dissociation immer nur angenähert richtig ist und deshalb die berechneten Werthe niemals genau den beobachteten entsprechen können, sie stellen eben nur die Grenzwerthe dar, denen sich die Potentialdifferenz nähert, wenn die Lösungen immer verdünnter angenommen werden. Der Einfluss, welchen die unvollkommene Dissociation auf den Werth der Potentialdifferenz hat, ist dadurch noch ganz besonders verwickelt, dass der Dissociationsgrad sich innerhalb der Uebergangsschicht zugleich mit den Concentrationen ändern wird. Am sichersten wird man immer gehen, wenn man zugleich feststellt, dass sich die Potentialdifferenz mit gleichmässig wachsender Verdünnung aller Stoffe in beiden Lösungen nicht mehr beträchtlich ändert. Immerhin lassen sich zahlreiche Lösungen herstellen, bei denen diese Bedingung als genügend erfüllt zu betrachten ist.

Ferner ist ein besonderer Umstand zu erwähnen, der bei der Prüfung der theoretischen Formel zu bedenken ist. Die von uns angestellten Betrachtungen gelten nur unter der Voraussetzung, dass auch an der Berührungsstelle der beiden Lösungen alle Ionen dissociirt bleiben und sich unabhängig von einander bewegen. Wenn auch im allgemeinen diese Voraussetzung durch genügende Verdünnung immer erfüllt werden kann, so gibt es doch einen einzigen Fall, wo dies nicht möglich ist, nämlich den, dass die eine Lösung H-Ionen, die andere aber HO-Ionen enthält; denn dies sind die einzigen Arten von Ionen, die in wässeriger Lösung nicht frei nebeneinander existiren können, da sie sich überall, wo sie zusammenkommen, zu H_2O-Molecülen verbinden.[1]) Dadurch wird aber nicht nur infolge der eintretenden Wärmetönung und Temperaturänderung, deren Einfluss nur ein secundärer sein würde, sondern namentlich durch die Verminderung der Zahl der freien Ionen ein wesentlich anderer Zustand geschaffen, als derjenige ist, auf den sich unsere Betrachtungen beziehen. Dieser eine Fall erfordert also eine besondere Behandlung, die zwar gar nicht schwierig durchzuführen sein würde, die aber doch hier der Kürze halber dadurch umgangen werden soll, dass wir diesen Fall ganz von der Untersuchung ausschliessen.

Endlich möchte ich noch hervorheben, dass die hier berechneten Potentialdifferenzen auch nach der Theorie keineswegs unabhängig von der Zeit sind. Denn der Zustand zweier sich berührender Lösungen ist niemals ein Gleichgewichtszustand, da bis zur vollständigen Vermischung Diffusion stattfindet. Gerade beim Beginn des Vorgangs ist die Diffusion am stärksten, nämlich an den beiden Grenzflächen der Uebergangsschicht zwischen beiden Lösungen, wo das Concentrationsgefälle aller Stoffe starke Aenderungen erleidet. Dadurch wird die Grundlage der ganzen Rechnung: das Vorhandensein einer sehr dünnen Uebergangsschicht, je nach der Natur der Lösungen mehr oder weniger schnell aufgehoben, und die Potentialdifferenz kann sich ändern, indem sie sich wahr-

1) Eine möglicher Weise stattfindende theilweise Dissociation der H_2O-Molecüle ist jedenfalls zu gering, um hier in Betracht zu kommen.

scheinlich immer verkleinert, um schliesslich beim Eintritt der vollständigen Vermischung ganz zu verschwinden; in der That ist bei manchen Lösungen ein constanter Werth der Potentialdifferenz gar nicht zu beobachten, wobei selbstverständlich auch andere Ursachen hierfür nicht ausgeschlossen sind. Da nun die theoretische Formel immer den Werth der Potentialdifferenz beim Beginn der Diffusion gibt, so wird bei jedem Vergleich der Erfahrung mit der Theorie darauf zu achten sein, dass die beobachtete Potentialdifferenz wenigstens einigermaassen constant bleibt; dann kann man mit gewissem Rechte annehmen, dass der wirkliche Anfangswerth von dem beobachteten nicht mehr erheblich abweicht.

Dies dürften, soviel ich sehe, alle besonderen Bedingungen sein, die bei der Prüfung der Theorie zu erwägen sind.

Bekanntlich ist es mittelst der gewöhnlichen Methoden nicht möglich, die Potentialdifferenz zweier heterogener Körper einzeln zu messen, sondern man misst immer nur die Summe der Differenzen mehrerer Körper, die hintereinander zu einer Kette verbunden sind, wobei aber, um jeden Einfluss des umgebenden Isolators zu vermeiden, das Endglied der Kette mit dem Anfangsglied identisch sein muss. Es ist jedoch leicht, solche Ketten herzustellen, deren electromotorische Kraft sich nur aus Potentialdifferenzen zwischen je zwei Lösungen zusammensetzt, sodass dieselbe mittelst unserer Theorie berechnet werden kann.

Derartige „Flüssigkeitsketten“ sind zuerst sorgfältig untersucht worden von Jacob Worm Müller;[1]) leider sind aber die dort mitgetheilten Zahlen, soweit sie für verdünnte Lösungen binärer Electrolyte gelten, nicht geeignet, um mit der theoretischen Formel verglichen zu werden, sie beziehen sich nämlich alle auf den oben von uns ausdrücklich ausgeschlossenen Fall, dass in der Kette eine Stelle vorkommt, in welcher H-Ionen mit HO-Ionen zusammenstossen. Eine besondere theoretische Behandlung dieses Falles zum Zwecke einer quantitativen Vergleichung schien mir auch aus dem Grunde nicht viel zu versprechen, weil ich in der ganzen

1) J. W. Müller, Pogg. Ann. **140.** p. 114, 380. 1870.

Abhandlung keine Angabe über die Temperatur gefunden habe, bei der die Versuche angestellt sind, und die doch sowohl auf die Beweglichkeitszahlen, als auch namentlich auf die Gasconstante R von Einfluss ist. Nur Ein Satz, der allgemeinste und wichtigste aller von Müller aufgefundenen, der offenbar unabhängig von der Temperatur gilt, wäre hier anzuführen[1]): „Lösungen von Alkali und Säure nach Aequivalentverhältnissen, sodass gleiche Volumina einander neutralisiren, und die von diesen gleichen Volumina gebildete Salzlösung zur Kette combinirt, geben keinen Strom, mag das Endgliederpaar die Salzlösung, die Säure oder das Alkali sein." Dies Gesetz gilt gerade für verdünnte Lösungen, weil bei ihnen die störende Wirkung der Wärmetönung zwischen Säure und Alkali am meisten vermieden ist. Solche „stromlose" Anordnungen sind z. B.:

$$KNO_3 \mid KOH \mid HNO_3 \mid KNO_3$$
$$NaCl \mid NaOH \mid HCl \mid NaCl,$$

wobei nach der genannten Bedingung die moleculare Concentration der Salzlösung offenbar halb so gross sein muss, wie die der Säure und der Base. Die Gültigkeit des angeführten Gesetzes ergibt sich nach unserer Theorie ähnlich wie nach Müller's Darstellung als Folge der Erwägung, dass durch die Vereinigung von H und HO eine Salzlösung gebildet wird, von derselben Concentration, wie die in der Kette bereits vorhandene.

Merkwürdig und nothwendig zu erwähnen ist übrigens, dass Müller seinen theoretischen Erwägungen den Satz zu Grunde legte,[2]) dass „die Spannung zwischen irgend einer Flüssigkeit und Wasser in der Regel geringfügig ist und in den Hintergrund tritt gegen diejenige der Lösungen verschiedener Stoffe," und ferner den anderen Satz[3]), dass zwei Lösungen des nämlichen Salzes von verschiedener Concentration bei der Berührung keine Potentialdifferenz geben — Ansichten, die beide sowohl mit unserer Theorie als auch mit mehreren Erfahrungen sich in geradem Gegensatz be-

1) J. W. Müller, l. c. p. 130.
2) J. W. Müller, l. c. p. 122.
3) J. W. Müller, l. c. p. 381.

finden.[1]) Ueberhaupt ist charakteristisch, dass Müller überall nach einem Zusammenhang der Stromrichtung mit der chemischen Natur (Salz, Säure, Alkali) der Lösungen suchte, während unsere Theorie die Ursache der Potentialdifferenz ausschliesslich in den Kohlrausch'schen Beweglichkeitszahlen erblickt.

Wir wenden uns nun zur näheren Betrachtung des speciellen Falles, dass die Gesammtconcentrationen in beiden Lösungen einander gleich sind.

Lösungen von gleicher Gesammtconcentration.

$$c_2 = c_1 = c \quad \text{oder} \quad k = 1.$$

Dieser Fall erledigt sich sehr einfach; denn für ihn folgt aus der Gleichung (13):

$$\xi = \frac{U_1 + V_2}{V_1 + U_2},$$

also die Potentialdifferenz der beiden Lösungen:

$$\varphi_2 - \varphi_1 = \frac{R}{\varepsilon} \log \frac{U_1 + V_2}{V_1 + U_2}.$$

Wenn ausserdem jede Lösung nur einen einzigen Electrolyten enthält, so können wir setzen:

$$U_1 = u' c \qquad U_2 = u'' c$$
$$V_1 = v' c \qquad V_2 = v'' c$$

und, für 18° Cels.:

$$\varphi_2 - \varphi_1 = 0{,}02507 \,.\, \overset{e}{\log} \frac{u' + v''}{v' + u''} = 0{,}0577 \,.\, \overset{10}{\log} \frac{u' + v''}{v' + u''} \text{ Volt}$$

ganz unabhängig von der Concentration.

Für derartige Potentialdifferenzen zwischen zwei verdünnten Lösungen von gleicher Concentration hat Nernst durch directe Beobachtung, mit Hülfe der von ihm entwickelten Theorie der „umkehrbaren Electroden“ Werthe abgeleitet, die in der folgenden Tabelle zusammengestellt sind. Dieselben beziehen sich auf die Temperatur 18° C. und auf die Verdünnung $^1/_{10}$ normal ($^1/_{10}$ g Molecül in 1 l), für welche in den benutzten Lösungen die Dissociation schon weit vorgeschritten ist, und zwar für alle Stoffe sehr nahezu in gleichem Grade. Als Anion ist überall Cl gewählt. Die in der zweiten Spalte stehenden Zahlen ergeben sich aus

1) Vgl. Nernst, Zeitschr. f. phys. Chem. 4. p. 139. 1889.

der letzten Formel mit Hülfe der schon oben (p. 568) angeführten Zahlen für die relative Beweglichkeit der Ionen:

	beobachtet Volt	berechnet Volt
HCl | KCl	+0,0285	+0,0282
HCl | NaCl	+0,035	+0,0334
HCl | LiCl	+0,040	+0,0358
KCl | NaCl	+0,0040	+0,0052
KCl | LiCl	+0,0069	+0,0077
NaCl | LiCl	+0,0027	+0,0024

Von den „beobachteten" Zahlen sind die drei letzten der Nernst'schen Tabelle[1]) entnommen, die drei ersten verdanke ich einer gütigen brieflichen Mittheilung des Hrn. Nernst, welcher seine Beobachtungen, die mit einer HCl-Lösung vom Gehalte 0,086 normal angestellt wurden, auf den Gehalt 0,1 normal umgerechnet hat.[2]) Die Uebereinstimmung der beobachteten und der berechneten Werthe ist in Anbetracht der Unsicherheiten, welche namentlich den letzteren wegen der Beweglichkeitszahlen anhaften, als eine entschiedene Bestätigung der Theorie anzusehen.

Nachdem die Potentialdifferenz $\varphi_2 - \varphi_1$ der beiden Lösungen bestimmt ist, sind die Werthe der Constanten $A\delta$, $B\delta$, $C\delta$ unmittelbar aus den Gleichungen (7), (9) und (12) zu entnehmen. Dadurch sind auch die Grössen $\partial\varphi / \partial x$, U, V als Functionen von x (oder c) innerhalb der Grenzschicht vollkommen bestimmt. Ebenso erhält man für die Concen-

1) Nernst, Zeitschr. f. phys. Chem. **4.** p. 166. 1889.

2) Erstere Verdünnung hatte Hr. Nernst deshalb gewählt, weil aus dem Leitungsvermögen folgen würde, dass eine HCl-Lösung dieser Concentration ebenso viel freie Cl-Ionen enthält, wie eine 0,1 normale Lösung von KCl, NaCl oder LiCl. Inzwischen hat sich aber aus Beobachtungen über die Beeinflussung der Löslichkeit von Salzen als höchst wahrscheinlich ergeben, dass HCl nur ebenso stark dissociirt ist, wie die genannten Salze, sodass äquivalente Lösungen auch gleichviel freie Ionen enthalten würden. Demgemäss ist in der Tabelle auch für HCl die Concentration 0,1 normal eingeführt. Die Zahl für HCl | KCl ist berechnet auf Grund der l. c. p. 166 mitgetheilten Beobachtungen für die Concentrationen 0,086 und 0,098 normal durch eine kleine Extrapolation; die beiden anderen Zahlen sind aus den Beobachtungen einfach durch Vergrösserung um denselben Bruchtheil erhalten und demgemäss unsicherer.

trationen c', c'' ... $\bar{c}'$, $\bar{c}''$ ... der einzelnen Ionen die entsprechenden Werthe durch Integration der Differentialgleichungen (5) und (6), die sich genau ebenso behandeln lassen, wie die für U und V. Dadurch ist dann der Zustand der Grenzschicht beim Beginn der Diffusion vollständig bekannt.

Die Untersuchung des allgemeinen Falles, dass unter den Ionen auch zweiwerthige vorkommen, ist aus rein mathematischen Gründen erheblich schwieriger, weshalb ich diesen Fall von vorneherein ausgeschlossen habe. Leicht wird die Behandlung wieder, wenn sämmtliche Ionen zweiwerthig sind, oder wenn überhaupt sämmtliche Ionen n-werthig sind. Dann hat man nur statt der Constanten ε zu setzen: $n\varepsilon$, und die Potentialdifferenz wird:

$$\varphi_2 - \varphi_1 = \frac{R}{n\varepsilon} \log \xi,$$

also n mal *kleiner*, als wenn die Ionen alle einwerthig wären.

Die in meiner vorigen Abhandlung [1]) gezogenen Schlüsse gestatten sogleich auch das Auftreten der freien Electricität, sowie die Wärmewirkungen innerhalb der Grenzschicht der Rechnung zu unterziehen. Doch bieten diese Untersuchungen hier deshalb weniger Interesse, weil sie sich nicht zugleich auch experimentell mit Sicherheit behandeln lassen, weshalb ich auf näheres Eingehen verzichte. Durch die Formel für die Potentialdifferenz ist aber offenbar ein neuer Angriffspunkt dargeboten, um eine entscheidende Probe auf die Zulässigkeit der ganzen Theorie zu machen. Sollte dieselbe sich bewähren, so wäre damit zugleich die fundamentale Frage nach der Potentialdifferenz zweier heterogener Stoffe für einen speciellen Fall gelöst.

Berlin, Mai 1890.

1) M. Planck, Wied. Ann. **39**. p. 161. 1890.

Allgemeines zur neueren Entwickelung der Wärmetheorie

Vortrag, gehalten in der vereinigten Sitzung der Abteilung für Physik und Chemie der 64. Versammlung der Gesellschaft deutscher Naturforscher und Ärzte in Halle am 24. September 1891

Meine Herren! Seitdem um die Mitte des Jahrhunderts sich jene grosse Umwälzung vollzogen hat, durch welche die gesamte Naturwissenschaft und mit ihr die Physik auf eine wesentlich neue Grundlage gestellt wurde, ist auch in der Theorie der Wärme ein fundamentaler Fortschritt erfolgt. Bekanntlich lassen sich in der neueren Entwickelung dieser Theorie gleich von Anfang an zwei deutlich voneinander getrennte Wege unterscheiden, auf denen die Forschung zu weiterer Erkenntnis vorzudringen suchte: der erste derselben, schon früher durch Carnot und William Thomson eingeleitet, nimmt seinen Ausgang einzig und allein von den allgemeinen Grundlagen der Wärmetheorie, nämlich den von Clausius sogenannten beiden Hauptsätzen, mit prinzipiellem Verzicht auf jede besondere Vorstellung von derjenigen Form der Energie, die wir als Wärme bezeichnen; der andere dagegen, begründet durch die Arbeiten von Joule, Krönig und Clausius, bezweckt ein tieferes Eindringen in die Natur der molekularen Vorgänge, auf denen die Wärmeerscheinungen beruhen, und sucht Rechenschaft zu geben von der Art der Kräfte und Bewegungen, welche die innere Energie der Körper bedingen. Im allgemeinen liegen die charakteristischen Vorzüge einer jeden dieser beiden Methoden offen: die erste ruht auf einer sehr einfachen, breiten und verhältnismässig fest fundierten Grundlage, muss sich aber dafür zunächst auch mit weniger speziellen Resultaten begnügen, während die andere, auf kühne, in experimentell gänzlich unzugängliche Gebiete eingreifende Voraussetzungen basiert, bis zu den letzten Fragen der Mechanik der Atome vorzudringen, unternimmt.

Indessen scheinen nach den ersten glänzenden Resultaten der kinetischen Gastheorie ihre neueren Fortschritte den daran geknüpften

Erwartungen nicht zu entsprechen; bei jedem Versuch, diese Theorie sorgfältiger auszubauen, haben sich die Schwierigkeiten in bedenklicher Weise gehäuft. Jeder, der die Arbeiten derjenigen beiden Forscher studiert, die wohl am tiefsten in die Analyse der Molekularbewegungen eingedrungen sind: Maxwell und Boltzmann, wird sich des Eindrucks nicht erwehren können, dass der bei der Bewältigung dieser Probleme zu Tage getretene bewunderungswürdige Aufwand von physikalischem Scharfsinn und mathematischer Geschicklichkeit nicht im wünschenswerten Verhältnis steht zu der Fruchtbarkeit der gewonnenen Resultate. Dazu kommt in der neuesten Zeit noch ein merkwürdiger Umstand. Die Erkenntnis der weittragenden Analogie, welche das Verhalten gelöster Stoffe in verdünnten Lösungen mit dem vollkommener Gase zeigt, ist von der kinetischen Theorie nicht nur nicht gefunden worden, sondern sie hat sogar mit sehr erheblichen Schwierigkeiten zu kämpfen, um von diesem Verhalten hinterher Rechenschaft zu geben, so dass auch ein weiterer Fortschritt in dieser Frage mit ihrer Hilfe wenigstens in der nächsten Zeit nicht zu erwarten steht.

Auf der anderen Seite hat sich die auffallende Thatsache gezeigt, dass die soeben erwähnte neuere Theorie der Lösungen nicht nur gestützt wird, sondern sogar geradezu mit angeregt worden ist durch die Anwendung der beiden Hauptsätze der Wärmetheorie, also auf dem oben von mir gekennzeichneten ersten Wege, der sich gerade durch die Vermeidung aller speziellen molekularen Vorstellungen auszeichnet. Wie ist es nun aber möglich, dass auf diesem Weg eine Erkenntnis gewonnen werden kann, die tiefer in die Welt der Moleküle blicken lässt, als selbst die kinetische Theorie, die doch ausdrücklich von bestimmten Vorstellungen über diese Welt ausgeht? Offenbar können die beiden Hauptsätze für sich allein genommen diese Leistung nicht vollbringen, es muss vielmehr noch ein anderes hinzukommen, und dieser Punkt ist es gerade, auf den ich im folgenden Ihre Aufmerksamkeit hinlenken möchte.

Im Interesse der Kürze muss ich hier verzichten auf eine nähere Besprechung der verschiedenen Formen, in die sich der zweite Hauptsatz der Wärmetheorie im Laufe der Zeiten entwickelt hat, und welche sich sämtlich dadurch charakterisieren lassen, dass der allgemeine Inhalt des Satzes, wie das in der mathematischen Physik auch in anderen Fällen zu geschehen pflegt, zurückgeführt ist auf die Lösung eines Maximal- oder Minimalproblems, sei es nun, dass man mit Gibbs die Entropie, oder mit Helmholtz die freie Energie, oder auch mit Duhem das thermodynamische Potential in den Vordergrund stellt. Nur so viel möchte ich betonen, dass diese verschiedenen Sätze nur verschiedene Ausdrücke für eine und dieselbe Sache sind, und also auch, auf die nämlichen Fälle richtig angewandt, immer übereinstimmende Resultate ergeben müssen. Der Unterschied in den Theorien der einzelnen genannten Forscher beruht im wesentlichen einzig und allein auf der Verschiedenheit der Prozesse, welche sie der Anwendung des zweiten Hauptsatzes zu Grunde legen.

Trotz der Bequemlichkeit, welche diese allgemeinen Methoden darbieten, findet man in den Arbeiten von Physikern und Chemikern bei Ableitungen neuer Folgerungen aus dem zweiten Hauptsatze sehr häufig nicht diese, sondern gewisse spezielle, für den betreffenden Zweck besonders ersonnene Kreisprozesse benutzt, auf die dann der primitive Satz, dass Wärme nicht ohne Kompensation in Arbeit übergehen kann, angewendet wird. Dies Verfahren, wiewohl es gewissermassen einen Verzicht auf die Benutzung eines höheren Standpunktes bedeutet, findet doch, wie mir scheint, seine vollkommene Berechtigung in dem Umstand, dass es sich bei der Ableitung eines neues Satzes immer empfiehlt, den Beweis möglichst direkt aus der Quelle zu schöpfen, statt ihn erst auf eine entferntere Folgerung der Theorie zu stützen, deren Zusammenhang mit dem Ausgangspunkt man vielleicht nicht mehr unmittelbar übersehen kann. Jene Quelle ist aber in unserem Falle ein Kreisprozess, der in jedem Augenblick wirklich ausgeführt werden könnte. Denn darauf muss ja schliesslich jede Folgerung aus dem zweiten Hauptsatz hinauskommen, dass man jede mit dieser Folgerung nicht übereinstimmende Erfahrung dazu verwerten könnte, um Wärme ohne Kompensation von tieferer auf höhere Temperatur zu bringen, oder, was hier dasselbe bedeutet, Wärme ohne Kompensation in Arbeit zu verwandeln, — gerade ebenso, wie der stärkste unter den allgemeinen Beweisen des ersten Hauptsatzes, oder des Prinzips der Erhaltung der Energie, wenigstens nach meiner Auffassung, nicht etwa auf der mechanischen Naturanschauung, sondern auf dem Umstande beruht, dass jede Erfahrung, die diesem Prinzip widerspräche, der Menschheit sofort ein Mittel zur Erschaffung von Arbeit aus dem Nichts in Aussicht stellen würde, ganz abgesehen von allen Hypothesen über das Wesen der Wärme, der Elektrizität u. s. w.

Stellen wir nun die entsprechende Frage beim zweiten Hauptsatze: Würden wir wirklich immer im stande sein, im Falle dass irgend eine der vielen aus diesem Satze gezogenen Folgerungen auch nur ein wenig von der Erfahrung abwiche, Wärme ohne Kompensation in Arbeit zu verwandeln? so ist die so gestellte Frage, — und zwar für sämtliche in Betracht kommende Folgerungen ohne alle Ausnahme — mit Nein zu beantworten. Der Grund dieses Paradoxons liegt in dem Umstande, dass alle aus dem zweiten Hauptsatz abgeleiteten Gleichungen auf der Betrachtung reversibler Prozesse beruhen, und dass alle reversiblen Prozesse nur ideal sind. Diese idealen Prozesse sind es nun aber gerade, welche die Anwendung des zweiten Hauptsatzes so ausserordentlich fruchtbar machen, sie liefern der theoretischen Forschung das stärkste und zugleich geschmeidigste Rüstzeug beim Eindringen in unbekannte Gebiete, sie sind daher auch als die wesentliche Ursache für deren mächtige Fortschritte in der neueren Zeit zu betrachten. Gehen wir im folgenden etwas näher auf ihre Berechtigung ein.

Noch am einfachsten zu erledigen sind diejenigen Prozesse, die nur deshalb ideal sind, weil sie, mathematisch gesprochen, unendlich lange Zeit brauchen, dadurch dass sie aus lauter Gleichgewichtszuständen bestehen. Hierher gehört die Ausdehnung eines Gases unter Überwindung eines Druckes, der dem Druck des Gases gleich ist, der Wärmeübergang von einem Körper zu einem anderen von gleicher Temperatur, das Auskrystallisieren eines Stoffes aus einer gerade gesättigten Lösung u. s. w. Hier kann man in der That immer zum Ziele kommen durch eine gewisse Grenzbetrachtung, indem der zur Einleitung des Prozesses notwendig erforderliche Überdruck, bezw. die Übertemperatur, die Übersättigung, immer kleiner und kleiner genommen wird.

Aber schon ganz andere Verhältnisse treffen wir in folgenden Fällen an. Die für die Abhängigkeit des Druckes einer homogenen Substanz von Temperatur und Dichte von van der Waals, Clausius u. a. angegebene sogenannte Zustandsgleichung enthält bekanntlich ausser den der Beobachtung zugänglichen stabilen Zuständen, in welchen die Substanz entweder dampfförmig oder flüssig ist, gewisse dazwischen liegende Zustände, entsprechend einer Dichte der Substanz, die zwischen der des Dampfes und der der Flüssigkeit liegt. Unter diesen sogenannten „theoretischen“ Zuständen kommen auch solche vor, in denen bei isothermer Veränderung der Druck mit dem Volumen zugleich wächst, die also niemals wirklich dargestellt werden können. Ihre Eigenschaften ergeben sich nur durch eine mathematische Extrapolation und können sich nur aus einer solchen ergeben. Und doch sind diese theoretischen Zustände durch die Anwendung des zweiten Hauptsatzes besonders fruchtbar geworden. Zuerst Maxwell, dann Clausius u. a. haben gezeigt, dass die Theorie der gesättigten Dämpfe mit Hilfe dieser theoretischen Zustände erschlossen werden kann, und zwar durch die Anwendung des zweiten Hauptsatzes auf einen reversibeln isothermen Kreisprozess, der zusammengesetzt ist aus der Verdampfung einer Flüssigkeit auf der theoretischen Isotherme, d. h. so, dass die Substanz beständig homogen bleibt, und der darauf folgenden Kondensation auf gewöhnlichem Wege, d. h. bei dem konstanten Druck des gesättigten Dampfes. Ein solcher Prozess ist nie ausführbar, und doch haben sich die aus ihm gezogenen Folgerungen als übereinstimmend mit der Erfahrung erwiesen.

Selbstverständlich kann man auf die Benutzung der theoretischen Zustände gänzlich verzichten, muss aber dann die Eigenschaften der gesättigten Dämpfe als unabhängig von der allgemeinen Zustandsgleichung behandeln und besondere Gesetze für sie aufsuchen, während sie im anderen Falle in der allgemeinen Zustandsgleichung zugleich mit enthalten sind. Dieser praktische Vorteil hat für die letztere Auffassung entschieden, wenigstens ist mir bis jetzt kein prinzipieller Einspruch dagegen bekannt geworden.

Es liessen sich im Anschluss hieran noch verschiedene einzelne Benutzungen solcher labiler Zustände namhaft machen; ich wende mich aber gleich zu einer anderen, hier noch wichtigeren Klasse von Erscheinungen, der Dissociation von Gasen. Betrachten wir das abnorme Verhalten, welches die Dichte gewisser Dämpfe, z. B. N_2O_4, dem Mariotte-Gay-Lussacschen Gesetze gegenüber zeigt. Wenn man auf näheres Eindringen in die Ursache dieser Abweichungen verzichten will, so kann man sich damit begnügen, die Zustandsgleichung für jeden solchen Dampf speziell zu bestimmen, muss aber dann die Dichte für alle Kombinationen von Temperatur und Druck immer wieder besonders aufsuchen. Aber eine einfache, durch chemische Gründe vielfach gestützte Vorstellung bringt Licht in diese verwickelten Verhältnisse. Wir denken uns den Dampf als Gemenge zweier verschiedener chemischer Verbindungen (N_2O_4 und NO_2), die jede für sich den Gesetzen von Mariotte, Gay-Lussac und Avogadro für vollkommene Gase folgen, deren Mengen aber in einem variablen Verhältnis stehen. Dann führt, wie Gibbs zuerst gezeigt hat, eine Anwendung des zweiten Hauptsatzes zu einer Bestimmung dieses variablen Verhältnisses, d. h. des Zersetzungsgrades, und dadurch zu einer Formel für die mittlere Dichte des Gemenges, die mit der Erfahrung vorläufig in befriedigender Übereinstimmung steht.

Worauf beruht nun aber diese Anwendung des zweiten Hauptsatzes? Wesentlich auf dem Umstande, dass die Entropie irgend eines Gasgemenges einfach gleich der Summe der Entropien der einzelnen Gase gesetzt wird, wenn jedes Gas für sich allein bei der gleichen Temperatur das ganze Volumen des Gemenges erfüllend gedacht wird, und diese Annahme ist wiederum gleichbedeutend mit der, dass das Gasgemenge immer ohne Kompensation (im Clausiusschen Sinn) in die einzelnen eben beschriebenen Teile getrennt werden kann. Das liesse sich wirklich ausführen, wenn man im Besitz von Gefässwänden wäre, welche für je ein Gas durchlässig, für die übrigen aber undurchlässig sind. Auf die Existenz solcher Gefässwände kommt also schliesslich der ganze Beweis hinaus. Nun giebt es allerdings für spezielle Kombinationen zweier Gase derartige halbdurchlässige Wände, die wenigstens mit grosser Annäherung die geforderten Eigenschaften besitzen, z. B. glühendes Platinblech, welches Wasserstoff durchlässt, Sauerstoff und andere Gase aber nicht. Ist man im Besitz einer solchen Wand, so lässt sich für das entsprechende Gasgemenge der angeführte Satz durch den Versuch beweisen, ohne irgend eine weitere Voraussetzung, und das ist ein höchst wichtiger Punkt; aber der Beweis gilt eben nur für diesen speziellen Fall. Die ungeheure Verallgemeinerung, die Gibbs diesem Satz gegeben hat, und die an und für sich unverantwortlich gewagt erscheinen müsste, beruht offenbar auf dem naheliegenden Gedanken, dass die Gültigkeit eines so fundamentalen Satzes, wie der von der Entropie eines Gemenges vollkommener Gase, nicht abhängen kann von dem zufälligen Umstande, ob wir gerade in jedem einzelnen Falle eine passende halbdurchlässige Wand wirklich zur Verfügung haben. Entweder gilt das Gesetz überhaupt nicht, oder es gilt allgemein; giebt man dies zu, dann genügt offenbar der Beweis in einem einzigen Fall.

Bei dem speziellen von uns besprochenen Problem handelt es sich um eine Mischung eines Gases mit seinen Zersetzungsprodukten. Wollte man also jede etwaige Abweichung des theoretischen Dissociationsgesetzes von der Erfahrung dazu benutzen, um Wärme ohne Kompensation in Arbeit zu verwandeln, so bedürfte man dazu etwa einer Wand, die für die Dissociationsprodukte durchlässig, für das unzersetzte Gas aber undurchlässig ist, und davon kann im allgemeinen jedenfalls nicht die Rede sein. Ja selbst wenn es eine solche halbdurchlässige Wand gäbe, so würde doch sogleich nach dem Beginn der Trennung der Dissociationszustand sich auf beiden Seiten der Wand wieder ändern und dadurch der ganze Zweck der Trennung vereitelt werden.

Und trotz alledem sind die auf die Ausführbarkeit solcher Prozesse gegründeten Folgerungen für die Beurteilung der Erfahrungsthatsachen von grösster Wichtigkeit geworden. Mit ihrer Hilfe ist zuerst van't Hoff, wesentlich unabhängig von Gibbs, in die Erforschung der Natur der Lösungen eingetreten und hat die Gesetze des osmotischen Druckes, sowie überhaupt der thermodynamischen Gleichgewichtszustände in Lösungen aus der idealen Benutzung solcher halbdurchlässiger Wände hergeleitet, wobei die kühne Verallgemeinerung der Pfefferschen Experimente durch einen ähnlichen Gedankengang wie der oben angeführte gerechtfertigt werden kann. Im strengen Sinn giebt es vielleicht überhaupt keine halbdurchlässige Wand; denn die Eigenschaft, die eine Substanz hierzu als geeignet erscheinen lässt, besteht doch wohl nur in einem besonders grossen Unterschied der Geschwindigkeiten, mit denen verschiedene Stoffe durch sie hindurchdiffundieren.

Das Verhalten des osmotischen Druckes gegenüber den Gesetzen von Mariotte und Gay-Lussac, besonders in verdünnten Lösungen, führte van't Hoff zu der wichtigen Analogie mit dem Verhalten der vollkommenen Gase, die sich in vielen Fällen auch dem Avogadroschen Gesetz gegenüber zeigte. Indessen treten, wie bei den Gasen, so auch hier in einer grossen Reihe von Fällen, besonders in elektrolytischen Lösungen, bestimmte Abweichungen vom Avogadroschen Gesetz auf, die sich z. B. in der anomalen Dampfdruck- und Gefrierpunktserniedrigung zu erkennen geben. Diese Ausnahmefälle lassen sich, wie bei den Gasen, durch die Annahme erklären, dass der gelöste Stoff nicht chemisch homogen, sondern ein Gemenge von undissociierten und dissociierten Bestandteilen ist, die jeder für sich dem Avogadroschen Gesetz folgen. Doch konnte die Analogie mit den Gasen allein noch nicht zur Dissociationstheorie der Lösungen führen, da dieser Analogie doch sicher irgendwo eine Schranke gesetzt ist, und man nicht von vornherein sagen kann, ob diese Schranke diesseits oder jenseits des Avogadroschen Gesetzes liegt.

Es giebt indessen einen idealen Prozess anderer Art, mit dessen Hilfe die hier in Betracht kommende Frage erledigt werden kann. Nach dem zweiten Hauptsatz der Wärmetheorie ist das gesamte Verhalten einer Lösung im thermodynamisch-chemischen Gleichgewicht bestimmt durch die Art, wie das Volumen, die Energie und die Entropie der Lösung abhängt von der Temperatur, dem Druck und den Molekülzahlen der gelösten Stoffe und des Lösungsmittels. Die schwierigste Grösse: die Entropie lässt sich nun speziell für verdünnte Lösungen angeben, wenn man einen Prozess als möglich annimmt, der die Lösung nur durch geeignete Temperatursteigerung, ohne dass die Moleküle der gelösten Stofie sich ändern, in den Zustand eines Gemenges vollkommener Gase bringt. In Wirklichkeit wird zwar ein solcher Prozess oft nicht ausführbar sein, weil in vielen Fällen bei den hohen Temperaturen, wie sie hier erforderlich sind, chemische Umsetzungen eintreten, und dadurch die Moleküle sich ändern werden; allein die Betrachtung eines derartigen idealen Vorganges liegt vollständig in dem Bereich der seit Gibbs in der Wärmetheorie mit Erfolg benutzten Methoden. Wenn nun mit Hilfe dieses Vorganges der Ausdruck für die Entropie einer verdünnten Lösung bestimmt wird, so ergiebt sich die Gültigkeit des Avogadroschen Gesetzes in dem oben besprochenen Sinne für sämtliche Lösungen, auch für die elektrolytischen, und ich habe daher, zu einer Zeit, als die elektrolytische Dissociationstheorie ihren Siegeslauf durch den Kontinent noch nicht begonnen hatte, auf das nachdrücklichste hervorgehoben, dass die Verfolgung der bekannten einfachen Prinzipien der Wärmetheorie notwendig zur Annahme einer chemischen Dissociation der gelösten Moleküle in allen Lösungen führen muss, die Abweichungen von den van't Hoffschen Gesetzen der Dampfspannung und des Gefrierpunktes zeigen, — und zwar ergiebt die gemessene Depression in jedem Falle die gesamte Anzahl der Moleküle sämtlicher gelöster Stoffe, unabhängig von ihrer Natur.

Es ist zwar selbstverständlich, dass dies Resultat, für sich allein genommen, auf die bis dahin in der Chemie üblichen Ansichten keinen nachhaltigen Einfluss ausgeübt hätte, zumal da jener Satz nur eben die Zahl der gelösten Moleküle, dagegen durchaus nichts über ihre Beschaffenheit, weder die chemische[1]), noch die elektrische, ergiebt, wodurch einer anschaulichen Vorstellung einstweilen jeder Anhaltspunkt entzogen bleibt —, aber er liefert doch heute, wo sich die Vorstellungen zu gunsten dieses Satzes geändert haben, einen unanfechtbaren historischen Beweis für die Leistungsfähigkeit der Theorie.

Zum Glück für dieselbe veröffentlichte fast gleichzeitig Svante Arrhenius seine erste Arbeit über die Dissociation der in Wasser gelösten Stoffe, in welcher die Möglichkeit und die Fruchtbarkeit einer solchen Annahme nicht auf einen einzigen allgemeinen Gedanken, sondern auf eine grosse Reihe von Thatsachen, elektrischer, thermischer und chemischer Natur, gegründet wurde. Alsbald vermehrten sich diese Thatsachen immer mehr und verschafften schliesslich mit erdrückender Gewalt in verhältnismässig sehr kurzer Zeit der Arrheniusschen Dissociationstheorie allgemeinere Anerkennung. Nachdem einmal der Boden für die neue Theorie geebnet war, folgten sich die Bestätigungen und Erweiterungen, wie bekannt, in überraschender Weise, zum grossen Teil vermittelt durch die Benutzung eben solcher idealen Prozesse, wie wir sie betrachtet haben. Hier haben sich ausser van't Hoff und Arrhenius speziell Ostwald und Nernst die grössten Verdienste erworben.

Ich möchte mich jedoch hier zum Schluss beschränken auf die Erwähnung eines Satzes, der in besonders schlagender Weise die Frucht-

[1]) Dieser Umstand ist bei weiteren Folgerungen wohl zu beachten.

barkeit der geschilderten Theorie beweist: das Gesetz der Abhängigkeit des Leitungsvermögens eines Elektrolyten, bezw. des Grades der Zersetzung der nichtleitenden Moleküle in leitende Ionen, von der Verdünnung. Dies Gesetz ist zuerst von Ostwald auf theoretischem Wege abgeleitet worden, während die experimentelle Bestätigung dazu schon längere Zeit bereit lag. Die theoretische Ableitung beruht einfach auf der Anwendung der Gibbsschen Dissociationstheorie der Gase, die ich oben besprochen habe, sie besitzt also nicht weniger und nicht mehr Wert als jene. Sollte daher eine Erfahrungsthatsache in Widerspruch zu diesem Gesetz treten, so könnte man dieselbe nur dann dazu benutzen, um Wärme ohne Kompensation in Arbeit zu verwandeln, wenn sich ein reversibler Prozess ausführen liesse, durch welchen die Ionen von den unzersetzten Molekülen getrennt würden. Wohlverstanden handelt es sich hier nicht um eine Trennung der entgegengesetzt elektrisch geladenen Ionen voneinander, — das wäre auch in der Idee ein unmöglicher Vorgang. Aber auch eine Trennung der Ionen einerseits von den ganzen Molekülen andererseits ist aus demselben Grunde in Wirklichkeit unausführbar wie der entsprechende Prozess bei teilweise dissociierten Gasen; der Beweisgang kann also nicht durch ein Experiment realisiert werden. Und doch zeigt gerade dieser Satz den hohen Wert der theoretischen Methode in besonders günstigem Licht. Zu wiederholten Malen hat Ostwald selber hervorgehoben, dass er vor der Begründung der Dissociationstheorie Jahre lang vergeblich nach einer Formel gesucht habe, welche alle Erfahrungen bezüglich der Abhängigkeit des molekularen Leitungsvermögens von der Verdünnung in befriedigender Weise wiedergäbe. Was also keine empirische Formel a posteriori leisten konnte, das ist durch die theoretische Formel a priori geleistet worden. — Ähnliches liesse sich über die Theorie der isohydrischen Lösungen von Arrhenius und andere Theorien sagen.

Angesichts dieser unzweifelhaften Erfolge wird man nicht umhin können, die geschilderten idealen Prozesse als ein höchst wertvolles Hilfsmittel der Forschung anzuerkennen und zu erwarten, dass sie, richtig angewandt, uns auch fernerhin die Erkenntnis neuer Wahrheiten vermitteln können. Ja, ich stehe nicht an, sie für einen besonderen Triumph des menschlichen Geistes zu halten, der mit ihrer Hilfe den Zusammenhang der Naturgesetze bis in Gebiete hinein verfolgen kann, die dem direkten Experiment gänzlich verschlossen sind. Doch möchte dies nicht dahin verstanden werden, als ob ich den idealen Prozessen von vornherein irgend eine beweisende Kraft zuschreiben wollte; eine solche kann immer nur ein Gedankengang besitzen, der sich in jeder Phase seiner Entwickelung durch eine sinnliche Wahrnehmung verifizieren lässt. Dem idealen Prozess wird vielmehr die Rolle eines Pfadfinders zuzuweisen sein, und zwar eines Pfadfinders, dessen Angaben einfach und verständlich lauten, in der Regel eine sehr grosse Allgemeinheit besitzen und dabei doch auf verhältnismässig mühelose Weise zu gewinnen sind, und der endlich, wie wohl zu bemerken ist, bis jetzt noch in keinem einzigen Falle auf Irrwege geführt hat.

Freilich kann nicht genug betont werden, dass die verlockende Bequemlichkeit der idealen Prozesse eine um so grössere Vorsicht in ihrer Benutzung zur Pflicht macht. Namentlich sollte man jedesmal bei der Beschreibung eines idealen Prozesses aufs sorgfältigste untersuchen, ob seine Ausführbarkeit nicht anderen schon bekannten Sätzen widerspricht. Dann würden solche Missgriffe nicht vorkommen, wie der, einen idealen Prozess für möglich zu erklären, durch welchen Wärme ohne Kompensation in Arbeit verwandelt wird; denn dieser Vorgang kommt, wie Clausius längst gezeigt hat, genau auf den anderen hinaus, Wärme ohne Kompensation aus einem kälteren in einen wärmeren Körper zu schaffen. Logischerweise muss man entweder beide Prozesse für möglich halten — dann fällt überhaupt der Unterschied zwischen reversibeln und irreversibeln Prozessen fort, und der zweite Hauptsatz der Wärmetheorie mit allen daraus gezogenen Konsequenzen ist aufgehoben, — oder man muss beide verneinen; dann hat der zweite Hauptsatz in seinem ganzen Umfang Gültigkeit.

Sollte aber die Methode der idealen Prozesse wirklich einmal in die Irre führen, d. h. sollte man eines Tages auf dem eingeschlagenen Wege zu einem Satze gelangen, der der Erfahrung nachweisbar widerspricht — was ich durchaus nicht als undenkbar hinstellen möchte —, so wäre das nicht als ein Nachteil, sondern erst recht als ein Gewinn von allerhöchster Bedeutung zu betrachten. Denn dadurch würde uns zum erstenmal die Aussicht eröffnet, die solange vergeblich gesuchte Grenze festzustellen, bis zu welcher die Gültigkeit der idealen Prozesse und vielleicht auch des zweiten Hauptsatzes überhaupt reicht. Eine lebens- und entwickelungsfähige Theorie geht ja den Widersprüchen nicht aus dem Wege, sondern sucht sie im Gegenteil auf, denn nur aus Widersprüchen, nicht aus Bestätigungen kann sie den Trieb zur weiteren Fortbildung schöpfen. Unter allen Umständen besitzen wir also kein besseres Mittel zum näheren Eindringen in diese Prinzipienfragen, als dass wir unparteiisch untersuchen, wohin man auf der einmal mit Erfolg betretenen Bahn kommt, und dabei in erster Linie nach solchen Ergebnissen trachten, die sich an der höchsten Instanz, der Erfahrung, prüfen lassen. Darin liegt dann zugleich auch der beste, der einzige Schutz gegen die Gefahren eines Abwegs.

Zur Thermodynamik und Dissociationstheorie binärer Elektrolyte

Durch die neueren exakten Messungen, welche H. Jahn[1]) zur Bestimmung der elektromotorischen Kraft von Konzentrationsketten binärer Elektrolyte ausgeführt hat, sind eine Reihe von Fragen, die für die Thermodynamik wie für die elektrolytische Dissociationstheorie gleich fundamentale Bedeutung besitzen, wieder mehr in den Vordergrund des Interesses gerückt worden. In einer lebhaften Diskussion, welche sich namentlich in dieser Zeitschrift an die Deutung jener Messungen knüpfte, wurde der Zusammenhang zwischen Dissociationsgrad, elektrischem Leitungsvermögen, osmotischem Druck, elektromotorischer Kraft eines Konzentrationselements, Dampfspannung und Gefrierpunktserniedrigung von verschiedenen Gesichtspunkten aus erörtert[2]), und wenn auch eine definitive Entscheidung aller aufgeworfenen Fragen zur Zeit noch aussteht — denn hierfür sind weitere Messungen erforderlich —, so sind dadurch die anfänglich vielfach auseinandergehenden Meinungen doch wenigstens zum Teil geklärt und manche Missverständnisse berichtigt worden.

Nichtsdestoweniger scheint es mir, als ob die gegenwärtige Lage des ganzen Problems aus jener Diskussion noch nicht in allen Punkten mit derjenigen Deutlichkeit hervorgeht, welche dem heutigen Stande unserer theoretischen Kenntnisse entspricht. Vor allem vermisst man eine scharfe Trennung dessen, was sich vom Standpunkt der reinen Thermodynamik aus, d. h. unter alleiniger Benutzung der beiden Hauptsätze, bezüglich der genannten Vorgänge folgern lässt, und dessen, was die Dissociationstheorie zu diesen Folgerungen noch hinzugefügt hat. Nur Henry

---

[1]) Diese Zeitschr. **33,** 545 (1900).

[2]) Vergl. u. a. H. Jahn, Diese Zeitschrift **35,** 1 (1900); **36,** 453 (1901); **37,** 490 (1901); **38,** 125 (1901). — Sv. Arrhenius, Diese Zeitschr. **36,** 28 (1901); **37,** 315 (1901). — W. Nernst, Diese Zeitschr. **36,** 596 (1901); **38,** 487 (1901). — Henry J. S. Sand, Diese Zeitschr. **36,** 499 (1901).

J. S. Sand geht in seiner gründlichen thermodynamischen Studie etwas auf diese Frage ein, aber doch schliesslich nur auf eine Seite derselben; die übrigen genannten Autoren stellen sich alle von vornherein auf den Boden der Dissociationstheorie und gründen auf ihn ihre Schlüsse.

Nun muss aber gerade bei einer Frage, die, wie die hier vorliegende, die Dissociationstheorie direkt an der Wurzel fasst, eine möglichst durchsichtige Trennung dieser Theorie von der reinen Thermodynamik von prinzipieller Wichtigkeit erscheinen. Denn es liegt sonst, wie schon wiederholt zu beobachten war, die Gefahr vor, dass ein Satz, den man mit Benutzung der Dissociationstheorie aufgefunden hat, und der durch die Erfahrung vollständig bestätigt wird, wie z. B. der Zusammenhang der elektromotorischen Kraft einer Konzentrationskette mit der Gefrierpunktserniedrigung oder dem osmotischen Druck, nun als ein Beweis oder wenigstens als eine Stütze für die Dissociationstheorie aufgefasst wird, während er doch vielleicht thatsächlich nichts anderes darstellt als eine Folgerung der reinen Thermodynamik. Andererseits wiederum wird man eine auf dem gleichen Wege aufgefundene physikalische Beziehung, die durch die Erfahrung noch nicht hinreichend gestützt erscheint, dennoch als zuverlässig richtig betrachten, sobald man weiss, dass sie sich auch unabhängig von der Dissociationstheorie ableiten lässt.

Die hier geschilderte Lücke habe ich in den nachfolgenden Ausführungen zu ergänzen gesucht. Dass dabei keine prinzipiell neuen Beziehungen gewonnen werden, liegt in der Natur der Sache; dass aber eine solche Zusammenstellung sicher nicht überflüssig ist, ersehe ich aus einer gelegentlichen Bemerkung von W. Nernst[1]), in welcher ein Zweifel darüber ausgedrückt wird, ob eine völlig exakte Behandlung der Frage nach dem Zusammenhang des Dampfdrucks mit dem osmotischen Druck für Lösungen von ganz beliebiger Konzentration überhaupt vorliegt.

Der Inhalt des Aufsatzes zerfällt in drei Teile. Im ersten wird eine Reihe von Sätzen zusammengestellt, welche sich aus der reinen Thermodynamik, unabhängig von jeder Molekulartheorie, ableiten lassen, und welche für jede beliebige Konzentration und ohne Rücksicht auf molekulare Vorgänge, wie z. B. Dissociation, Association, Hydratbildung, Gültigkeit besitzen. Der zweite Teil enthält die nämlichen Sätze, verknüpft mit den weitergehenden Folgerungen der elektrolytischen Dissociationstheorie, und der dritte eine Besprechung der Methode, den

[1]) Diese Zeitschr. **36**, 600 (1901).

Dissociationsgrad eines Elektrolyten aus der elektrischen Leitfähigkeit zu berechnen, bezüglich deren ich mich den von H. Jahn, W. Nernst u. a. geäusserten prinzipiellen Bedenken anschliessen zu müssen glaube.

I. Sätze, welche unabhängig von jeder Molekulartheorie für jede Konzentration gelten.

Wir denken uns, um die Ideen zu fixieren, eine wässerige Lösung eines binären Elektrolyten, von der absoluten Temperatur T und unter dem hydrostatischen Druck p, welche in 1 g Wasser c g des Elektrolyten gelöst enthält. Die Quantität der Lösung sei so gross gewählt, dass die Hinzufügung oder die Entziehung von 1 g Wasser die Konzentration der Lösung nicht merklich ändert. Ausserdem denken wir uns eine zweite Lösung desselben Elektrolyten von der Konzentration $c + dc$, wobei dc eine positive, als unendlich klein zu betrachtende Zahl darstellen möge, während dagegen c beliebig gross sein kann.

Wenn die beiden Lösungen mit identischen, aus der Substanz des Kations bestehenden, aber nicht direkt chemisch angreifbaren Elektroden versehen und miteinander in Berührung gebracht werden, so bilden sie ein Konzentrationselement von der elektromotorischen Kraft dE, wobei sich die Elektrode der zweiten, konzentrierteren Lösung positiv ladet gegen die andere Elektrode. Ferner besitzt die zweite Lösung eine um dp kleinere Dampfspannung, einen um dT tieferen Gefrierpunkt und einen um dP grösseren osmotischen Druck als die erste, verdünntere Lösung.

Zwischen diesen Grössen liefert nun die reine Thermodynamik, in Verbindung mit dem Faradayschen elektrolytischen Grundgesetz, falls man von Oberflächenwirkungen, von der Gravitation, vom magnetischen Erdfeld und von anderen sekundären Einflüssen absieht, die ganz allgemeinen und völlig genauen Beziehungen:

$$\frac{\eta c \,.\, dE}{(1-n)T} = \frac{s \,.\, dp}{T} = \frac{r \,.\, dT}{T^2} = \frac{s' \,.\, dP}{T}$$
$$= \varphi \,.\, dc.$$

Hierbei bedeutet η die Elektrizitätsmenge, welche durch eine Lösung gehen muss, damit 1 g des Elektrolyten zersetzt wird, n ist die Hittorf-G. Wiedemannsche Überführungszahl des Kations bei der Konzentration c. Die positiven Grössen s, r und s' beziehen sich auf Vorgänge, die erfolgen, wenn 1 g Wasser bei konstant gehaltener Temperatur und konstant gehaltenem Druck unendlich langsam aus der Lösung von der Konzentration c austritt, bez. in sie eintritt. Es ist nämlich s die

Volumvermehrung, welche im Ganzen entsteht, wenn 1 g Wasser verdampft, r die mechanisch gemessene Wärme, welche frei wird, wenn 1 g Wasser gefriert, und s' die Volumvermehrung, welche die Lösung erfährt, wenn sie mit 1 g Wasser verdünnt wird. (Wenn r nicht die Gefrierwärme, sondern die Verdampfungswärme bedeutet, so bezeichnet dT die Differenz der Siedepunkte beider Lösungen.) Die positive Grösse φ ist unmittelbar verwandt mit dem thermodynamischen Potential der Lösung, sie hängt im allgemeinen ab von der Konzentration c, der Temperatur T und dem Druck p; in welcher Weise aber, das lässt sich auf Grund der reinen Thermodynamik nicht von vornherein ableiten; hierüber giebt erst die van't Hoffsche Molekulartheorie in Verbindung mit der Arrheniusschen Dissociationstheorie näheren Aufschluss.

Was den Beweis der angeführten Gleichungen anbetrifft, so findet sich derselbe für die erste Gleichung in der Abhandlung von Helmholtz[1]): „Über galvanische Ströme, verursacht durch Konzentrationsunterschiede", durchgeführt; bezüglich der übrigen Gleichungen kann ich auf meine „Vorlesungen über Thermodynamik" verweisen[2]).

Bei der Anwendung der für den osmotischen Druck P gegebenen Beziehung ist zu beachten, dass der osmotische Druck einer Lösung, d. h. die hydrostatische Druckdifferenz zwischen reinem Wasser und der davon durch eine semipermeable Wand getrennten Lösung, ausser von der Konzentration c der Lösung und von der Temperatur T auch abhängig ist von dem hydrostatischen Druck, unter welchem die Lösung, bez. das angrenzende reine Wasser steht, also, wenn z. B. das reine Wasser an freie Luft grenzt, vom Barometerstand. Daher ist auch der osmotische Druck einer Lösung ein anderer, wenn sie an freier Luft steht, als wenn sie durch eine semipermeable Wand gegen Wasser, das an freier Luft steht, abgeschlossen ist. Die obige Differenz dP ist so zu verstehen, dass das an die beiden Lösungen grenzende reine Wasser unter demselben Druck steht. Ganz allgemein verhält sich die Änderung des osmotischen Druckes zur Änderung des hydrostatischen Druckes einer Lösung wie die bei Verdünnung mit 1 g Wasser im Ganzen eintretende Volumkontraktion zum Volum von 1 g reinem Wasser. Wenn also die Lösung bei weiterer Verdünnung eine positive Volum-

---

[1]) Wied. Ann. **3**, 201 (1878); Ostwalds Klassiker Nr. **124**. Dort ist der reziproke Wert des Produktes ηc, nämlich die Wassermenge, welche ein elektrochemisches g-Äquivalent des Elektrolyten gelöst enthält, mit q bezeichnet.

[2]) Leipzig 1897: Gleichung (175) und Gleichung (189). Um die Grössen dp, dT, r und s' positiv zu machen, sind sie hier mit entgegengesetzten Vorzeichen definiert.

kontraktion zeigt, so wächst der osmotische Druck mit steigendem äusseren Druck, und umgekehrt.

Ich führe diesen Satz an nicht nur als ein Beispiel dafür, dass die Theorie des osmotischen Druckes auch vom Standpunkt der reinen Thermodynamik aus, abgesehen von jeder Molekulartheorie, gewisse vollkommen streng gültige Beziehungen erkennen lässt, sondern auch deshalb, weil die Meinung vorzukommen scheint, als ob der osmotische Druck vom äusseren Druck wesentlich unabhängig sei oder höchstens sekundär durch die Kompressibilität der Lösung beeinflusst würde. Die Abhängigkeit des osmotischen Druckes vom äusseren Druck hat, wie man sieht, mit der Kompressibilität der Lösung garnichts zu thun, sondern nur mit dem Umstand, dass die Lösung bei weiterer Verdünnung Volumkontraktion zeigt. Erst wenn und insoweit diese Volumkontraktion fortfällt, wird der osmotische Druck vom äusseren Druck unabhängig. Messungen darüber sind mir bisher nicht bekannt geworden, obwohl der Einfluss des Barometerstandes in manchen Fällen vielleicht nicht unschwer nachzuweisen wäre.

Wenn nun die angeführten Beziehungen lauter allgemein gültige Konsequenzen der reinen Thermodynamik vorstellen, so ist es vielleicht nicht minder wichtig, auch auf der anderen Seite zu betonen, dass diese Beziehungen, und diejenigen, welche aus ihnen durch Integration oder durch sonstige rein mathematische Operationen abgeleitet werden können, auch alles enthalten, was aus den beiden Hauptsätzen der Thermodynamik allein über den Zusammenhang zwischen den entsprechenden Vorgängen gefolgert werden kann. Man findet nämlich merkwürdigerweise noch gegenwärtig nicht selten kostbare Zeit und Mühe darauf verwendet, durch Ersinnung neuer verwickelter Kreisprozesse dem zweiten Hauptsatze neue allgemein gültige Beziehungen abzugewinnen, obwohl es doch von vornherein nicht schwierig sein dürfte, einzusehen, dass auch durch die künstlichsten Betrachtungen aus diesem Satz nicht mehr herausgeholt werden kann, als eben überhaupt darin steckt[1]).

Wir wollen nun, um zum Inhalt des nächsten Teiles hinüberzuleiten, an den obigen Gleichungen noch eine kleine formelle Änderung vor-

---

[1]) Hierher rechne ich auch die scharfsinnigen Betrachtungen von G. N. Lewis (Diese Zeitschr. **38**, 205. 1901), durch welche u. a. versucht wird, den Begriff des Druckes, der auf einer Flüssigkeit lastet, allgemeiner zu fassen. Alle dort gefundenen Resultate einschliesslich der Grenzen ihrer Gültigkeit lassen sich viel einfacher und übersichtlicher aus den allgemeinen Gleichungen deduzieren, welche in der Thermodynamik für diesen und ähnliche Zwecke längst bereit gestellt sind.

nehmen, indem wir die Zusammensetzung einer Lösung nicht durch das Verhältnis c der in ihr enthaltenen Gewichtsmengen von Elektrolyt und Wasser, sondern durch das Verhältnis C der entsprechenden Molekülzahlen, d. h. durch die „molekularen“ Konzentrationen, ausdrücken. Bezeichnen also m_0 und m die Molekulargewichte des Wassers und des Elektrolyten, und zwar beide für das normale einfache Molekül, so ist:

$$C = \frac{m_0}{m}\, c,$$

und wenn man ebenso die Volumänderung v, die Wärmetönung q und die elektrische Ladung ε, statt auf die Gewichtseinheit, auf das Molekulargewicht bezieht, so ist:

$$v = m_0 s, \qquad q = m_0 r, \qquad \varepsilon = m\eta,$$

und die obigen Gleichungen gehen über in:

$$\frac{\varepsilon C . dE}{(1-n)T} = \frac{v . dp}{T} = \frac{q . dT}{T^2} = \frac{v' . dP}{T}$$
$$= m\varphi . dC.$$

II. Sätze, welche der elektrolytischen Dissociationstheorie eigentümlich sind.

Zu den vorigen Beziehungen, welche für beliebige Lösungen, unabhängig von dem Molekularzustand des Lösungsmittels und des Gelösten, gelten, hat die Dissociationstheorie neue hinzugefügt, welche im Grunde darauf hinauskommen, dass die in dem letzten Ausdruck auftretende positive Grösse φ direkt aus der Konzentration der Lösung berechnet werden kann, wodurch dann alle oben besprochene Vorgänge: die elektromotorische Kraft, die Dampfspannung, die Siedepunktserhöhung, die Gefrierpunktserniedrigung und der osmotische Druck ebenfalls unmittelbar auf die Konzentration zurückgeführt erscheinen. Allerdings gelten die Sätze der Dissociationstheorie zunächst nur für Lösungen im Zustande idealer Verdünnung, die wir daher zuerst ins Auge fassen wollen.

Wie verdünnt eine Lösung anzunehmen ist, damit sie den Bedingungen der idealen Verdünnung Genüge leistet, kann man ebensowenig allgemein sagen, wie es auch unmöglich ist, ganz allgemein die Dichte anzugeben, welche ein Gas höchstens haben darf, damit es sich im idealen Gaszustand befindet. Nur so viel wird sich von vornherein behaupten lassen, dass, wie alle Gase, so auch alle Lösungen mit zunehmender Verdünnung in den idealen Zustand übergehen werden.

Eine allgemein brauchbare Definition des Zustandes der idealen

Verdünnung gewährt der folgende Satz: Eine Lösung hat dann den Zustand der idealen Verdünnung erreicht, wenn die Wirkungen, welche die gelösten Moleküle, einschliesslich der Ionen, aufeinander ausüben, verschwindend klein geworden sind gegenüber den Wirkungen, welche sie von den Molekülen des Lösungsmittels erleiden. Eine unmittelbare Folge dieser Bedingung ist nämlich, dass das Volum und die Energie der Lösung linear von den Konzentrationen der gelösten Moleküle abhängen, und dass sich aus dieser linearen Abhängigkeit alle für den idealen Verdünnungszustand gültigen Gesetze herleiten lassen, habe ich schon vor Jahren gezeigt[1]).

Nehmen wir nun für die betrachtete Lösung von der durch Analyse gemessenen molekularen Konzentration C den Zustand der idealen Verdünnung als erreicht an, so gilt die Beziehung:

$$m\varphi . dC = R . dC'.$$

Hier ist R die sogenannte absolute Gaskonstante, und C' ist die Summe der Konzentrationen aller gelösten Molekülarten, falls jedes Ion als besonderes Molekül gerechnet wird. Der Quotient $C' : C$ ist der van't Hoffsche isotonische Koëffizient i, für schwachdissociierte Elektrolyte nahezu $= 1$, für starkdissociierte binäre Elektrolyte nahezu $= 2$.

Die Schlüsse der Dissociationstheorie gehen aber noch weiter; denn diese Gleichung allein würde im Grunde nichts weiter als die Definition einer neuen Grösse C' (bezw. i) vorstellen. Aus der thermodynamischen Bedingung des Dissociationsgleichgewichts folgt nämlich, falls man nur drei Arten von gelösten Molekülen, nämlich die undissociierten Moleküle und die beiden Ionenarten des binären Elektrolyten als in der Lösung vorhanden annimmt, deren Konzentrationen beziehlich C_1 und $C_2 = C_3$ betragen:

$$\frac{C_2^2}{C_1} = \text{konstant},$$

wobei $C_1 + C_2 = C$ und $C_1 + 2\,C_2 = C'$.

Hiernach ist die Abhängigkeit der „wahren“ Gesamtkonzentration C' der gelösten Moleküle von der durch Analyse festzustellenden „normalen“ Gesamtkonzentration C durch die Gleichung bestimmt:

$$\frac{(C' - C)^2}{2\,C - C'} = \text{konstant},$$

und alle wirklichen Prüfungen der Dissociationstheorie ideal verdünnter binärer Elektrolyte in ihrer Anwendung auf die oben betrachteten ver-

---

[1]) M. Planck, Wied. Ann. **32**, 486 (1887): Vorlesungen über Thermodynamik S. 213.

schiedenen Vorgänge laufen darauf hinaus, dass man C durch Analyse, C' durch Messung irgend eines aus der obigen Reihe ausgewählten Vorganges bestimmt und dann die Konstanz des letzten Ausdrucks untersucht. Sobald derselbe eine merkliche Abhängigkeit von der Konzentration zeigt, muss man schliessen, dass eine der gemachten Voraussetzungen nicht erfüllt ist. Dann verlieren die letzten Gleichungen ihre Gültigkeit, und auch die Berechnung des Dissociationsgrades aus ihnen wird unstatthaft.

Was nun die besonders bei starken Elektrolyten gefundenen Abweichungen von den angeführten einfachen Gesetzen der Dissociationstheorie anbelangt, so lässt sich die Erklärung dafür auf zwei gänzlich verschiedenen Wegen suchen, je nachdem die Abweichungen auf chemische oder auf physikalische Umstände zurückgeführt werden. Welche von beiden Erklärungsarten die richtige ist, kann von vornherein nicht entschieden werden; im allgemeinen wird man annehmen müssen, dass beide nebeneinander in Betracht zu ziehen sind. Auch bei den Gasen, wo die Verhältnisse einigermassen analog liegen, lässt sich ja kein allgemeines Kriterium dafür angeben, ob die Abweichungen von den einfachen Gasgesetzen, wie sie z. B. in der Veränderlichkeit der spezifischen Dampfdichte zum Ausdruck kommen, chemischen Ursachen, nämlich der Bildung neuer Molekülarten, oder physikalischen Ursachen, nämlich besonderen Wechselwirkungen zwischen den gewöhnlichen Molekülen zugeschrieben werden müssen. Der Schwefeldampf liefert hierfür ein bekanntes, noch heute umstrittenes Beispiel.

Die chemische Erklärung der Abweichungen von den einfachen Gesetzen für Lösungen binärer Elektrolyte beruht auf der Annahme, dass in einer solchen Lösung nicht allein die normalen undissociierten Moleküle und die beiden Ionenarten vorkommen, sondern dass ausserdem noch andere Molekülarten, die etwa durch die Bildung komplexer Ionen, oder durch die Wechselwirkungen der Elektrolyte mit dem Lösungswasser, also durch Hydratbildung oder durch Hydrolyse, entstehen, in merklicher Anzahl vorhanden sind. Ferner ist bekannt, eine wie bedeutende Rolle bei sehr grossen Verdünnungen kleine unvermeidliche Verunreinigungen des Lösungswassers, ja selbst die eigenen Ionen des reinen Wassers spielen. Alle diese Umstände sind offenbar geeignet, Abweichungen von dem einfachen Gesetz des Dissociationsgleichgewichts zu bewirken, und zwar um so stärkere, je verdünnter die Lösung genommen wird. Letzteres charakterisiert überhaupt die chemischen Einflüsse gegenüber den physikalischen.

Die physikalische Erklärungsart der in Rede stehenden Abweichungen gründet sich auf die Einführung der physikalischen Wechselwirkungen der gelösten Moleküle, sei es der undissociierten Moleküle oder der Ionen, untereinander. Quantitativ hat in neuester Zeit H. Jahn[1]) diesen Einfluss näher verfolgt und ist dabei zu Resultaten gekommen, die der weiteren Prüfung in hohem Grade wert erscheinen müssen. Kurz darauf hat auch W. Nernst[2]) denselben Weg beschritten unter Benutzung eines nur wenig verschiedenen Ausgangspunktes. Es handelt sich dabei im wesentlichen um die Verallgemeinerung der Gleichgewichtsgleichungen durch Einführung von Gliedern mit höheren Potenzen der Konzentrationen, welche eben durch die Wechselwirkungen der gelösten Moleküle bedingt sind. H. Jahn nimmt diese Verallgemeinerung in den Ausdrücken des Volums und der Energie der Lösung vor, während W. Nernst von einem speziellen Gleichgewichtszustand, nämlich dem der Lösung in Berührung mit dem theoretischen Dampf ihrer Moleküle und Ionen, ausgeht. Von der Ausführung neuer Messungen wird es abhängen, wie weit man auf Grund dieser Verallgemeinerung der einfachen Dissociationstheorie zu einer quantitativen Erklärung der Abweichungen von den einfachen Gleichgewichtssätzen und damit zu einer befriedigenden Berechnung des Dissociationsgrades auch für stark dissociierte Elektrolyte gelangen kann. Ob aber zu diesen Messungen die elektromotorische Kraft einer Konzentrationskette oder die Gefrierpunktserniedrigung oder die Siedepunktserhöhung oder die Dampfspannungserniedrigung oder der osmotische Druck benutzt wird, ist prinzipiell vollkommen gleichgültig, da alle die genannten Vorgänge durch die im ersten Teil dieses Aufsatzes zusammengestellten thermodynamischen Gleichungen verbunden sind; hier müssen lediglich Zweckmässigkeitsrücksichten entscheiden. Immer wird die anzustellende Prüfung, soweit sie sich auf die genannten Vorgänge bezieht, darauf hinauskommen, dass durch eine solche Messung die thermodynamische Grösse φ bestimmt wird, und deren Abhängigkeit von der durch Analyse festgestellten Konzentration C der Lösung verglichen wird mit derjenigen Abhängigkeit, die sich aus der entwickelten Theorie ergiebt.

III. Zur Berechnung des Dissociationsgrades aus dem elektrischen Leitvermögen und aus Reaktionsgeschwindigkeiten.

Eine wenn auch noch so kurz gefasste Besprechung der verschiedenen Methoden zur Bestimmung des Dissociationsgrades binärer Elek-

---

[1]) Diese Zeitschr. **37**, 490 (1901); **38**, 125 (1901).

[2]) Diese Zeitschr. **38**, 487 (1901).

trolyte darf in keinem Falle die Methode der elektrischen Leitfähigkeit unerwähnt lassen, welche sowohl nach ihrer Bedeutung für die historische Entwickelung der elektrolytischen Dissociationstheorie, als auch nach der Schärfe und Bequemlichkeit des Messungsverfahrens mit an vorderster Stelle steht. Indessen sind diese Vorzüge für die prinzipielle Bedeutung dieser Methode offenbar noch nicht entscheidend; denn hierbei kommt es vielmehr auf die Zuverlässigkeit der Grundannahmen an, auf welchen dieselbe beruht. Nun hat die Berechnung des Dissociationsgrades aus dem elektrischen Leitvermögen zur unumgänglichen Voraussetzung, dass die Zunahme der molekularen Leitfähigkeit mit der Verdünnung durch keinen anderen Umstand beeinflusst wird, als durch die fortschreitende Dissociation, oder mit anderen Worten, dass die Beweglichkeit der Ionen, d. h. die Geschwindigkeit, welche ein gelöstes Ion unter der Einwirkung der Kraft 1 in der Lösung annimmt, unabhängig ist von der Konzentration der Lösung. Dieser letzte Satz ist es aber, dessen Gültigkeit mir durch keine Thatsache erwiesen zu sein scheint.

Die Ionenbeweglichkeit hängt jedenfalls eng zusammen mit dem Reibungswiderstand, den die Ionen in der Lösung erfahren, und dieser hinwiederum wird einerseits von den Molekülen des Lösungsmittels, andererseits aber auch von den gelösten Molekülen, bez. Ionen abhängig sein können; in welcher Weise, lässt sich zwar von vornherein nicht übersehen, aber so viel wird man als ziemlich sicher betrachten müssen, dass im Zustand idealer Verdünnung, wo die Wechselwirkungen der gelösten Moleküle untereinander in Wegfall kommen gegenüber den Wirkungen des Lösungsmittels auf das Gelöste, die Beweglichkeit eines Ions ausser durch seine eigene Natur allein durch die Beschaffenheit des Lösungsmittels bedingt sein wird und mithin unabhängig ist von dem Grade der Verdünnung. In diesem Falle kann der Einfluss der Verdünnung auf das Leitvermögen nur auf einer Veränderung des Dissociationsgrades des Elektrolyten beruhen, und daraus ergiebt sich die Beziehung zwischen Leitfähigkeit und Dissociationsgrad, welche mit Benutzung der oben angeführten Formel für das Dissociationsgleichgewicht in der Lösung zum Ostwaldschen Gesetz der Abhängigkeit des Leitvermögens von der Verdünnung führt. Die experimentelle Bestätigung dieses Gesetzes in zahlreichen Fällen ist ein Beleg für die Zulässigkeit der gemachten Voraussetzungen und rechtfertigt also auch die Annahme der Konstanz der Ionenbeweglichkeit und die Berechnung des Dissociationsgrades aus dem Leitvermögen in diesen Fällen.

Anders ist es aber bei Lösungen, die sich nicht im Zustand idealer Verdünnung befinden. Hier treten die Wechselwirkungen der gelösten chungen gründet sich auf die Einführung der physikalischen Wechselwirkungen der gelösten Moleküle, sei es der undissociierten Moleküle oder der Ionen, untereinander. Quantitativ hat in neuester Zeit H. Jahn[1]) diesen Einfluss näher verfolgt und ist dabei zu Resultaten gekommen, die der weiteren Prüfung in hohem Grade wert erscheinen müssen. Kurz darauf hat auch W. Nernst[2]) denselben Weg beschritten unter Benutzung eines nur wenig verschiedenen Ausgangspunktes. Es handelt sich dabei im wesentlichen um die Verallgemeinerung der Gleichgewichtsgleichungen durch Einführung von Gliedern mit höheren Potenzen der Konzentrationen, welche eben durch die Wechselwirkungen der gelösten Moleküle bedingt sind. H. Jahn nimmt diese Verallgemeinerung in den Ausdrücken des Volums und der Energie der Lösung vor, während W. Nernst von einem speziellen Gleichgewichtszustand, nämlich dem der Lösung in Berührung mit dem theoretischen Dampf ihrer Moleküle und Ionen, ausgeht. Von der Ausführung neuer Messungen wird es abhängen, wie weit man auf Grund dieser Verallgemeinerung der einfachen Dissociationstheorie zu einer quantitativen Erklärung der Abweichungen von den einfachen Gleichgewichtssätzen und damit zu einer befriedigenden Berechnung des Dissociationsgrades auch für stark dissociierte Elektrolyte gelangen kann. Ob aber zu diesen Messungen die elektromotorische Kraft einer Konzentrationskette oder die Gefrierpunktserniedrigung oder die Siedepunktserhöhung oder die Dampfspannungserniedrigung oder der osmotische Druck benutzt wird, ist prinzipiell vollkommen gleichgültig, da alle die genannten Vorgänge durch die im ersten Teil dieses Aufsatzes zusammengestellten thermodynamischen Gleichungen verbunden sind; hier müssen lediglich Zweckmässigkeitsrücksichten entscheiden. Immer wird die anzustellende Prüfung, soweit sie sich auf die genannten Vorgänge bezieht, darauf hinauskommen, dass durch eine solche Messung die thermodynamische Grösse φ bestimmt wird, und deren Abhängigkeit von der durch Analyse festgestellten Konzentration C der Lösung verglichen wird mit derjenigen Abhängigkeit, die sich aus der entwickelten Theorie ergiebt.

III. Zur Berechnung des Dissociationsgrades aus dem elektrischen Leitvermögen und aus Reaktionsgeschwindigkeiten.

Eine wenn auch noch so kurz gefasste Besprechung der verschiedenen Methoden zur Bestimmung des Dissociationsgrades binärer Elek-

[1]) Diese Zeitschr. **37,** 490 (1901); **38,** 125 (1901).

[2]) Diese Zeitschr. **38,** 487 (1901).

trolyte darf in keinem Falle die Methode der elektrischen Leitfähigkeit unerwähnt lassen, welche sowohl nach ihrer Bedeutung für die historische Entwickelung der elektrolytischen Dissociationstheorie, als auch nach der Schärfe und Bequemlichkeit des Messungsverfahrens mit an vorderster Stelle steht. Indessen sind diese Vorzüge für die prinzipielle Bedeutung dieser Methode offenbar noch nicht entscheidend; denn hierbei kommt es vielmehr auf die Zuverlässigkeit der Grundannahmen an, auf welchen dieselbe beruht. Nun hat die Berechnung des Dissociationsgrades aus dem elektrischen Leitvermögen zur unumgänglichen Voraussetzung, dass die Zunahme der molekularen Leitfähigkeit mit der Verdünnung durch keinen anderen Umstand beeinflusst wird, als durch die fortschreitende Dissociation, oder mit anderen Worten, dass die Beweglichkeit der Ionen, d. h. die Geschwindigkeit, welche ein gelöstes Ion unter der Einwirkung der Kraft 1 in der Lösung annimmt, unabhängig ist von der Konzentration der Lösung. Dieser letzte Satz ist es aber, dessen Gültigkeit mir durch keine Thatsache erwiesen zu sein scheint.

Die Ionenbeweglichkeit hängt jedenfalls eng zusammen mit dem Reibungswiderstand, den die Ionen in der Lösung erfahren, und dieser hinwiederum wird einerseits von den Molekülen des Lösungsmittels, andererseits aber auch von den gelösten Molekülen, bez. Ionen abhängig sein können; in welcher Weise, lässt sich zwar von vornherein nicht übersehen, aber so viel wird man als ziemlich sicher betrachten müssen, dass im Zustand idealer Verdünnung, wo die Wechselwirkungen der gelösten Moleküle untereinander in Wegfall kommen gegenüber den Wirkungen des Lösungsmittels auf das Gelöste, die Beweglichkeit eines Ions ausser durch seine eigene Natur allein durch die Beschaffenheit des Lösungsmittels bedingt sein wird und mithin unabhängig ist von dem Grade der Verdünnung. In diesem Falle kann der Einfluss der Verdünnung auf das Leitvermögen nur auf einer Veränderung des Dissociationsgrades des Elektrolyten beruhen, und daraus ergiebt sich die Beziehung zwischen Leitfähigkeit und Dissociationsgrad, welche mit Benutzung der oben angeführten Formel für das Dissociationsgleichgewicht in der Lösung zum Ostwaldschen Gesetz der Abhängigkeit des Leitvermögens von der Verdünnung führt. Die experimentelle Bestätigung dieses Gesetzes in zahlreichen Fällen ist ein Beleg für die Zulässigkeit der gemachten Voraussetzungen und rechtfertigt also auch die Annahme der Konstanz der Ionenbeweglichkeit und die Berechnung des Dissociationsgrades aus dem Leitvermögen in diesen Fällen.

Anders ist es aber bei Lösungen, die sich nicht im Zustand idealer Verdünnung befinden. Hier treten die Wechselwirkungen der gelösten

Moleküle und Ionen ins Spiel; infolge dessen gelten, wie oben dargelegt, die Sätze des Dissociationsgleichgewichts nicht mehr in ihrer einfachen Form, und es liegt nach meiner Meinung kein zwingender Grund vor, mit Sv. Arrhenius und seinen Schülern gerade die Beweglichkeit der Ionen als ausserhalb dieser Wechselwirkungen stehend anzunehmen. Die Übereinstimmung der aus dem Leitvermögen berechneten Werte des Dissociationsgrades mit denen, die aus der Beobachtung von Reaktionsgeschwindigkeiten gewonnen sind, ist nicht beweiskräftig; denn die letzteren Werte unterliegen genau denselben Bedenken, da auch die Reaktionsgeschwindigkeit mit bedingt ist durch die Beweglichkeit der Ionen.

Hiermit soll nicht behauptet werden, dass eine Konstanz der Ionenbeweglichkeit unmöglich ist, sondern nur, dass die Annahme derselben für nicht ideal-verdünnte Lösungen noch eines besonderen Beweises bedürfte, welcher bisher nicht erbracht worden ist. Im Gegenteil ist bekannt, wie kompliziert und einer gesetzmässigen Fassung schwer zugänglich eine jede von der Reibung abhängige Grösse ist. Nicht einmal in der reinen Mechanik giebt es ein einziges auf Reibung bezügliches Gesetz, welches die Konstanz des Reibungskoëffizienten unter bestimmten Bedingungen absolut streng und einwurfsfrei ausspricht. Alle derartigen Sätze tragen vielmehr von vornherein den Charakter der nur approximativen Gültigkeit an sich, was ja auch vollkommen der verwickelten Natur der Vorgänge entspricht, die man unter dem Namen Reibung zusammenfasst.

Noch zweifelhafter aber muss der Vorzug der Methode der elektrischen Leitfähigkeit vor den übrigen Methoden zur Bestimmung des Dissociationsgrades im Lichte der folgenden, allgemeineren Überlegung erscheinen, die bisher meines Wissens noch bei keiner Gelegenheit zur Sprache gekommen ist. Alle im zweiten Teil dieses Aufsatzes besprochenen Methoden der Messung des Dissociationsgrades sind statischer Natur, bei ihnen spielt die Zeit keine Rolle, wie ja überhaupt eine jede Gleichung, die sich aus dem zweiten Hauptsatz der Thermodynamik streng ableiten lässt, Bedingungen für einen Gleichgewichtszustand ausspricht. Die Vorgänge aber, welche der Messung des elektrischen Leitvermögens und der Reaktionsgeschwindigkeiten zu Grunde liegen, sind, wenn auch mehr oder minder stationär, so doch alle wesentlich dynamischer Natur, was darin zum Ausdruck kommt, dass der Begriff der Beweglichkeit eines Ions eine Bezugnahme auf die Zeit enthält.

Ob nun die dynamischen Methoden den statischen an prinzipieller

Bedeutung ebenbürtig sind, hängt ganz allgemein davon ab, in welchem Grade die Gesetze der Dynamik einerseits und die der Statik andererseits bekannt und anwendbar sind. In der reinen Mechanik, insoweit von Reibung abgesehen werden kann, ist die Dynamik genau so vollständig durchgearbeitet wie die Statik; hier sind also die beiden Methoden von vornherein vollständig gleichberechtigt, und daher geben bei ihrer Bewertung die praktischen Vorteile der Messung allein den Ausschlag. So z. B. wird die Gravitation vorteilhafter durch Pendelbewegungen gemessen als etwa durch den Ausschlag einer Federwage. In der Chemie und Elektrochemie dagegen sind die Gesetze der Dynamik noch bei weitem nicht so vollständig durchforscht wie die der Statik. Die Thermodynamik liefert für alle derartigen Vorgänge zunächst immer nur Ungleichungen, und wenn sich auch im Anschluss an diese Ungleichungen gewisse allgemeine Gesetze für die Geschwindigkeit chemischer und elektrochemischer Prozesse ableiten lassen[1]), so sind dies doch immer nur Proportionalitätsgesetze, und gerade von dem Proportionalitätsfaktor, auf den es hier ankommt, kann man im allgemeinen nichts über die Art seiner Abhängigkeit von der Konzentration behaupten.

Es unterliegt daher für mich gar keinem Zweifel, dass die endgültige Entscheidung der Frage nach dem wahren Dissociationsgrad eines Elektrolyten nicht durch eine dynamische, sondern nur durch eine statische Methode erfolgen kann, und dass, wenn diese Entscheidung einmal erfolgt ist, dann die elektrische Leitfähigkeit darüber Aufschluss geben wird, inwieweit man die Beweglichkeit der Ionen als unabhängig von der Konzentration betrachten darf.

[1]) Vgl. hierzu z. B. die interessanten Untersuchungen von R. Wegscheider, Wiener Sitzungsber. **110,** IIa., Juni 1901, S. 561.

Berlin, Mai 1902.

Über die Grundlagen der Lösungstheorie, eine Erwiderung

Im letzten Heft dieser Annalen hat Hr. Math. Cantor unter dem obigen Titel die von mir ausgearbeitete thermodynamische Theorie der Lösungen einer Kritik[1]) unterzogen, durch die er zu der Schlußfolgerung geführt wird, daß diese Theorie auf unzureichender Grundlage ruht und daher strengeren Anforderungen gegenüber nicht aufrecht erhalten werden kann. Demgegenüber beabsichtige ich im folgenden den Nachweis zu führen, daß die Kritik des Hrn. Cantor nicht berechtigt ist, ja daß sie vielmehr im Grunde auf eine Verkennung der eigentlichen Bedeutung der modernen Lösungstheorie hinausläuft.

Hr. Cantor richtet seinen Angriff gegen einen von mir aufgestellten Satz, den er mit Recht als das eigentliche Fundament meiner ganzen Theorie ansieht. Es ist der Satz, daß eine jede Lösung, falls man unter Festhaltung der physikalischen Homogenität, sowie der chemischen Natur aller darin enthaltenen Moleküle, den Druck und die Temperatur geeignet variiert, schließlich in den Zustand eines Gemisches idealer Gase übergeht.[2]) Hr. Cantor bestreitet die Zulässigkeit der Annahme eines solcherweise erreichten Gaszustandes. „Es müßte nachgewiesen werden, daß er einen überhaupt möglichen Zustand des Stoffs darstellt, daß er wenigstens als augenblicklicher Bewegungszustand möglich sei. Hierfür ist aber nie ein theoretischer Beweis erbracht worden, und die direkte Erfahrung berechtigt durchaus nicht zu einer solchen Annahme."

Darauf ist zunächst zu erwidern, daß die Möglichkeit, bei konstanten Molekülzahlen Druck und Temperatur beliebig zu

1) M. Cantor, Ann. d. Phys. **10**. p. 205. 1903.

2) M. Planck, Wied. Ann. **32**. p. 487. 1887.

variieren, einfach auf dem Umstande beruht, daß die Molekülzahlen mit dem Druck und der Temperatur zusammen die unabhängigen Variabeln bilden, welche zur eindeutigen Bestimmung des Zustandes der betrachteten Lösung notwendig sind, und daß diese Variabeln von vornherein durchaus keiner Beschränkung unterliegen, außer der hier nicht in Betracht kommenden, chemisch selbstverständlichen, daß bei einer etwaigen Veränderung der Molekülzahlen die Atomzahlen im ganzen ungeändert bleiben müssen. Sonach steht vom allgemein thermodynamischen Standpunkt aus nichts im Wege, bei konstanten Molekülzahlen und unter Vermeidung der Bildung einer neuen Phase den Druck beliebig abnehmen zu lassen und die Temperatur beliebig zu steigern; und wenn dies einmal anerkannt wird, so bedarf es nur noch der Voraussetzung, daß man bei gehöriger Fortsetzung dieses Prozesses schließlich beim idealen Gaszustand anlangt, — eine Annahme, der man kaum eine andere wird entgegenstellen können, und der auch Hr. Cantor wenigstens nicht direkt widerspicht. Einen Gegensatz aber zwischen dem „gelösten“ und dem „gasförmigen“ Zustand, wie ihn Hr. Cantor p. 206 aufstellt, kennt die Thermodynamik überhaupt nicht.

Etwas ganz anderes ist es, wenn man nur solche Zustände als möglich ansieht, die durch die Bedingung des physikalisch-chemischen Gleichgewichtes ausgezeichnet sind. Dann muß nämlich eine bestimmte thermodynamische Funktion ein Maximum besitzen, und aus dieser Bedingung folgen für das chemische Gleichgewicht ebensoviel Beziehungen zwischen den Variabeln, als Arten chemischer Umsetzung zwischen den Molekülen möglich sind, und für das physikalische Gleichgewicht eine weitere Beziehung, falls die Lösung in zwei Phasen zerfällt, und zwei Beziehungen, falls die Lösung in drei Phasen zerfällt. Aber Hr. Cantor hebt wenige Zeilen vor dem oben angeführten Zitat selber ganz richtig hervor, daß meine Beweisführung der Bedingung des Gleichgewichtes nicht bedarf. In der Tat handelt es sich bei der Anwendung des strittigen Satzes gar nicht um einen wirklich ausführbaren Prozeß, sondern nur um die Untersuchung der Abhängigkeit der Entropiefunktion von den unabhängigen Variabeln. Rein thermodynamisch betrachtet besitzt ein jeder durch irgend ein

Wertensystem der Variabeln bedingter Zustand von vornherein genau die gleiche Berechtigung wie jeder andere, und wenn wir aus natürlichen Gründen daran gewöhnt sind, bei der theoretischen Untersuchung solcher Zustände zunächst immer an Gleichgewichtszustände zu denken, so müssen wir eben, wenn es sich ausgesprochenermaßen um allgemeinere Zustände handelt, diese Gewohnheit möglichst abzulegen suchen. Daraus aber einen Einwand gegen thermodynamische Untersuchungen solcher Zustände abzuleiten, geht nicht wohl an; denn es wäre doch gewiß eine Ungereimtheit, noch einen besonderen Nachweis dafür zu verlangen, daß man berechtigt ist, den unabhängigen Variabeln eines Systems willkürliche Werte beizulegen.

Den besprochenen Einwand kann ich also nicht als berechtigt anerkennen. Jedoch hat mir der letzte Satz des obigen Zitates, und noch mehr die Lektüre der darauf folgenden Betrachtungen des Hrn. Cantor den Eindruck erweckt, als ob seine Kritik im letzten Grunde auf die Unmöglichkeit der *experimentellen* Realisierung der von mir betrachteten Zustände zurückgeht, indem sie sich auf den allgemeineren Gedanken beruft, daß ein physikalisch wirklich bindender Beweis nimmermehr, auch nicht indirekt, aus der Betrachtung von Vorgängen hergeleitet werden kann, die sich in der Natur nicht einmal annähernd realisieren lassen. Denn nehmen wir z. B. irgend eine mittels eines nur in idealem Sinne ausführbaren Prozesses aus dem zweiten Hauptsatz der Thermodynamik abgeleitete Folgerung, so wäre ganz gewiß niemand im stande, eine etwaige Nichtübereinstimmung dieser Folgerung mit der Erfahrung zur kompensationslosen Verwandlung von Wärme in Arbeit wirklich zu verwerten.

Dieser generelle Einwand gegen die Benützung idealer Prozesse in der Thermodynamik ist so naheliegend und zugleich vom rein logischen Standpunkt aus so unanfechtbar, daß ich bisher jede Gelegenheit benutzt habe, ihn nachdrücklich hervorzuheben und zu besprechen, am ausführlichsten vor elf Jahren in einem Vortrage vor der 64. Naturforscherversammlung in Halle.[1] Es sei mir daher zunächst gestattet, aus dem damals

---

1) M. Planck, Zeitschr. f. phys. Chem. 8. p. 647. 1891.

eingeschlagenen Gedankengang hier einiges in etwas anderer Form zu wiederholen.

Zunächst ist hervorzuheben, daß sich der genannte Einwand nicht allein gegen meine Theorie der Lösungen, sondern gegen eine in der Thermodynamik allmählich immer üblicher gewordene theoretische Beweismethode richtet. Schon Clausius[1]) hat einen durch anerkannt labile Zustände hindurchführenden Prozeß, nämlich die Überführung einer Substanz aus dem flüssigen in den gasförmigen Zustand auf der sogenannten theoretischen Isotherme, d. h. unter Festhaltung der physikalischen Homogenität, ohne Spaltung in zwei Aggregatzustände, zur Grundlage einer thermodynamischen Deduktion gemacht, welche zu einer einfachen Berechnung der Lage des Sättigungspunktes auf der Isotherme führt. Von diesem physikalischen Prozeß ist mein eingangs erwähnter Kontinuitätssatz, dessen Zulässigkeit von Hrn. Cantor angefochten wird, nur eine Verallgemeinerung in chemisches Gebiet hinein. Ferner ist hier vor allem zu nennen die van't Hoffsche Methode der semipermeabeln Wände. Wenn man die Fälle aufsucht, in denen sich eine semipermeable Wand in der Natur realisieren läßt, so wird man gewiß nur auf eine verschwindend kleine Anzahl stoßen. Und doch trennt man in der Theorie durch das Hülfsmittel der semipermeablen Wände mit derselben Leichtigkeit die Bestandteile einer Metallmischung voneinander, wie die Moleküle eines teilweise dissoziierten Gases von ihren Zersetzungsprodukten, ja sogar die Moleküle eines Elektrolyten von seinen Ionen, ohne daran Anstoß zu nehmen, daß letztere auch nicht einen Augenblick lang isoliert existieren können, ohne sich teilweise wieder zu vereinigen.

Wie ist nun ein solches, gegenwärtig so häufig und mit Erfolg angewandtes Verfahren zu rechtfertigen? Gewiß nicht dadurch, daß man dem Problem rein begrifflich zu Leibe geht und z. B. die Bedeutung des Wortes „labil" zergliedert; noch weniger dadurch, daß man auf kinetische Vorstellungen zurückgeht, denn diese bedürfen selber erst der Stütze. Der einzige wirklich bindende Beweis für die theoretische Zulässigkeit dieser idealen Prozesse beruht vielmehr darauf, daß die aus ihrer

1) R. Clausius, Wied. Ann. 9. p. 356. 1880.

Benutzung gezogenen zahlreichen Schlüsse, sofern sie sich nach den Prinzipien der Thermodynamik und unter Vermeidung besonderer Nebenannahmen mit Notwendigkeit ergeben, noch niemals zu einem Widerspruch mit der Erfahrung geführt haben, wohl aber in manchen Fällen durch die Erfahrung direkt bestätigt worden sind. Eine andere Beweismethode kennt aber die Naturwissenschaft bekanntlich überhaupt nicht. Auch die Hauptsätze der Thermodynamik selber, ja sogar die Prinzipien der Mechanik, finden ihren Beweis nicht durch die Prüfung der allgemeinen Fassung, sondern durch die Prüfung der einzelnen Konsequenzen: die letztere ist es, durch die man schließlich trotz aller berechtigten und notwendigen Kritik genötigt wird, auch das allgemeine Prinzip anzuerkennen. Und doch wird niemand behaupten wollen, daß es unzulässig ist, das Gebäude der Thermodynamik oder das der Mechanik auf derartige Prinzipien direkt zu fundieren.

Gewiß ist es einem jeden Theoretiker unbenommen, auf die Benutzung idealer Prozesse ganz zu verzichten, wenn er ihrer Beweiskraft nicht traut. Dieser Standpunkt bedeutet aber gleichzeitig auch einen Verzicht auf ein ebenso fruchtbares wie erprobtes und bewährtes Hülfsmittel der Forschung. Es ist nicht nur die große Vielseitigkeit und Bequemlichkeit der Handhabung dieser idealen Prozesse, sobald man sich an ihre Benutzung erst einmal gewöhnt hat, sondern vor allem auch der Umstand, daß diese Methode absolut exakt, im mathematischen Sinne, arbeitet, was ihr ihre eigentümliche Bedeutung verleiht, als wertvolle Ergänzung zu den experimentellen Methoden, die zwar unmittelbarere Wahrheit liefern, aber des letztgenannten Vorzuges entbehren. Denn daß die idealen Prozesse nur angenähert richtige Resultate geben sollten, ist natürlich ausgeschlossen: entweder müssen dieselben als absolut genau angesehen werden, oder sie sind gänzlich zu verwerfen. Eben dadurch wird aber auch die Prüfung ihrer Zuverlässigkeit sehr erleichtert; denn man darf die begründete Erwartung hegen, daß ein etwaiger Mangel sich sehr bald durch gänzlich falsche, von der Erfahrung weit abweichende Resultate verraten würde.

Ohne das Hülfsmittel der idealen Prozesse würde die gegenwärtig durch die Arbeiten von J. H. van't Hoff,

Sv. Arrhenius, W. Ostwald, W. Nernst und vieler anderer zu so reicher Entwickelung gebrachte molekulare Theorie der Lösungen, deren Sätze jetzt alle durch sie in innigem Zusammenhang stehend erscheinen, in eine Reihe mehr oder weniger vereinzelter Erfahrungssätze zerfallen; so z. B. würde der Avogadrosche Satz für den osmotischen Druck nicht in allgemeinen Zusammenhang gebracht werden können mit dem für Gase, das Ostwaldsche Gesetz für den Dissoziationsgrad der Elektrolyte nicht mit dem für Gasdissoziation, das Schmelzpunktsgesetz von Mischmetallen nicht mit dem Gefrierpunktsgesetz von Salzlösungen etc. Da nun keiner dieser Erfahrungssätze absolut exakt ist, so hätte man auch keinen Maßstab zur Beurteilung der Frage, wie die Grenzen der Gültigkeit dieser einzelnen Sätze sich gegenseitig bedingen. Man würde es als ein zufälliges und für das Kausalitätsgefühl beunruhigendes Zusammentreffen hinnehmen müssen, daß man auf einem prinzipiell unzulässigen Wege stets richtige Resultate findet. Logisch konsequent wäre ein solcher Standpunkt ja allerdings, aber zugleich auch in hohem Grade unökonomisch. Es ist daher auch nicht anzunehmen, daß die Theorie der Lösungen in ihrer weiteren Entwickelung jemals eine so rückläufige Richtung einschlagen wird, daß sie auf die Benutzung idealer Prozesse Verzicht leistet.

Eine Schwierigkeit birgt allerdings auch die Methode der idealen Prozesse in sich. Sie erfordert nämlich bei ihrer Anwendung absolut scharfe Begriffe, sorgfältiges Festhalten der einmal eingeführten Definitionen unter peinlicher Vermeidung der Einmengung fremder, nur aus der Gewöhnung an realisierbare Prozesse entsprungener Vorstellungen, und endlich genaueste Berücksichtigung aller Einzelheiten der gedachten Prozesse, auch solcher, die bei oberflächlicher Betrachtung geringfügig erscheinen. Es sind dies Bedingungen, die zwar selbstverständlich klingen, die aber dennoch, seitdem die thermodynamische Beweismethode populärer geworden ist, leider manchmal nicht genügend beachtet werden und dadurch für die Wertschätzung der Methode vielleicht einmal verhängnisvoll werden könnten.

Zur leichteren Vermeidung von Fehlern und zur Vereinfachung des Rechnungsverfahrens trägt es häufig bei, wenn man bei speziellen Anwendungen nicht jedesmal auf die Beschreibung passend erdachter Prozesse zurückgeht, sondern statt dessen gewisse, ein für allemal definierte Funktionen (Energie, Entropie, freie Energie, thermodynamisches Potential etc.) benutzt, deren Existenz eben durch die Eigenschaften der betreffenden Prozesse bedingt wird. So rechnet man in der Thermochemie, nach dem Vorgange W. Ostwalds[1]), jetzt häufig direkt mit den Energien selbst. statt, wie früher, mehr oder weniger übersichtliche Kreisprozesse zu kombinieren. Beim zweiten Hauptsatz der Thermodynamik liegen die Verhältnisse ganz ähnlich, und es ist für mich keine Frage, daß sich auch hier das direktere Verfahren mit der Zeit immer mehr einbürgern wird.

Wenn man sich aber nun einmal auf den als rationell erkannten Standpunkt stellt und die idealen Prozesse prinzipiell als zulässig erachtet, so wüßte ich schlechterdings keinen speziellen Grund — und auch Hr. Cantor hat keinen angeführt —, weshalb man nicht auch den in meinem Kontinuitätssatz dargestellten idealen Prozeß als einen gleichberechtigten erklären sollte. Er steht auf ganz derselben Stufe wie die oben beispielsweise genannten idealen Prozesse, er führt auch zu durchaus richtigen Folgerungen. Zum mindesten würde man also genötigt sein, seine Berechtigung wenigstens hinterher als der näheren Prüfung wert anzuerkennen, und zwar auch dann, wenn er noch viel weniger plausibel erscheinen sollte, als er es tatsächlich von vornherein ist. Und wenn man bei alledem noch prinzipielle Bedenken gegen seine Zulässigkeit hegt, so wäre es das beste, ja das einzige Mittel, zu einer endgültigen Entscheidung zu gelangen, daß man vorläufig einmal von der Annahme der Richtigkeit ausginge und nun untersuchte, ob vielleicht weitere Folgerungen zu einem Widerspruch mit der Erfahrung führen. Das Resultat einer derartigen Untersuchung würde unter allen Umständen als eine wertvolle Bereicherung der Thermodynamik betrachtet werden müssen.

Hr. Cantor eignet sich diesen naheliegenden Gedankengang nicht an, er geht im Gegenteil in seiner ablehnenden

1) W. Ostwald, Lehrb. d. allgem. Chem. **2**. p. 30. 1887.

Kritik noch ein erhebliches Stück weiter, indem er meinen Kontinuitätssatz nicht nur als unbewiesen, sondern auch als inhaltlich unzutreffend oder wenigstens als einigermaßen unwahrscheinlich hinstellt. Er sagt nämlich, man könne mit demselben, vielleicht sogar mit noch größerem Rechte, die gerade entgegengesetzte Behauptung aufstellen, daß es schon an und für sich widersinnig sei, bei unveränderten Molekülen eine Änderung des Aggregatzustandes vorgenommen zu denken; das Molekül sei vielmehr an den Aggregatzustand geradezu geknüpft. „Den Aggregatzustand ändern und die Molekularstruktur erhalten zu wollen, hieße begrifflich sich Widersprechendes realisieren wollen."

Dieser Satz macht nach meiner Meinung einen Strich durch alle Errungenschaften der modernen Lösungstheorie. Denn deren eigentliche Bedeutung liegt ja gerade darin, daß sie den Begriff des Moleküles unabhängig gemacht hat vom Aggregatzustand wie auch vom Lösungsmittel; daß sie ein Molekül durch alle Aggregatzustände und durch jedes Lösungsmittel hindurch, mag es nun Wasser, Alkohol oder Vakuum heißen, im Auge zu behalten und messend zu verfolgen gestattet. Welchen Sinn hätte wohl die oft gestellte und experimentell wie theoretisch erfolgreich geprüfte Frage, ob ein Molekül beim Übergang in einen anderen Aggregatzustand oder in ein anderes Lösungsmittel seine Größe behält oder sich dissoziiert oder andere chemische Verbindungen eingeht, wenn es sogar *begrifflich* unzulässig sein sollte, das Molekül unabhängig vom Aggregatzustand zu betrachten? Nein, nicht begrifflich, sondern nur durch die Bedingung des physikalisch-chemischen Gleichgewichtes ist die Molekularstruktur an bestimmte Aggregatzustände und Lösungsmittel geknüpft.

Diese Überbrückung der Kluft zwischen den verschiedenen Aggregatzuständen und den verschiedenen Lösungsmitteln, welche durch die neuere Lösungstheorie eingeführt wurde und die es möglich macht, die Definition des in einem beliebigen Lösungsmittel gelösten Moleküles an die des gasförmigen Moleküles direkt anzuschließen, ist es nun gerade, welche durch meinen Kontinuitätssatz zum Ausdruck gebracht wird; ich stehe daher nicht an, diesen Satz geradezu als eine besonders prägnante Fassung des Grundgedankens der Lösungstheorie zu betrachten. Denn daß aus ihm mit Notwendigkeit alle bekannten Gesetze der verdünnten Lösungen, namentlich der Avogadrosche Satz, sich ergeben, hat auch Hr. Cantor nicht bestritten.

Es ist natürlich ohne weiteres klar, daß man einer Theorie, die etwas Neues bringen soll, auch irgend eine neue Voraussetzung zu Grunde legen muß; denn aus nichts läßt sich nichts beweisen. Und ebenso ist klar, daß diese Voraussetzung den eigentlichen Kern der Theorie in kondensierter Form schon enthalten muß. Im vorliegenden Fall, bei der molekularen Theorie der Lösungen, hat man die Wahl, jene Voraussetzung entweder einzelnen Erfahrungssätzen zu entnehmen, oder sie in einem allgemeineren Grundsatz auszudrücken. So kann man, wie van't Hoff es zuerst getan hat, ausgehen von den Gesetzen des osmotischen Druckes; man kann auch ausgehen von dem Henryschen Gasabsorptionsgesetz.[1]) Aber diese Erfahrungssätze sind sicher nur angenähert richtig, und man hat von vornherein kein Mittel, um die Grenzen ihrer Gültigkeit zu bestimmen. Daher scheint es mir von Interesse zu sein, auch einen Satz zu kennen, der den Voraussetzungen der molekularen Lösungstheorie einen thermodynamisch vollkommen allgemein brauchbaren Ausdruck verleiht. Daß die Anwendungen dieses Satzes nicht ohne weiteres für beliebige Lösungen, sondern vorläufig nur für verdünnte Lösungen nutzbar sind, liegt nach der von mir ausgearbeiteten Theorie ganz in der Natur der Sache und erscheint einfach als Folge des Umstandes, daß Energie und Volumen einer nicht mehr in idealem Verdünnungszustand befindlichen Lösung, wegen der Wechselwirkungen der gelösten Moleküle untereinander, nicht lineär von den Molekülzahlen abhängen. Hierin liegt auch gleich die Möglichkeit einer Erweiterung der Theorie angedeutet, auf einem Wege, den H. Jahn[2]) unlängst mit Erfolg betreten hat. Freilich besteht dabei die Schwierigkeit, daß man gezwungen ist, von vornherein bestimmte Annahmen bezüglich der chemischen Natur der in der Lösung vorhandenen Moleküle zu

---

1) Wie sich aus diesem Gesetz, mit gänzlicher Vermeidung der Einführung des osmotischen Druckes, die Gasgesetze, einschließlich des Avogadroschen, für verdünnte Lösungen herleiten lassen, hat mir unlängst Hr. F. Richarz brieflich mitgeteilt.

2) H. Jahn, Zeitschr. f. physik. Chem. **41**. p. 257. 1902.

machen, über deren Berechtigung nur der schließliche Erfolg entscheiden kann.

Einen weiteren Beleg zu Gunsten der hier geschilderten Auffassung finde ich in den positiven Resultaten des Cantorschen Aufsatzes. Hr. Cantor leitet im Anschluß an die Helmholtzsche Thermodynamik einen Ausdruck für die elektromotorische Kraft einer Konzentrationskette ab. Er vermeidet dabei ganz die Voraussetzungen und Vorstellungen der molekularen Lösungstheorie und bedient sich nur solcher Größen, welche sich ohne derartige Vorstellungen definieren lassen. Die Folge davon ist, wie er auch selber betont, daß seine Formeln niemals einen Einblick in die molekularen Verhältnisse und Vorgänge gewähren können. Daher erfährt man auf diesem Wege auch niemals etwas über die an den einzelnen Grenzflächen je zweier Leiter auftretenden Potentialdifferenzen, deren Natur, wie zuerst die Untersuchungen von W. Nernst[1]) gezeigt haben, gerade durch die molekulare Theorie in weitgehendem Maße aufgeklärt wird.

Es erhellt daraus, daß der von Hrn. Cantor empfohlene Weg keineswegs geeignet sein würde, als Ersatz für den von mir eingeschlagenen zu dienen.

Berlin, Januar 1903.

1) W. Nernst, Zeitschr. f. physik. Chem. 4. p. 129. 1889.

(Eingegangen 4. Januar 1903.)

Rezension zu J. W. Gibbs:

Elementary Principles in statistical Mechanics, developed with especial reference to the rational foundation of Thermodynamics

— Je mehr sich die Erkenntnis Bahn bricht, daß die Einordnung der thermodynamischen und insbesondere der irreversibeln Vorgänge unter die Gesetze der Mechanik sich nur mit Zuhilfenahme von Wahrscheinlichkeitsbetrachtungen vollziehen lassen wird, um so bedeutungsvoller muß jeder weitere Schritt in der Erkenntnis der Beziehungen erscheinen, welche sich aus der Anwendung der Wahrscheinlichkeitsrechnung auf Bewegungsvorgänge ganz im allgemeinen ergeben. In dem vorliegenden Werke, dem letzten Vermächtnis des der Wissenschaft zu früh entrissenen Verf., ist die bezeichnete Aufgabe im denkbar weitesten Sinne aufgefaßt, indem die statistische Behandlung der Mechanik zunächst ganz ohne Rücksicht auf ihr physikalisches Interesse durchgeführt wird und die thermodynamischen Anwendungen nur gelegentlich zur Erläuterung herangezogen werden, um erst am Schluß in breiterer Ausführlichkeit zu erscheinen.

Die Zulässigkeit und Notwendigkeit statistischer Betrachtungen in der Mechanik ist durch den Umstand gegeben, daß nach der mechanischen Theorie der Wärme ein System von vielen Freiheitsgraden, wie es z. B. ein Körper von irgendwelcher Temperatur vorstellt, zwar vollständig bestimmte Differentialgleichungen der Bewegung, aber keineswegs einen bestimmten Anfangszustand besitzt; denn die Temperatur, der Druck etc. haben nur die Bedeutung von Mittelwerten. Dies führt zur Betrachtung und Vergleichung aller gleichzeitig möglichen Anfangszustände des Systems, und hierzu benutzt der Verf. die geometrische Vorstellung des Phasenraumes (extension-in-phase), indem er in der Bezeichnung „Phase" den gesamten mechanischen Zustand des Systems, d. h. den Inbegriff der Werte aller unabängigen n Koordinaten und aller n Momente (Impulse) zusammenfaßt und jede einzelne Phase durch einen Punkt in dem $2n$-dimensionalen Phasenraume charakterisiert. Betrachtet man nun eine Menge (ensemble) von vielen untereinander unabhängigen Systemen, die von Natur alle identisch sind und sich lediglich durch ihren augenblicklichen Zustand unterscheiden, so wird der Phasenraum erfüllt von einer großen Anzahl von Punkten, deren Verteilungsdichte oder „Phasendichte“ als eine stetige Funktion des Ortes behandelt wird. Mit wachsender Zeit beschreibt jeder Phasenpunkt eine durch die Bewegungsgleichungen und durch die allen Systemen gemeinsamen äußeren Kräfte vollständig bestimmte Kurve und ergibt so die in dem betreffenden System eintretenden Veränderungen. „Statistisches Gleichgewicht“ ist dann vorhanden, wenn an einem bestimmten Orte des Phasenraumes die Phasendichte sich im Laufe der Zeit nicht ändert.

Das Grundgesetz dieser statistischen Mechanik, welches unmittelbar aus den Hamiltonschen Bewegungsgleichungen folgt, wird ausgedrückt durch das „Prinzip der Erhaltung der Phasendichte“ (bei uns bekannt unter dem Namen des Liouvilleschen Satzes), welches besagt, daß in jedem sich in der geschilderten Weise bewegenden Punkte des Phasenraumes die Phasendichte unabhängig ist von der Zeit und auch von der speziellen Wahl der Koordinaten. Den Quotienten der Phasendichte durch die Gesamtzahl aller Systeme nennt der Verf. den Wahrscheinlichkeitskoeffizienten P der betreffenden Phase, seinen natürlichen Logarithmus den Wahrscheinlichkeitsindex η. P ist immer von der Dimension der reziproken n-Potenz des Produktes von Energie und Zeit. Das Integral von P über den ganzen Phasenraum ist naturgemäß immer $= 1$.

Unter allen Fällen des statistischen Gleichgewichtes ist der wichtigste derjenige, welcher eintritt, wenn der Wahrscheinlichkeitsindex η nur von der Energie ε der betreffenden Phase abhängt. Ist η außerdem eine lineare Funktion von ε, d. h.

$$\eta = \frac{\psi - \varepsilon}{\Theta} \qquad \text{oder} \qquad P = e^{\frac{\psi - \varepsilon}{\Theta}},$$

wobei ψ und Θ Konstante (Θ positiv), so wird die Phasenverteilung eine „kanonische“ genannt. Besitzen speziell alle Systeme die nämliche Energie, so heißt die Verteilung eine „mikrokanonische“. Die Einführung und fast ausschließliche Benutzung der kanonischen Verteilung begründet der Verf. durch ihre Einfachheit und ihre Bedeutung für die Thermodynamik. Wenn nämlich zwei Mengen von Systemen mit verschiedenen Freiheitsgraden n und m, aber mit dem nämlichen Modul Θ der kanonischen Verteilung in geeignete Wechselwirkung treten, so daß jedes System der einen Menge mit jedem System der anderen Menge ein neues System mit $n+m$ Freiheitsgraden bildet, so ist auch die daraus entstehende neue Menge von Systemen kanonisch verteilt, und zwar mit dem nämlichen Modul Θ. Ein ähnlicher Satz gilt aber nicht, wenn die Moduln der beiden ursprünglichen Mengen verschieden sind. Hierdurch gewinnt der Modul Θ der kanonischen Verteilung eine gewisse, allerdings ziemlich äußerliche Analogie mit der Temperatur in der Thermodynamik.

Die folgenden Kapitel enthalten die Ableitung einer großen Anzahl von Eigenschaften einer kanonisch verteilten Menge von Systemen, namentlich die Berechnung von Mittelwerten verschiedener Größen, z. B. für die potentielle Energie, die kinetische Energie, deren Potenzen, sowie auch für deren „Anomalien", worunter das Quadrat der Abweichung einer Größe von ihrem Mittelwert verstanden wird. Besonders bemerkenswert hierbei ist das Resultat, daß die Mittelwerte der Anomalien mit wachsender Zahl der Freiheitsgrade eines Systems unbeschränkt gegen Null konvergieren, so daß dann z. B. die kinetische Energie eines beliebig aus der Menge herausgegriffenen Systems immer weniger abweicht von dem Mittelwert der kinetischen Energie für alle Systeme. Daraus erklärt es sich, daß bei Systemen mit sehr vielen Freiheitsgraden die zufälligen Eigenschaften eines einzelnen Systems der unvollkommenen menschlichen Beobachtungskunst gegenüber ganz verschwinden, und daß man so mit Hilfe der Wahrscheinlichkeitsbetrachtungen zu praktisch eindeutig bestimmten Resultaten gelangt. So scheint uns ein in einem Thermostaten eingebetteter Körper eine ganz bestimmte Energie zu besitzen, obwohl nach der statistischen Anschauung seine Energie um einen gewissen Mittelwert herumschwankt.

Von Interesse für das Spätere erweisen sich noch einige besondere Funktionen der Energie ε, so namentlich das Volumen V desjenigen Phasenraumes, welcher alle Phasen mit einer Energie $< \varepsilon$ enthält, ferner auch die Größe

$$\varphi = \log \frac{dV}{d\varepsilon}.$$

An diese Definitionen und Berechnungen knüpfen sich nun eine Reihe von Theoremen, von denen hier nur beispielsweise einige besonders wichtige hervorgehoben seien. „Wenn eine Menge von Systemen so verteilt ist, daß der Wahrscheinlichkeitsindex eine Funktion der Energie ist, so ist der Mittelwert des Index kleiner als für irgend eine Verteilung, in welcher die Energieverteilung die nämliche ist.“ „Wenn eine Menge von Systemen kanonisch verteilt ist, so ist der mittlere Wahrscheinlichkeitsindex kleiner als für irgend eine andere Verteilung der Menge mit der nämlichen mittleren Energie.“ „Eine gleichförmige Verteilung einer gegebenen Anzahl von Systemen innerhalb eines bestimmt begrenzten Phasenraumes ergibt einen kleineren mittleren Wahrscheinlichkeitsindex als irgend eine andere Verteilung.“

Mit dem Kapitel XII beginnt die Reihe der physikalischen Anwendungen der gewonnenen Sätze; dieselben beziehen sich auf die Veränderungen, welche eine Menge von Systemen im Verlaufe langer Zeitperioden erleidet, auf den Effekt verschiedenartiger äußerer Einwirkungen, und endlich auf das Endziel aller dieser Untersuchungen: Die speziellen thermodynamischen Analogien. In diesem Sinne kann man es geradezu als die Aufgabe des ganzen Werkes bezeichnen, der bekannten thermodynamischen Gleichung[1]):

$$d\varepsilon = T d\eta - \Sigma A_1 \, da_1 + \Sigma \mu_1 \, dm_1$$

(ε Energie, T Temperatur, η Entropie, $A\,da$ äußere Arbeit, m Masse, μ Potential) eine rein mechanische Deutung zu geben.

Dabei stellt sich aber heraus, daß diese Aufgabe vorläufig nicht eindeutig lösbar ist, d. h. daß es mehrere voneinander abweichende Wege gibt, die Analogie durchzuführen. Dadurch gelangt man zu ganz verschiedenartigen mechanischen Definitionen der Temperatur und damit auch der Entropie, von denen jede ihre eigentümlichen Vorzüge, aber auch ihre Nachteile besitzt. So kann man die Temperatur in Analogie bringen zu dem Modul Θ der kanonischen Verteilung, oder auch zu der Größe

$$V . e^{-\varphi} = \frac{d\varepsilon}{d \log V}$$

1) J. W. Gibbs, Thermodynamische Studien, Leipzig 1902, S. 76.

für eine mikrokanonische Verteilung, oder auch zu der Größe $d\varepsilon / d\varphi$. Je nachdem man sich für die eine oder die andere Wahl entscheidet, erhält man als mechanischen Ausdruck der Entropie, in derselben Reihenfolge genommen, die Größe $-\bar{\eta}$, d. h. den negativen mittleren Wahrscheinlichkeitsindex, oder die Größe $\log V$, oder die Größe φ. Der Verf. bespricht die charakteristischen Merkmale dieser verschiedenen Analogien, ohne sich jedoch definitiv für die Annahme einer derselben zu entscheiden.

Auch auf die Größenordnung der entsprechenden Zahlen wird eingegangen. Es zeigt sich, daß für ein System von n Freiheitsgraden die mechanische Größe, welche sich der Temperatur analog verhält, von der Größenordnung $1/n$, dagegen diejenige, welche sich der Entropie analog verhält, von der Größenordnung n ist. Um daher diese Größen von mechanischem auf thermisches Maß (Celsiusgrade) zu reduzieren, bedarf es eines Reduktionsfaktors K von entsprechender Größenordnung. So ist für ein System, welches durch die Masseneinheit eines einatomigen Gases dargestellt wird, $\Theta = T/K$, wobei die Konstante K von der Natur des Gases unabhängig und von der Größenordnung der Zahl der Atome ist.[1])

Um auch für die Massenpotentiale μ in der obigen thermodynamischen Gleichung einen mechanischen Ausdruck zu gewinnen, muß man den bisher benutzten Begriff einer Menge von Systemen, in welcher alle Systeme die nämlichen materiellen Bestandteile enthalten, verallgemeinern auf den einer Menge von Systemen, in welcher die einzelnen Systeme sich nicht nur durch ihre Phasen, sondern auch durch die Anzahl der verschiedenen in ihnen enthaltenen Partikel unterscheiden (grand ensemble im Gegensatz zu petit ensemble). Dann führen ganz entsprechende Betrachtungen zu den Sätzen für den Austausch von Materie zwischen je zwei in Wechselwirkung tretenden Systemen, wie früher für den Austausch von Energie zwischen ihnen.

Eine definitive Entscheidung der prinzipiellen Frage nach der rationellsten mechanisch-statistischen Definition der Entropie

---

1) Der reziproke Wert von K ist identisch mit der universellen Konstante k, welche der Ref. aus den Gesetzen der Wärmestrahlung zu $1{,}346 \cdot 10^{-16}$ erg/grad berechnet hat.

und der Temperatur kann wohl nur gewonnen werden durch Heranziehung der für irreversible Prozesse gültigen Gesetze. Aber gerade in diesem Punkte will dem Ref. das vom Verf. eingeschlagene Verfahren nicht ganz befriedigend erscheinen. Nachdem der (Poincarésche) Satz abgeleitet ist, daß alle Systeme der betrachteten Menge, welche zu irgend einer Zeit einen endlichen Phasenraum erfüllen, nach Ablauf einer endlichen Zeit in diesen Raum zurückkehren, bis auf singuläre Ausnahmen, wird die Frage aufgeworfen, ob eine Menge von unabhängigen Systemen, welche sich nicht im statistischen Gleichgewicht befindet, im Laufe der Zeit irgend eine Tendenz in der Richtung zu einem statistischen Gleichgewicht (und damit zu einer Abnahme des mittleren Wahrscheinlichkeitsindex $\bar{\eta}$) aufweist. Die so gestellte Frage muß nach der Meinung des Ref. verneint werden; der Verf. kommt aber nach längeren Auseinandersetzungen (S. 143—151) zu dem entgegengesetzten Resultat, indem er sich darauf beruft, daß man zu einem verschiedenen Werte für den mittleren Wahrscheinlichkeitsindex gelange, je nach der Art wie man diesen Mittelwert berechne.

Auf nähere Einzelheiten kann hier nicht eingegangen werden; doch möchte der Ref. zum Schluß noch erwähnen, daß die nach seiner Meinung unumgänglich notwendige Vorbedingung für eine befriedigende mechanische Erklärung der Irreversibilität: Das Vorhandensein vieler *gleichartiger* Partikel in einem System, im letzten Kapitel des Buches als spezielle Anwendung betrachtet wird. Hier entsteht vor allem die prinzipielle Frage, ob man zwei Zustände eines Systems, welche sich nur dadurch unterscheiden, daß zwei gleichartige Partikel ihre Lagen und Geschwindigkeiten vertauschen, als identische oder als verschiedene Phasen zu betrachten hat. Der Verf. braucht das Wort „Phase“ sowohl im einen als auch im anderen Sinne (generic phases, specific phases). Es ist dies der nämliche Unterschied wie der zwischen „Zustand“ und „Komplexion“, auf welchen bekanntlich L. Boltzmann seine allgemeine Definition der Entropie aufgebaut hat. M. Pk.

Über die Potentialdifferenz verdünnter Lösungen

§ 1. Die Potentialdifferenz zweier aneinander grenzender Lösungen des nämlichen Lösungsmittels, das sogenannte Diffusionspotential, spielt zwar, quantitativ genommen, im allgemeinen nur eine geringe Rolle unter den verschiedenen Arten von Kontaktspannungen, aber sie besitzt ein besonderes prinzipielles Interesse durch den Umstand, daß man zur Berechnung ihrer Größe keiner anderen Konstanten bedarf als der absoluten Gaskonstanten und der elektrischen Ladungen sowie der Beweglichkeitszahlen der Ionen. Voraussetzung dabei ist allerdings eine Verdünnung, die so hochgradig ist, daß die Ionen sich vollkommen unabhängig voneinander verhalten, wozu auch gehört, daß ihre Beweglichkeit unabhängig ist von der Konzentration[1].

Falls man diese Bedingung als erfüllt annehmen darf, so ist in einem beliebigen ungleichmäßig konzentrierten Elektrolyten, wie zuerst W. Nernst gezeigt hat, sowohl das lokale Potentialgefälle als auch der ganze zeitliche Verlauf des Diffusionsvorgangs vollständig bestimmt und angebbar, wenn man die van't Hoffsche Theorie des osmotischen Druckes kombiniert mit der Arrheniusschen Theorie der elektrolytischen Dissoziation und der dadurch bedingten unabhängigen Wanderung der Ionen. Ein jedes Ion bewegt sich nämlich unter der Einwirkung zweier verschiedener Kräfte: der durch sein Konzentrationsgefälle bedingten osmotischen Kraft, und der durch das Potentialgefälle bedingten elektrischen Kraft, nach Maßgabe seiner Beweglichkeit, und das Potentialgefälle ist dadurch bestimmt, daß in jedem Augenblick und überall die entgegengesetzten Ionenladungen sich neutralisieren, also für einwertige positive Ionen mit den Konzentrationen $c', c'', c''', \ldots$ und einwertige negative Ionen mit den Konzentrationen $\bar{c}', \bar{c}'', \bar{c}''', \ldots$:

$$c' + c'' + c''' + \cdots = \bar{c}' + \bar{c}'' + \bar{c}''' + \cdots = c, \tag{1}$$

wobei c die Gesamtkonzentration bezeichnet.

Werden die entsprechenden Beweglichkeitszahlen für die Kationen mit $u', u'', u''', \ldots$, für die Anionen mit $v', v'', v''', \ldots$ bezeichnet, und setzt man zur Abkürzung:

$$\left.\begin{aligned} u'c' + u''c'' + u'''c''' + \cdots &= U \\ v'\bar{c}' + v''\bar{c}'' + v'''\bar{c}''' + \cdots &= V, \end{aligned}\right\} \tag{2}$$

so ergibt sich auf dem geschilderten Wege für das lokale Gefälle des elektrischen Potentials ϕ im stromlosen Zustand:

---

[1] Vgl. hierzu A. Bühl, Ann. d. Phys. **84**, p. 211, 1927.

$$\frac{\partial \phi}{\partial x} = -\frac{RT}{\varepsilon} \cdot \frac{1}{U+V} \cdot \frac{\partial (U-V)}{\partial x} \tag{3}$$

(x Raumkoordinate, R Gaskonstante, T Temperatur, ε Ladung eines g-Ions), woraus dann durch Integration die Potentialdifferenz aus dem Konzentrationsgefälle zu berechnen ist.

§ 2. In der vorstehenden Form versagt aber die Theorie gerade in dem interessantesten Fall: dem der Berührung zweier homogener Elektrolyte. Denn hier ist das Konzentrationsgefälle durchweg gleich Null, während die Konzentrationen selber an der Berührungsfläche unstetig sind. Macht man die naheliegende Annahme, die Unstetigkeitsfläche zu ersetzen durch eine Übergangsschicht von kleiner, aber endlicher Dicke, so werden die Konzentrationen durchweg stetig, während die Konzentrationsgefälle innerhalb der Schicht sehr große Werte annehmen. Aber je nach der Art des für die einzelnen Ionengattungen angenommenen Übergangs fällt die Potentialdifferenz der beiden Lösungen 1 und 2:

$$\phi_2 - \phi_1 = E = \int_1^2 \frac{\partial \phi}{\partial x} \cdot dx \tag{4}$$

verschieden aus, und um zu einem bestimmten Wert von E zu gelangen, ist eine neue Voraussetzung nötig.

Eine derartige Voraussetzung habe ich durch folgende Betrachtung eingeführt und zu begründen gesucht. Geht man von einer beliebigen Beschaffenheit der Grenzschicht aus, so wird sich dieselbe im allgemeinen sehr schnell mit der Zeit ändern. Denn sowohl die osmotische als auch die elektrische Kraft ist innerhalb der Schicht sehr groß. Es wird daher sehr bald ein quasistationärer Zustand eintreten, der dadurch bedingt ist, daß die beiden sehr großen Kräfte sich gegenseitig nahezu kompensieren, so daß die aus ihrem Gegenspiel herrührende zeitliche Änderung der Konzentrationen klein ist gegen die aus der Wirkung jeder einzelnen Kraft herrührende Änderung. Für den so definierten quasistationären Zustand ergibt sich aus (3) ein ganz bestimmter, von der Dicke der Übergangsschicht unabhängiger Wert von E.

Bedenklich bleibt bei dieser Deduktion freilich noch der Sprung des Konzentrationsgefälles an den Grenzflächen 1 und 2 der Übergangsschicht. Aber ich glaube, daß der hierdurch bedingte Fehler von verschwindender Größenordnung ist, weil für eine unendlich dünne Übergangsschicht der Einfluß des Sprungs der Konzentration den des Sprunges des Konzentrationsgefälles weitaus überwiegen dürfte.

Für einwertige Ionen führt die Berechnung von E auf eine gewisse transzendente Gleichung[1]. Einen Fall mehrwertiger Ionen hat K. R. Johnson[2] durchgerechnet. Auch sonst ist diese Theorie mehrfach behandelt worden (von N. Bjerrum[3], J. Guyot[4], G. Gouy[5], E. Denina[6]), aber an Versuchen, sie durch

[1] M. Planck, Ann. d. Phys. **40**, p. 561, 1890.
[2] K. R. Johnson, Ann. d. Phys. **14**, p. 995, 1904.
[3] N. Bjerrum, Zeitschr. f. phys. Chem. **53**, p. 428, 1905.
[4] J. Guyot, Journ. de Phys. **6**, p. 530, 1907. — J. Guyot et B. Brunhes, ibid. **7**, p. 27, 1908.
[5] G. Gouy, Journ. chim. phys. **14**, p. 185, 1916.
[6] E. Denina, Gazz. chim. ital. **56**, p. 798, 1926.

eine bessere zu ersetzen, ist mir nur ein einziger bekannt geworden, von P. HENDERSON[1].

§ 3. HENDERSON benutzt statt der von mir eingeführten Annahme eine andere, höchst einfache und anschauliche, indem er voraussetzt, daß die Lösung an irgendeiner Stelle der Übergangsschicht sich additiv zusammensetzt aus einem gewissen Bruchteil α der Lösung 1 und dem komplementären Bruchteil $1-\alpha$ der Lösung 2. Also:

$$\left.\begin{aligned} c' &= \alpha c_1' + (1-\alpha) c_2', \\ c'' &= \alpha c_1'' + (1-\alpha) c_2'', \\ &\ldots\ldots\ldots \end{aligned}\right\} \qquad (5)$$

usw. für alle positiven und negativen Ionen, wobei α für sämtliche Ionengattungen den nämlichen Wert besitzt und nur von der Raumkoordinate x abhängt. Man kann das auch so ausdrücken, daß man sagt: die beiden Lösungen vermischen sich als Ganzes, durch einfache Konvektion.

Der Vorteil dieser Annahme beruht darauf, daß die Beschaffenheit der Lösung innerhalb der Übergangsschicht nur von einem einzigen Parameter α abhängt, der für die Lösung 1 den Wert 1, für die Lösung 2 den Wert 0 besitzt.

HENDERSON hat zur Berechnung von E nicht die hier dargestellte kinetische, sondern eine thermodynamische Methode benutzt. Aber eine nähere Betrachtung, auf die ich hier nicht eingehen will, zeigt, daß man auf diesem Wege zu genau der nämlichen Formel für E gelangt wie oben. Der Zusammenhang des Parameters α mit der Raumkoordinate x bleibt dabei ganz offen. In der Tat kann man in der Differentialgleichung (3) für ϕ und ebenso in dem Integralausdruck (4) für E einfach dx durch $d\alpha$ ersetzen und erhält dann aus (2) und (5) ganz allgemein als Potentialdifferenz nach HENDERSON:

$$E_H = \frac{RT}{\varepsilon} \cdot \frac{U_1 - U_2 - V_1 + V_2}{U_1 - U_2 + V_1 - V_2} \log \frac{U_1 + V_1}{U_2 + V_2}, \qquad (6)$$

abweichend von der Potentialdifferenz E_P nach PLANCK.

Die Formeln für E_H und E_P stimmen für einige spezielle Fälle überein. Für $c_1 = c_2$ ist beispielsweise:

$$E_P = \frac{RT}{\varepsilon} \cdot \log \frac{U_1 + V_2}{U_2 + V_1}, \qquad (7)$$

was im allgemeinen von E_H abweicht. Aber sowohl für $V_1 = V_2$ als auch für $U_1 = U_2$ ist $E_H = E_P$.

§ 4. Systematische Messungen zur Prüfung der beiden Formeln an der Erfahrung sind vor kurzem ausgeführt worden von PAUL F. BÜCHI[2], mit dem Ergebnis, daß die Formel von HENDERSON in allen untersuchten Fällen den Vorzug verdient. Indessen glaube ich nicht, daß man die Messungen von BÜCHI in einen Zusammenhang mit meiner Formel bringen kann. Denn diese ergibt das eigentliche Diffusionspotential, mit Ausschluß jeglicher Konvektion. Bei den Versuchen von BÜCHI aber ist der Einfluß von Flüssigkeitsbewegungen

[1] P. HENDERSON, Zeitschr. f. phys. Chem. **59**, p. 118, 1907; **63**, p. 325, 1908.
[2] P. F. BÜCHI, Zeitschr. f. Elektrochemie **30**, p. 443, 1924.

nicht nur nicht nach Möglichkeit vermieden, sondern durch Verzicht auf jegliches die freie Zirkulation der Flüssigkeiten hemmendes Mittel, z. B. stopfende Watte, sogar mit Absicht begünstigt worden. Außerdem wurden die Messungen nicht unmittelbar nach der Zusammenbringung der beiden Lösungen, sondern erst etwa eine Stunde später ausgeführt, nachdem sich schon merkliche Änderungen der Potentialdifferenz vollzogen hatten.

Es dürfte gewiß prinzipiell von Interesse sein, die beiden Formeln auch unter dem Gesichtspunkte zu vergleichen, daß man Konvektionsbewegungen möglichst ausschließt und so das eigentliche Diffusionspotential zu trennen von dem zusätzlichen, durch den Einfluß der Konvektion bedingten Potential.

Dabei wird man selbstverständlich am zweckmäßigsten solche Fälle untersuchen, für welche die Werte E_H und E_P möglichst weit voneinander abweichen. In den von Büchi ausgeführten Messungen findet sich die größte Differenz von E_H und E_P bei der Potentialdifferenz zwischen Salzsäure in normaler Verdünnung und Kaliumchlorid in einhundertstel normaler Verdünnung:

$$\mathrm{HCl}\,|\,0.01\ \mathrm{KCl}. \tag{8}$$

Hierfür ergibt sich bei Zimmertemperatur 18° C und den Beweglichkeitszahlen:

$$u' = 315 \quad \text{für } \overset{+}{\mathrm{H}},$$
$$u'' = 64 \quad \text{für } \overset{+}{\mathrm{K}},$$
$$v' = 65.5 \quad \text{für } \overset{-}{\mathrm{Cl}},$$
$$E_H = 94.2\ mV, \quad E_P = 83.5\ mV.$$

Man kann aber durch Verwendung verschiedenartiger Anionen die Differenz von E_H und E_P noch erheblich steigern. So habe ich z. B. für eine Kombination von Salzsäure mit Natriumacetat:

$$\mathrm{HCl}\,|\,0.01\ \mathrm{NaC_2H_3O_2} \tag{9}$$

$$\text{mit } u'' = 43.5 \quad \text{für } \overset{+}{\mathrm{Na}}$$
$$v'' = 31 \quad \text{für } \mathrm{C_2\overset{-}{H}_3O_2}$$

folgende Werte berechnet:

$$E_H = 103\ mV, \quad E_P = 85\ mV.$$

Die Differenz ist jedoch sicherlich noch einer weiteren Vergrößerung fähig. Freilich fällt es wegen der Kompliziertheit der Formel für E_P nicht leicht, die Bedingungen dafür zu übersehen. Eine systematische Untersuchung dieses Punktes habe ich begonnen und hoffe über das Ergebnis derselben seinerzeit berichten zu können.

Ausgegeben am 14. Februar 1928.

Über die Potentialdifferenz verdünnter Lösungen

(Zweite Mitteilung)

§ 1. In einer vorangehenden Mitteilung[1] habe ich den prinzipiellen Unterschied der beiden Formeln besprochen, welche einerseits von P. Henderson[2], anderseits von mir[3] für die Größe der Potentialdifferenz zwischen zwei unendlich verdünnten Lösungen aufgestellt worden sind.

Bezeichnet man mit $c', c'', c''', \cdots; u', u'', u''', \cdots$ die Konzentrationen und Beweglichkeiten der positiven Ionen, mit $\bar{c}', \bar{c}'', \bar{c}''', \cdots; v', v'', v''', \cdots$ die entsprechenden Größen für die negativen Ionen, wobei

$$c' + c'' + c''' + \cdots = \bar{c}' + \bar{c}'' + \bar{c}''' + \cdots = c, \tag{1}$$

und setzt zur Abkürzung

$$\left.\begin{aligned} u'c' + u''c'' + \cdots &= U \\ v'\bar{c}' + v''\bar{c}'' + \cdots &= V, \end{aligned}\right\} \tag{2}$$

so ist, wenn R die absolute Gaskonstante, T die Temperatur, ε die Ladung eines der hier stets als einwertig angenommenen gr.-Ionen bedeutet, die Potentialdifferenz $\phi_2 - \phi_1 = E$ zweier sich berührender Lösungen 1 und 2 nach Henderson:

$$E_H = \frac{RT}{\varepsilon} \cdot \frac{U_1 - U_2 - V_1 + V_2}{U_1 - U_2 + V_1 - V_2} \cdot \log \frac{U_1 + V_1}{U_2 + V_2}, \tag{3}$$

nach Planck:

$$E_P = \frac{RT}{\varepsilon} \cdot \log \xi,$$

wobei:

$$\frac{\xi U_2 - U_1}{V_2 - \xi V_1} = \frac{\xi c_2 - c_1}{c_2 - \xi c_1} \cdot \frac{\log \dfrac{c_2}{c_1} - \log \xi}{\log \dfrac{c_2}{c_1} + \log \xi}. \tag{4}$$

§ 2. Wenn es sich nun darum handelt, durch Versuche zwischen beiden Formeln zu entscheiden, so wird es sich natürlich empfehlen, solche Konzentrationen zweier Lösungen zu wählen, für welche die Formeln möglichst verschiedene Werte liefern. Nach welchen Gesichtspunkten man hierbei zu verfahren hat, wird am besten zu übersehen sein, wenn man sich, wie wir das

---

[1] M. Planck, diese Berichte p. 285, 1927.
[2] P. Henderson, Zeitschr. f. physikal. Chemie **59**, p. 118, 1907; **63**, p. 325, 1908.
[3] M. Planck, Ann. d. Phys. **40**, p. 561, 1890.

hier tun wollen, auf den einfachen Fall beschränkt, daß jede der beiden Lösungen nur eine einzige Art von Kationen und Anionen enthält. In diesem Falle haben wir im ganzen nur zwei Arten von Kationen und Anionen und erhalten aus (1):

$$c' + c'' = \bar{c}' + \bar{c}'' = c, \tag{5}$$

aus (2):

$$\left.\begin{aligned} U &= u'c' + u''c'' \\ V &= v'\bar{c}' + v''\bar{c}'', \end{aligned}\right\} \tag{6}$$

ferner:

$$c_1'' = 0, \quad \bar{c}_1'' = 0, \quad c_2' = 0, \quad \bar{c}_2' = 0,$$

indem wir in der ersten Lösung nur die eingestrichenen, in der zweiten Lösung nur die zweigestrichenen Ionen als vorhanden annehmen, so daß

$$\left.\begin{aligned} c_1 &= c_1' = \bar{c}_1', \quad c_2 = c_2'' = \bar{c}_2'' \\ U_1 &= u'c_1, \quad U_2 = u''c_2 \\ V_1 &= v'c_1, \quad V_2 = v''c_2. \end{aligned}\right\} \tag{7}$$

Zur beliebigen Verfügung stehen dann die 6 Konstanten c_1, c_2, u', u'', v', v'', die aber nur eine vierfache Mannigfaltigkeit der Potentialdifferenz E bedingen, da es sowohl bei den Konzentrationen als auch bei den Beweglichkeitszahlen nicht auf die absoluten Werte, sondern nur auf die Verhältnisse ankommt.

Für gewisse spezielle Fälle, wie z. B. $u' = u''$ zusammen mit $v' = v''$, oder $c_1 = c_2$ zusammen entweder mit $u' = u''$ oder mit $v' = v''$, sind E_H und E_P identisch, wie man aus (3) und (4) erkennt. Man wird also bei den anzustellenden Versuchen diese Fälle nicht verwenden, sondern wird vielmehr solche Fälle aussuchen, welche den absoluten Betrag der Differenz $E_H - E_P$ möglichst groß ergeben. Nach welcher Richtung hierbei zu verfahren ist, läßt sich aber nicht unmittelbar erkennen. Dazu ist die Formel für E_P viel zu kompliziert. So ist nicht einmal zu ersehen, ob z. B. für $c_1 > c_2$ u' beziehungsweise v' größer oder kleiner als u'' beziehungsweise v'' gewählt werden muß, um den Betrag von $E_H - E_P$ möglichst in die Höhe zu treiben.

§ 3. Um wenigstens einen ersten festen Anhaltspunkt für die Beantwortung der aufgeworfenen Frage zu gewinnen, kann man so vorgehen, daß man die Werte von E in der Nähe des genannten einfachsten Falles ($u' = u''$, $v' = v''$, $c_1 = c_2$) untersucht. Setzen wir nämlich:

$$\left.\begin{aligned} u' &= u, \quad u'' = u + \Delta u \\ v' &= v, \quad v'' = v + \Delta v \\ \frac{c_2 - c_1}{c_1} &= \delta \end{aligned}\right\} \tag{8}$$

und nehmen Δu, Δv und δ unendlich klein an, so werden alle Ausdrücke in den Gleichungen (3) und (4) in ihrer Abhängigkeit von diesen drei Größen durch Potenzreihen darstellbar, und die Werte von E_H und E_P lassen sich direkt berechnen und vergleichen.

Die Ausführung der etwas umständlichen, aber elementaren Rechnung ergibt für die gesuchte Differenz den folgenden Ausdruck:

$$E_H - E_P = \frac{\kappa T}{3\varepsilon(u+v)^3}\cdot\Big\{(\Delta v - \Delta u)\,\Delta u\,\Delta v - \frac{\delta}{2}\big(v(\Delta u)^2 - u(\Delta v)^2 + 3(u-v)\,\Delta u\,\Delta v\big)\Big\}. \tag{9}$$

Man ersieht hieraus zunächst die Bestätigung der früheren Feststellung, daß, wenn zwei der 3 Größen Δu, Δv, δ verschwinden, auch die Differenz $E_H - E_P$ verschwindet. Weiter aber erkennt man leicht, in welchem Sinn und in welchem Betrage die Differenz $E_H - E_P$ anwächst, wenn irgendeine Abweichung von dieser Bedingung eintritt. So ist z. B. für den von P. F. Büchi [1] untersuchten Fall

$$E = \mathrm{HCl}\,|\,0.01\,\mathrm{KCl}$$

$$\Delta v = 0$$

$$\Delta u = u'' - u' = u_K - u_H < 0$$

$$\delta = \frac{c_2 - c_1}{c_1} < 0.$$

Folglich nach (9)

$$E_H - E_P > 0,$$

in Übereinstimmung mit der direkten Berechnung, wobei man zugleich erkennt, daß das Vorzeichen von $E_H - E_P$ nicht durch das der Beweglichkeitsdifferenz Δu, sondern nur durch das der Konzentrationsdifferenz bestimmt wird.

Wenn außer den Kationen auch die Anionen in den beiden Lösungen verschieden sind, läßt sich an der Hand von (9) leicht beurteilen, ob die Differenz $E_H - E_P$ durch diese beiden Unterschiede in dem nämlichen oder in entgegengesetztem Sinn beeinflußt wird.

§ 4. Was nun die Anordnung der Versuche betrifft, so scheint mir das folgende Verfahren deshalb das zweckmäßigste zu sein, weil es sich einfach ausführen läßt und zugleich eine Art Nullmethode darstellt. Hat man irgend zwei Lösungen 1 und 2, und stellt aus ihnen eine dritte Lösung 3 dadurch her, daß man irgendeine Quantität der Lösung 1 mit einer beliebigen anderen Quantität der Lösung 2 durcheinandermischt, so ist die Potentialdifferenz:

$$E = 1\,|\,2\,|\,3\,|\,1$$

nach Henderson $= 0$, nach Planck im allgemeinen von Null verschieden, wie sich aus den Formeln (3) und (4) ergibt. Derartige Versuche sind zur Zeit im physikalischen Institut der Universität Berlin im Gange. Sollte sich aus ihnen, wie es die Ergebnisse von Büchi vermuten lassen, eine Bestätigung der Hendersonschen Formel ergeben, so wäre damit die interessante Tatsache festgestellt, daß bei der Vermischung zweier Lösungen auch bei größtmöglicher Vorsicht die Konvektion praktisch eine viel größere Rolle spielt als die eigentliche, bei ruhendem Lösungsmittel stattfindende Diffusion.

[1] P. F. Büchi, Zeitschr. f. Elektrochemie **30**, p. 443, 1924.

Ausgegeben am 30. Januar.

Über die Grenzschicht verdünnter Elektrolyte

§ 1. In zwei Mitteilungen über die Potentialdifferenz zweier verdünnter binärer Elektrolyte[1] habe ich den Gegensatz untersucht, der zwischen der von P. Henderson und der von mir für die Größe der Potentialdifferenz entwickelten Formel besteht. Beide Formeln beruhen auf der von W. Nernst begründeten Theorie der Elektrizitätserregung in Elektrolyten, ihr Unterschied wird lediglich dadurch bedingt, daß bei ihrer Ableitung verschiedene Voraussetzungen über die Beschaffenheit der Grenzschicht eingeführt werden, welche den stetigen Übergang der Ionenkonzentrationen von dem einen zum andern Elektrolyten vermittelt.

Wenn wir zur Vereinfachung der Rechnungen die Betrachtung beschränken auf zwei Elektrolyte mit einem gemeinsamen Ion, z. B. HCl und KCl, so ist die Summe der Konzentrationen der beiden Kationen: c' und c'', überall und immer gleich der Konzentration des gemeinsamen Anion:

$$c' + c'' = c. \tag{1}$$

Bezeichnet δ die Dicke der Grenzschicht, so haben wir an den beiden Endflächen dieser Schicht:

$$\left.\begin{array}{lll} \text{für } x = 0: & c' = c = c_1, & c'' = 0 \\ \text{für } x = \delta & c' = 0, & c'' = c = c_2 \end{array}\right\} \tag{2}$$

wo c_1 und c_2 die gegebenen Konzentrationen der beiden Lösungen sind.

Nun ist, falls das Lösungsmittel (Wasser) ruht, die Anzahl der Kationen, welche an irgendeiner Stelle der Grenzschicht in der Zeiteinheit durch die Querschnittseinheit hindurchgehen:

$$\left.\begin{array}{l} n' = -u' RT \dfrac{\partial c'}{\partial x} - u' \varepsilon c' \dfrac{\partial \phi}{\partial x} \\ n'' = -u'' RT \dfrac{\partial c''}{\partial x} - u'' \varepsilon c'' \dfrac{\partial \phi}{\partial x}, \end{array}\right\} \tag{3}$$

wo u' und u'' die Beweglichkeiten, R die absolute Gaskonstante, T die Temperatur, ε die Elementarladung und ϕ das Potential bezeichnet, und die entsprechende Anzahl der Anionen:

$$\left. n = -v RT \frac{\partial c}{\partial x} + v \varepsilon c \frac{\partial \phi}{\partial x} \,. \right\} \tag{4}$$

---

[1] M. Planck, diese Berichte, S. 285, 1927; S. 9, 1929.

Wenn kein Strom durch die Lösung fließt, so haben wir:

$$n' + n'' = n\,, \tag{5}$$

und durch Substitution in (3) und (4):

$$\frac{\partial \phi}{\partial x} = -\frac{RT}{\varepsilon} \cdot \frac{\frac{\partial}{\partial x}(u'c' + u''c'' - vc)}{u'c' + u''c'' + vc}\,, \tag{6}$$

woraus durch Integration von $x = 0$ bis $x = \delta$ die Potentialdifferenz $\phi_2 - \phi_1 = E$ der beiden Lösungen sich berechnet.

Um die Integration ausführen zu können, bedarf es der Kenntnis des Gesetzes, nach welchem sich die Konzentrationen innerhalb der Grenzschicht verändern.

Henderson[1] setzt einfach:

$$c' = c_1\left(1 - \frac{x}{\delta}\right) \quad \text{und} \quad c'' = c_2 \frac{x}{\delta} \tag{7}$$

also nach (1):

$$c = c_1 - \frac{x}{\delta}\,(c_1 - c_2)\,, \tag{8}$$

wodurch die Randbedingungen (2) befriedigt werden. Dies bedeutet, daß der Zustand der Grenzschicht an der Stelle x sich ergibt, wenn man x Volumina des zweiten Elektrolyten mit $\delta - x$ Volumina des ersten Elektrolyten gleichmäßig mischt. Wir können daher diesen Zustand den »Mischungszustand« der Grenzschicht nennen. In ihm hängen alle Konzentrationen nur von einem einzigen Parameter ab. Nimmt man als solche die Gesamtkonzentration c, so ist überall:

$$c' = \frac{c - c_2}{c_1 - c_2} \cdot c_1 \quad \text{und} \quad c'' = \frac{c_1 - c}{c_1 - c_2} \cdot c_2\,. \tag{9}$$

Im Gegensatz dazu habe ich zur Integration von (6) den »stationären« Zustand der Grenzschicht herangezogen, d. h. denjenigen Zustand, der sich mit der Zeit nur verhältnismäßig wenig ändert. Derselbe wird erhalten, wenn man ausgeht von den Gleichungen der Kontinuität:

$$\frac{\partial c'}{\partial t} = -\frac{\partial n'}{\partial x}\,, \quad \frac{\partial c''}{\partial t} = -\frac{\partial n''}{\partial x}\,, \quad \frac{\partial c}{\partial t} = -\frac{\partial n}{\partial x} \tag{10}$$

und dann die linken Seiten gleich Null setzt. Der stationäre Zustand der Grenzschicht entspricht an keiner Stelle einer Vermischung der beiden Elektrolyte, weil die beiden Konzentrationen c' und c'' nicht der Bedingung $\frac{c'}{c_1} + \frac{c''}{c_2} = 1$ genügen, wie sie das im Mischungszustand tun.

---

[1] P. Henderson, Zeitschr. f. phys. Chem. **59**, S. 118, 1907; **63**, S. 325, 1908.
[2] M. Planck, Ann. d. Phys. **40**, S. 561, 1890.

§ 2. Die Versuche, welche zur experimentellen Prüfung der beiden einander gegenüberstehenden Formeln für die Potentialdifferenz E der Elektrolyte im NERNSTschen physikalischen Institut von V. PLETTIG[1] angestellt worden sind, und die sich u. a. auch auf die Kombination einer Normallösung von HCl mit einer 0.01-Normallösung von KCl bezogen, haben in allen untersuchten Fällen unzweideutig zugunsten der Formel von HENDERSON entschieden. Damit ist bewiesen, daß die Grenzschicht der beiden Elektrolyte sich während der Dauer der Messungen (mehrere Stunden) nicht im stationären Zustand, sondern im Mischungszustand befindet. Das heißt aber, daß der Vorgang der eigentlichen Diffusion, wie er durch die Gleichungen (3) und (4) dargestellt wird, vollkommen verdeckt wird durch Strömungsvorgänge, bei denen sich die beiden Elektrolyte als Ganzes vermischen, in Übereinstimmung mit Erfahrungen, die schon vor Jahren U. BEHN[2] auf diesem Gebiete gemacht hat.

Auf der andern Seite verlangt die Theorie, auf der ja auch die HENDERSONsche Formel beruht, daß im Laufe der Zeit, bei fortschreitender Vermischung der beiden Elektrolyte, auch die Diffusionsformeln (3) und (4) in ihr Recht treten, und man wird fragen müssen, ob und wann die Folgerungen aus ihnen experimentell nachweisbar sein werden. Dabei wird offenbar alles darauf ankommen, erstens Strömungen möglichst zu vermeiden, zweitens die Randbedingungen (2) möglichst lange Zeit hindurch aufrechtzuerhalten. Beides läßt sich vielleicht dadurch erreichen, daß man zwei große Quantitäten der beiden Elektrolyte durch eine sehr enge Röhre von der Länge δ miteinander kommunizieren läßt. Dann werden sich die Konzentrationen an den beiden Enden der Röhre zeitlich jedenfalls sehr wenig ändern gegenüber den Konzentrationsänderungen im Innern der Röhre. Dementsprechend wollen wir im folgenden die Randbedingungen (2) für alle Zeiten als erfüllt annehmen.

§ 3. Der »stationäre Zustand« unterscheidet sich, wie schon V. PLETTIG gefunden hat, in manchen Fällen sehr erheblich von dem »Mischungszustand« der Grenzschicht. Während für die Gesamtkonzentration c auch im stationären Zustand die lineare Abhängigkeit (8) von der Ortskoordinate x besteht, treten für die Ionenkonzentrationen c' und c'' im stationären Zustand, d. h. wenn man die drei Ausdrücke (10) gleich Null setzt, an Stelle der im Mischungszustand gültigen Formeln (9) die folgenden Formeln ein:

$$c' = \frac{c - c_2\left(\frac{c}{c_2}\right)^\alpha}{c_1 - c_2\left(\frac{c_1}{c_2}\right)^\alpha}\cdot c_1 \qquad (11)$$

$$c'' = \frac{c_1\left(\frac{c}{c_2}\right)^\alpha - c\left(\frac{c_1}{c_2}\right)^\alpha}{c_1 - c_2\left(\frac{c_1}{c_2}\right)^\alpha}\cdot c_2 . \qquad (12)$$

[1] V. PLETTIG, Berliner Dissertation, wird demnächst im Druck erscheinen.
[2] U. BEHN, WIED. Ann. **62**, S. 54, 1897.

Dabei hat die Konstante α die Bedeutung:

$$\alpha = \frac{\varepsilon(\phi_2 - \phi_1)}{RT \cdot \log \frac{c_1}{c_2}}. \tag{13}$$

Die Ionenkonzentrationen c' und c'' variieren also keineswegs linear von dem einen Ende der Verbindungsröhre zur andern, sondern sie können sogar dazwischen ein beträchtliches Maximum besitzen. Setzt man z. B. $\frac{\partial c''}{\partial x} = 0$, oder, was auf dasselbe hinauskommt, $\frac{\partial c''}{\partial c} = 0$, so ergibt sich nach (12) bzw. (8) für die Lage des Maximums von c'':

$$c = c_1 \cdot \alpha^{\frac{1}{1-\alpha}} \tag{14}$$

und für die Größe des Maximums:

$$c'' = \frac{\alpha^{\frac{\alpha}{1-\alpha}} - \alpha^{\frac{1}{1-\alpha}}}{\left(\frac{c_2}{c_1}\right)^{\alpha} - \frac{c_2}{c_1}} \tag{15}$$

Für den oben angeführten Fall der Kombination $HCl \mid 0.01\, KCl$ ist:

$$c_1 = 1, \; c_2 = 0.01, \; \alpha = 0.7596,$$

also die Lage des Maximums der Konzentration c'' der $K^{\cdot}$-Ionen nach (14):

$$c = 0.3186$$

bzw. nach (8):

$$x = 0.6883\,\delta$$

und der Betrag des Maximums nach (15):

$$c'' = 0.04977,$$

während im Mischungszustand der Grenzschicht die Konzentration c'' der $K^{\cdot}$-Ionen monoton, und zwar linear von 0 bis 0.01 wächst. Der stationäre Zustand der Grenzschicht weist also stellenweise einen Betrag der Konzentration der $K^{\cdot}$-Ionen auf, der fast fünfmal so groß ist als der größte Wert im Mischungszustand.

§ 4. Bei der großen Verschiedenheit der Ionenkonzentrationen im Mischungszustand und im stationären Zustand der Grenzschicht läßt sich vermuten, daß eine chemische Analyse der in dem Verbindungsrohr der beiden Elektrolyte enthaltenen Flüssigkeit eine geeignete Methode zur Vergleichung der beiden

Zustände bilden dürfte. Wenn wir als »Ionengehalt« der Grenzschicht den folgenden Mittelwert definieren:

$$\bar{c}' = \frac{1}{\delta} \cdot \int_0^\delta c' dx \tag{16}$$

bzw.

$$\bar{c}'' = \frac{1}{\delta} \cdot \int_0^\delta c'' dx, \tag{17}$$

so ergeben sich für den Mischungszustand der Grenzschicht aus (7) die Ionengehalte:

$$\bar{c}' = \frac{c_1}{2} \quad \text{und} \quad \bar{c}'' = \frac{c_2}{2}, \tag{18}$$

also für das gewählte Beispiel die Zahlenwerte:

$$\bar{c}' = 0.5 \quad \text{und} \quad \bar{c}'' = 0.005. \tag{19}$$

Dagegen für den stationären Zustand erhalten wir aus (11), (12) und (8) die Ausdrücke:

$$\bar{c}' = \frac{c_1}{c_1 - c_2\left(\frac{c_1}{c_2}\right)^\alpha} \cdot \left\{\frac{c_1 + c_2}{2} - \frac{c_2}{1+\alpha} \cdot \frac{c_1\left(\frac{c_1}{c_2}\right)^\alpha - c_2}{c_1 - c_2}\right\} \tag{20}$$

$$\bar{c}'' = \frac{c_2}{c_1 - c_2\left(\frac{c_1}{c_2}\right)^\alpha} \cdot \left\{\frac{c_1}{1+\alpha} \cdot \frac{c_1\left(\frac{c_1}{c_2}\right)^\alpha - c_2}{c_1 - c_2} - \frac{c_1 + c_2}{2} \cdot \left(\frac{c_1}{c_2}\right)^\alpha\right\} \tag{21}$$

und daraus für den betrachteten speziellen Fall:

$$\bar{c}' = 0.471 \quad \text{und} \quad \bar{c}'' = 0.034. \tag{22}$$

Während also der Chlorgehalt der Grenzschicht

$$\bar{c} = \bar{c}' + \bar{c}'' = 0.505$$

im stationären Zustand der nämliche ist wie im Mischungszustand, wie es nach (8) sein muß, beträgt der Kaliumgehalt $\bar{c}''$ im stationären Zustand nach (22) fast das Siebenfache des Kaliumgehaltes (19) im Mischungszustand.

Wenn man zu Beginn des Versuchs das Verbindungsrohr der beiden Elektrolyte zur einen Hälfte mit der HCl-Lösung, zur anderen Hälfte mit der KCl-Lösung gefüllt hat, so wird der Ionengehalt durch (18) bzw. (19) dargestellt. Diese Werte besitzen so lange unveränderte Gültigkeit, als die Hendersonsche Annahme, daß die Grenzschicht sich im Mischungszustand befindet, in Wirklichkeit zutrifft. In der Tat kann der Ionengehalt der Röhre durch Strömungen innerhalb derselben nicht geändert werden. Sobald aber die Diffusion nach (3) und (4) wirksam wird, muß sich die Röhre, bei konstant bleibendem Cl′-Gehalt, an K·-Ionen anreichern, während der Gehalt an H·-Ionen entsprechend zurückgeht. Parallel damit sinkt die ursprüngliche Potentialdifferenz $E = \phi_2 - \phi_1 = 97.7$ Millivolt gegen den »stationären« Wert 87.7 Millivolt hin herab.

Die hauptsächlichste Fehlerquelle bei einem derartigen Versuch dürfte in der Schwierigkeit liegen, die Flüssigkeit in der Röhre in Ruhe zu halten, da die kleinste Druckschwankung an deren beiden Enden eine Verschiebung der ganzen Flüssigkeitssäule bewirkt, wodurch dann der Ionengehalt der Röhre beträchtlich geändert wird. Indessen wird sich der hierdurch bedingte Fehler verhältnismäßig leicht eliminieren lassen. Denn jede Verschiebung der ganzen Flüssigkeit in der Röhre bewirkt, da die beiden Elektrolyte sehr verschieden verdünnt sind, eine starke Veränderung des Gehaltes der Röhre an Cl′-Ionen, und man kann daher umgekehrt aus der bei einem Versuch eingetreten Änderung des Chlorgehalts die Größe der Verschiebung berechnen und daraus auch, weil die Konzentrationen der Elektrolyte an den beiden Enden der Röhre bekannt sind, diejenige Änderung des Gehalts an H·-Ionen und an K·-Ionen, welche durch die Bewegung der ganzen Flüssigkeit bedingt ist. Subtrahiert man diese von der gemessenen Änderung, so bleiben diejenigen Größen $\bar{c}'$ und $\bar{c}''$ übrig, auf welche sich die Werte (19) und (22) beziehen.

§ 5. Um durch eine einfache Rechnung ein Urteil über die Größenordnung der Zeiten zu gewinnen, in welchen durch Diffusion merkliche Veränderungen der Ionengehalte bewirkt werden, kann man folgendermaßen verfahren.

Wir denken uns zu Anfang die Röhrenflüssigkeit im Mischungszustand, also die Ionenkonzentrationen durch die Ausdrücke (7) und (8), die Ionengehalte durch die Ausdrücke (18) gegeben, und fragen nach der zeitlichen Änderung des anfänglichen Verhältnisses $\frac{\bar{c}''}{\bar{c}'} = \frac{c_2}{c_1} = 0.01$.

Hierfür sind maßgebend die Gleichungen (10) für die zeitlichen Änderungen der Ionenkonzentrationen, aus denen sich durch Integration nach x von 0 bis δ ohne weiteres die zeitlichen Änderungen der Ionengehalte (16) und (17) berechnen lassen, mit Benutzung von (3), (6) und (7). Dies ergibt:

$$\frac{\partial}{\partial t}\left(\frac{\bar{c}''}{\bar{c}'}\right) = \frac{2RT}{\delta^2}\left\{(u'-v) - \frac{c_2}{c_1}(u''-v)\right\}\cdot\left\{\frac{u''}{u''+v} + \frac{c_2}{c_1}\frac{u'}{u'+v}\right\}.$$

Die Änderungsgeschwindigkeit ist also umgekehrt proportional dem Quadrat der Länge der Röhre, wie leicht zu verstehen. Für $\delta = 1$ cm und das oben behandelte spezielle Beispiel haben wir einzusetzen: $\frac{c_2}{c_1} = 0.01$, $R = 8.31 \cdot 10^7$, $T = 291$. Als Beweglichkeitszahlen können in der zweiten Klammer die relativen Werte genommen werden, also: $u' = 294$ für H·, $u'' = 60.7$ für K·, $v = 55.8$ für Cl′. Dagegen müssen in der ersten Klammer die absoluten Beweglichkeiten eingesetzt werden, also $u' = 3.1 \cdot 10^{-15}$ als die Geschwindigkeit in $\left[\frac{\text{cm}}{\text{sec}}\right]$, mit der sich 1 g Ion H˙ unter der Einwirkung der Kraft 1 Dyn bewegt.

Dies ergibt:

$$\frac{\partial}{\partial t}\left(\frac{\bar{c}''}{c'}\right) = 6.3 \cdot 10^{-5}.$$

Bezieht man die Änderungsgeschwindigkeit statt auf 1 Sekunde auf 1 Tag, so hat man diesen Ausdruck mit $60 \cdot 60 \cdot 24$ zu multiplizieren und erhält die Zahl 5.4. Mithin ist in einem Tage ein merklicher Effekt zu erwarten.

Über die Grenzschicht verdünnter Elektrolyte

(Zweite Mitteilung)

I.

§ 1. Durch die Versuche von P. F. Büchi[1] und von V. Plettig[2] ist festgestellt, daß für die Potentialdifferenz zwischen zwei unendlich verdünnten Lösungen binärer einwertiger Elektrolyte 1 und 2 die Hendersonsche Formel gilt:

$$\phi_2 - \phi_1 = E = \frac{RT}{\varepsilon} \cdot \frac{U_1 - U_2 - V_1 + V_2}{U_1 - U_2 + V_1 - V_2} \log \frac{U_1 + V_1}{U_2 + V_2} \tag{1}$$

Hier bedeutet R die absolute Gaskonstante, T die Temperatur, ε die Ladung eines Gramm-Ions, und U und V die Summen

$$\left.\begin{aligned} U &= u'c' + u''c'' + \cdots \\ V &= v'\bar{c}' + v''\bar{c}'' + \cdots \end{aligned}\right\} \tag{2}$$

wenn c', c'', $\cdots$ bzw. $\bar{c}'$, $\bar{c}''$, $\cdots$ die Konzentrationen der Kationen bzw. Anionen, u', u'' $\cdots$ bzw. v', v'', $\cdots$ ihre Beweglichkeiten bezeichnen. Die Gesamtkonzentration ist:

$$c = c' + c'' + \cdots = \bar{c}' + \bar{c}'' + \cdots. \tag{3}$$

Die Formel (1) ist von Henderson[3] abgeleitet worden aus der Nernstschen Theorie der Elektrizitätserregung, welche für das Potentialgefälle in einer stromlosen Lösung ergibt:

$$\frac{\partial \phi}{\partial x} = -\frac{RT}{\varepsilon} \cdot \frac{\partial (U - V)}{\partial x} \cdot \frac{1}{U + V} \tag{4}$$

mit Hilfe der besonderen Annahme, daß alle Konzentrationen, und infolgedessen auch die Größen U und V, lineär von x abhängen, also:

$$\left.\begin{aligned} U &= U_1 + (U_2 - U_1)\frac{x}{\delta} \\ V &= V_1 + (V_2 - V_1)\frac{x}{\delta} \end{aligned}\right\} \tag{5}$$

---

[1] P. F. Büchi, Zeitschr. f. Elektrochemie **30**, p. 443, 1924.
[2] V. Plettig, Ann. d. Phys. **5**, p. 735, 1930.
[3] P. Henderson, Zeitschr. f. phys. Chem. **59**, p. 118, 1907.

wenn δ die Dicke der Grenzschicht bezeichnet. Durch Einsetzen dieser Ausdrücke in die Differentialgleichung (4) und Integration derselben nach x von 0 bis δ erhält man dann den Wert (1) von E.

In den Gleichungen (5) liegt die Annahme enthalten, daß die Beschaffenheit der Lösung an jeder Stelle der Grenzschicht den Charakter einer Mischung zwischen den beiden Elektrolyten 1 und 2 hat. Denn das Volumen x des Elektrolyten 2 mit dem Volumen $\delta - x$ des Elektrolyten 1 durcheinandergemischt ergibt eine Mischung, welche in den Konzentrationen aller Arten von Ionen gerade die durch (5) dargestellte Beschaffenheit besitzt. Dieser Umstand verleiht durch seine Einfachheit der Hendersonschen Annahme eine gewisse Stütze a priori.

§ 2. Im Gegensatz zu diesem »Mischungszustand« der Grenzschicht steht der »stationäre« Zustand der Grenzschicht, den ich früher[1] zur Berechnung von E aus (4) herangezogen habe, und der der Bedingung entspricht, daß die zeitlichen Abgeleiteten sämtlicher Ionenkonzentrationen:

$$\left.\begin{aligned}
\frac{\partial c'}{\partial t} &= RTu' \frac{\partial^2 c'}{\partial x^2} + \varepsilon u' \frac{\partial}{\partial x}\left(c' \frac{\partial \phi}{\partial x}\right) \\
\frac{\partial c''}{\partial t} &= RTu'' \frac{\partial^2 c''}{\partial x^2} + \varepsilon u'' \frac{\partial}{\partial x}\left(c'' \frac{\partial \phi}{\partial x}\right) \\
&\cdots\cdots\cdots \\
\frac{\partial \bar{c}'}{\partial t} &= RTv' \frac{\partial^2 \bar{c}'}{\partial x^2} - \varepsilon v' \frac{\partial}{\partial x}\left(\bar{c}' \frac{\partial \phi}{\partial x}\right) \\
\frac{\partial \bar{c}''}{\partial t} &= RTv'' \frac{\partial^2 \bar{c}''}{\partial x^2} - \varepsilon v'' \frac{\partial}{\partial x}\left(\bar{c}'' \frac{\partial \phi}{\partial x}\right) \\
&\cdots\cdots\cdots
\end{aligned}\right\} \qquad (6)$$

verschwinden, also:

$$\frac{\partial c'}{\partial t} = \frac{\partial c''}{\partial t} = \cdots = \frac{\partial \bar{c}'}{\partial t} = \frac{\partial \bar{c}''}{\partial t} = \cdots = 0. \qquad (7)$$

Da der hieraus berechnete Wert von E durch die Messungen nicht bestätigt wird, ist damit der Beweis geliefert, daß die Beschaffenheit der Grenzschicht nach dem Zusammenbringen der beiden Elektrolyte 1 und 2 nicht dem stationären Zustand, sondern dem Mischungszustand entspricht, was ja auch wegen der unvermeidlichen Konvektionsströme nachträglich plausibel erscheint.

Doch habe ich schon in meiner vorigen Mitteilung[2] hervorgehoben, daß, falls überhaupt die Nernstsche Theorie der Elektrizitätserregung in Lösungen zu Recht besteht, der durch die Formeln (5) bezeichnete Zustand der Grenzschicht unmöglich von Dauer sein kann, daß er vielmehr, sofern Konvektionsströmungen vermieden werden, notwendig in den stationären Zustand übergehen muß, der sich, wie die Betrachtung eines einfachen Beispiels (HCl | 0.01 KCl)

[1] M. Planck, Wied. Ann. **40**, p. 561, 1890.
[2] M. Planck, Diese Berichte. p. 367. 1930.

ergab, in chemischer Hinsicht unter Umständen sehr beträchtlich von dem Mischungszustand (5) unterscheidet. Diese im Lauf der Zeit eintretende Änderung in der Beschaffenheit der Grenzschicht wird sich natürlich auch in einer Änderung des Wertes der Potentialdifferenz E geltend machen, und zwar muß dieselbe von ihrem ursprünglichen, durch (1) dargestellten HENDERSONschen Wert E_{II} mit der Zeit in dem von mir berechneten stationären Wert E_P übergehen. Um von der Schnelligkeit der Änderung einen Begriff zu bekommen, kann man aus den Gleichungen (6) die zeitlichen Änderungen aller Konzentrationen entnehmen und erhält dann aus (2) allgemein:

$$\left.\begin{aligned} \frac{\partial U}{\partial t} &= RT\frac{\partial^2 U^*}{\partial x^2} + \varepsilon\cdot\frac{\partial}{\partial x}\left(U^*\frac{\partial \phi}{\partial x}\right) \\ \frac{\partial V}{\partial t} &= RT\frac{\partial^2 V^*}{\partial x^2} - \varepsilon\frac{\partial}{\partial x}\left(V^*\frac{\partial \phi}{\partial x}\right), \end{aligned}\right\} \quad (8)$$

wobei gesetzt ist:

$$\left.\begin{aligned} U^* &= u'^2 c' + u''^2 c'' + \cdots \\ V^* &= v'^2 \bar{c}' + v''^2 \bar{c}'' + \cdots \end{aligned}\right\} \quad (9)$$

Damit ist das Mittel gegeben, um mit Benutzung von (4) die Geschwindigkeit zu berechnen, mit welcher die Potentialdifferenz $E = \phi_2 - \phi_1$ der beiden Elektrolyte, bei irgend einem gegebenen Zustand der Grenzschicht, ihren Wert ändert.

§ 3. Als ich in Ausführung des geschilderten Gedankenganges für den oben angeführten speziellen Fall HCl|0.01 KCl den numerischen Wert der zeitlichen Änderung berechnete, welche der Wert der Potentialdifferenz E erfährt, wenn man von dem durch die Gleichungen (5) ausgedrückten Mischungszustand der Grenzschicht ausgeht, erhielt ich eine Zahl, die mir sehr wenig plausibel erschien. Bei näherer Untersuchung steigerte sich dieses Mißtrauen so erheblich, daß ich mich genötigt sah, die Gleichungen (5) als Ausdruck für die Beschaffenheit der Grenzschicht der beiden Elektrolyte ganz zu verwerfen und sie durch andere Gleichungen zu ersetzen, welche ihrerseits die Vorzüge der Gleichungen (5) besitzen und den Einwendungen gegen sie nicht ausgesetzt sind. Darüber soll im folgenden berichtet werden.

II.

§ 4. Die folgenden Rechnungen werden erheblich vereinfacht, wenn man die Abkürzungen einführt:

$$U + V = S, \quad U - V = D. \quad (10)$$

Die Buchstaben S und D sollen »Summe« und »Differenz« andeuten.

Dann lautet die Gleichung (4):

$$\frac{\partial \phi}{\partial x} = -\frac{RT}{\varepsilon S}\cdot\frac{\partial D}{\partial x} \quad (11)$$

und die Gleichungen (8):

$$\left.\begin{aligned} \frac{\partial S}{\partial t} &= RT\frac{\partial^2 S^*}{\partial x^2} + \varepsilon\frac{\partial}{\partial x}\left(D^*\frac{\partial \phi}{\partial x}\right) \\ \frac{\partial D}{\partial t} &= RT\frac{\partial^2 D^*}{\partial x^2} + \varepsilon\frac{\partial}{\partial x}\left(S^*\frac{\partial \phi}{\partial x}\right), \end{aligned}\right\} \tag{12}$$

woraus sich durch Differentiation von (11) noch t ergibt:

$$\begin{aligned} \frac{\partial^2 \phi}{\partial x \partial t} = \frac{RT}{\varepsilon S^2}\cdot\frac{\partial D}{\partial x}\cdot\frac{\partial}{\partial x}\left(RT\frac{\partial S^*}{\partial x} + \varepsilon D^*\frac{\partial \phi}{\partial x}\right) \\ -\frac{RT}{\varepsilon S}\frac{\partial^2}{\partial x^2}\left(RT\frac{\partial D^*}{\partial x} + \varepsilon S^*\frac{\partial \phi}{\partial x}\right). \end{aligned} \tag{13}$$

Sind also alle Konzentrationen und somit auch S, D, S^*, D^* als Funktionen von x bekannt, so erhält man mit Berücksichtigung von (11) durch Integration von (13) nach x von 0 bis δ den Wert von $\frac{\partial E}{\partial t}$.

§ 5. Wenn wir nun von dem durch die Gleichungen (5) charakterisierten Zustand der Grenzschicht ausgehen, in welchem alle Konzentrationen lineär von x abhängen, so nehmen die Größen in (13) folgende Werte an:

$$\left.\begin{aligned} S &= S_1 + (S_2 - S_1)\cdot\frac{x}{\delta} \\ D &= D_1 + (D_2 - D_1)\cdot\frac{x}{\delta} \\ S^* &= S_1^* + (S_2^* - S_1^*)\cdot\frac{x}{\delta} \\ D^* &= D_1^* + (D_2^* - D_1^*)\cdot\frac{x}{\delta}. \end{aligned}\right\} \tag{14}$$

Dazu kommt noch aus (11):

$$\frac{\partial \phi}{\partial x} = -\frac{RT(D_2 - D_1)}{\varepsilon\left(S_1\delta + (S_2 - S_1)x\right)}. \tag{15}$$

Substituiert man diese Ausdrücke in (13) und integriert nach x von 0 bis δ, so folgt für die zeitliche Änderung der Potentialdifferenz:

$$\frac{\partial E}{\partial t} = \frac{R^2T^2}{3\varepsilon\delta^2}\left(\frac{1}{S_2^3} - \frac{1}{S_1^3}\right)\cdot(D_1 - D_2)\cdot\left[2(S_2 S_1^* - S_1 S_2^*) + \frac{D_1 - D_2}{S_1 - S_2}(S_2 D_1^* - S_1 D_2^*)\right]. \tag{16}$$

§ 6. Für den speziellen Fall HCl | 0.01 KCl gelten die folgenden Zahlenwerte[1]:

---

[1] Vgl. V. Plettig, l. c. p. 752.

die Gesamtkonzentrationen der beiden Elektrolyte:

$$\left.\begin{array}{l} c_1 = 1 \qquad c_2 = 0.01 \\ \text{die Ionenbeweglichkeiten:} \\ u' = 294 \quad u'' = 60.7 \quad v = 55.8 \end{array}\right\} \qquad (17)$$

und daher nach (2), (9) und (10):

$$\left.\begin{array}{llll} U_1 = 294 & V_1 = 55.8 & U_2 = 0.607 & V_2 = 0.558 \\ S_1 = 349.8 & D_1 = 338.2 & S_2 = 1.165 & D_2 = 0.049 \end{array}\right\} (18)$$

$$\left.\begin{array}{llll} U_1^* = 86436 & V_1^* = 3113{,}64 & U_2^* = 36.8449 & V_2^* = 31.1364 \\ S_1^* = 89550 & D_1^* = 83322 & S_2^* = 67.9813 & D_2^* = 5.7085\,. \end{array}\right\} (19)$$

Diesen Werten entspricht nach der HENDERSONschen Formel (1) die Potentialdifferenz $E_H = 97.7$ m V, welche durch die Messungen bestätigt wird, während für den stationären Zustand der Grenzschicht sich die Potentialdifferenz $E_P = 87.7$ m V ergibt. Da nun nach der Theorie der anfängliche Zustand der Grenzschicht, bei Vermeidung aller Konvektionsströme, mit der Zeit in den stationären Zustand übergehen muß, so steht zu erwarten, daß die anfängliche Potentialdifferenz 97.7 mV mehr oder weniger schnell abnimmt, bis sie den stationären Wert 87.7 mV erreicht, daß also jedenfalls $\frac{\partial E}{\partial t}$ negativ ist.

Die Formel (16), mit den Zahlenwerten (18) und (19), liefert das Gegenteil. Aus ihr ergibt sich nämlich, wie man leicht sehen kann, $\frac{\partial E}{\partial t}$ als positiv. Danach steigt die Potentialdifferenz zunächst an, muß also später ein Maximum erreichen, um schließlich wieder abzunehmen und auf den stationären Wert herabzusinken. Dieses Verhalten ist sehr unwahrscheinlich.

Noch krasser liegen die Verhältnisse in dem einfachen Falle, daß die beiden sich berührenden Elektrolyten HCl und KCl die nämliche Gesamtkonzentration besitzen, also:

$$c_1 = 1 \qquad c_2 = 1\,.$$

In diesem Falle ist nämlich $E_H = E_P$, d. h. der HENDERSONsche Wert der Potentialdifferenz fällt mit dem stationären Wert zusammen.

Trotzdem ergibt sich aus (16) nicht, wie man erwarten sollte, $\frac{\partial E}{\partial t} = 0$, sondern es folgt aus (16) mit den für diesen Fall gültigen Zahlenwerten der Konzentrationen und Beweglichkeiten:

$$\left.\begin{array}{llll} U_1 = 294 & V_1 = 55.8 & U_2 = 60.7 & V_2 = 55.8 \\ S_1 = 349.8 & D_1 = 238.2 & S_2 = 116.5 & D_2 = 4.9 \\ U_1^* = 86436 & V_1^* = 3113.64 & U_2^* = 3684.49 & V_2^* = 3113.64 \\ S_1^* = 89550 & D_1^* = 83322 & S_2^* = 6798.13 & D_2^* = 570.85 \end{array}\right\} \quad (20)$$

wiederum ein positiver Wert von $\frac{\partial E}{\partial t}$.

Wir haben hier also das paradox anmutende Resultat, daß, obwohl der anfängliche Wert der Potentialdifferenz identisch ist mit dem stationären Wert, die Potentialdifferenz nicht etwa konstant bleibt, sondern zunächst mit der Zeit ansteigt, um später auf den ursprünglichen Wert zurückzusinken. Ein solches Verhalten erscheint mir so gut wie unmöglich, es muß daher in den gemachten Annahmen irgendwo ein Fehler stecken, dessen Feststellung und Verbesserung im folgenden versucht werden soll.

III.

§ 7. Wenn die Theorie der Elektrizitätserregung, auf der sowohl die Hendersonsche als auch die Plancksche Formel für die Potentialdifferenz beruht, aufrechterhalten werden soll, so kann der Grund des Versagens der Formel (16) für die zeitliche Änderung der Potentialdifferenz nur in den Annahmen über den Anfangszustand der Grenzschicht stecken, wie sie in den Gleichungen (5) formuliert sind; denn durch sie ist alles Weitere bestimmt. Diese Gleichungen sind der Ausdruck dafür, daß die Konzentration einer jeden Ionengattung lineär von der Ortskoordinate x abhängt, — eine gewiß naheliegende Annahme, die sich, wie schon in § 1 erwähnt wurde, von vorneherein auch dadurch empfiehlt, daß nach ihr die Lösung an jeder Stelle der Grenzschicht den Charakter einer Mischung der beiden gegebenen Elektrolyten 1 und 2 besitzt, indem sich das Volumen 1 der Lösung zusammensetzt aus der Vermischung des Volumens $1 - \frac{x}{\delta}$ des Elektrolyten 1 mit dem Volumen $\frac{x}{\delta}$ des Elektrolyten 2. Da nun die hieraus folgende Hendersonsche Formel (1) für die Potentialdifferenz durch die Erfahrung bestätigt wird, so scheint hierin eine weitere Stütze für die Zulässigkeit der Gleichungen (5) zu liegen.

Aber eine nähere Betrachtung zeigt, daß diese Gleichungen leicht durch andere ersetzt werden können, welche genau die nämlichen Vorzüge wie sie besitzen. Denn die Bedingung, daß die Grenzschicht an jeder Stelle einen Mischungszustand darstellt, wird auch erfüllt, wenn man allgemeiner annimmt, daß an jeder Stelle x der Grenzschicht das Volumen 1 der Lösung sich zusammensetzt durch Vermischung des Volumens $1 - \alpha$ des Elektrolyten 1 mit dem Volumen α des Elektrolyten 2, wo der echte Bruch α eine beliebige Funktion von x ist, die für $x = 0$ verschwindet und für $x = \delta$ den Wert 1 besitzt.

Dann verallgemeinern sich die Gleichungen (5) zu:

$$\left.\begin{aligned} U &= U_1 + (U_2 - U_1)\cdot\alpha \\ V &= V_1 + (V_2 - V_1)\cdot\alpha \\ S &= S_1 + (S_2 - S_1)\cdot\alpha, \text{ usw.} \end{aligned}\right\} \quad (21)$$

Wenn man diese Werte in (4) einsetzt, gelangt man ebenfalls zur Hendersonschen Formel (1) für die Potentialdifferenz der beiden Elektrolyte 1 und 2. Es liegt aber durchaus keine Veranlassung vor, den Koeffizienten α proportional x zu setzen. Die Begründung, die Henderson für diese Annahme gegeben hat, daß im stationären Zustand der Grenzschicht die Gesamtkonzentration c

lineär von x abhängt, kann deshalb nicht beweiskräftig erscheinen, weil zur Ableitung der linearen Abhängigkeit der Gesamtkonzentration c von x die Voraussetzung der Gültigkeit sämtlicher Bedingungen (7) des stationären Zustandes erforderlich ist, während doch die Versuche ergeben haben, daß diese Bedingungen tatsächlich keineswegs erfüllt sind.

§ 8. Unter diesen Umständen erhebt sich die Frage, durch welche neue Hypothese man, da α nicht proportional x sein kann, die Abhängigkeit des Koeffizienten α von x bestimmen soll. Offenbar handelt es sich hier um eine Bedingung, die den Zustand der Grenzschicht charakterisiert, wie er sich zunächst ausbildet, wenn die beiden Elektrolyte 1 und 2 miteinander in Berührung gebracht sind. Da scheint nun mangels eines sonstigen Anhaltspunkts die schon oft bewährte Analogie der Lösungen mit Gasmischungen einen Fingerzeig zu geben. Wenn zwei Gasmischungen miteinander in Berührung gebracht werden, so gleicht sich zunächst der Gesamtdruck aus, und erst sehr viel langsamer kommt es zum Ausgleich der Partialdrucke der einzelnen Komponenten. Ebenso liegt es nahe, vorauszusetzen, daß sich bei der Berührung der Elektrolyte 1 und 2 zunächst die Gesamtkonzentration c ausgleicht bzw. der osmotische Gesamtdruck, der durch eine semipermeable Membran zu verwirklichen ist, während die Ausgleichung der Konzentrationen der einzelnen Ionengattungen, d. h. die Herstellung des durch die Gleichungen (7) bedingten stationären Zustands der Grenzschicht, sehr viel längere Zeit erfordert. Mit anderen Worten: es liegt nahe, die Gleichungen (7) zu ersetzen durch die eine Gleichung:

$$\frac{\partial c}{\partial t} = 0, \tag{22}$$

wo c, die Gesamtkonzentration, durch (3) gegeben ist, und diese Bedingung als Ergänzung zu den Gleichungen (21) hinzuzunehmen, um daraus die Abhängigkeit des Koeffizienten α von der Ortskoordinate x zu bestimmen.

§ 9. Die Gleichung (22) führt ohne weiteres zur Berechnung der Ortsfunktion α. Denn wenn man in sie einen der beiden in (3) gegebenen Ausdrücke von c einsetzt, so erhält man aus (6) zwei Differentialgleichungen, die sich beide unmittelbar nach x integrieren lassen, mit dem Ergebnis:

$$C = \frac{\partial U}{\partial x} + \frac{\varepsilon}{RT} U \frac{\partial \phi}{\partial x}$$

$$C = \frac{\partial V}{\partial x} - \frac{\varepsilon}{RT} V \frac{\partial \phi}{\partial x}.$$

Daß die Integrationskonstante C in beiden Gleichungen die nämliche ist, folgt aus (4). (Stromloser Zustand.) Die Elimination von $\frac{\partial \phi}{\partial x}$ ergibt:

$$V \frac{\partial U}{\partial x} + U \frac{\partial V}{\partial x} = C(U + V)$$

und daraus nach Einsetzen der Ausdrücke (21) von U und V durch Integration, da für $\alpha = 0$ $x = 0$ ist:

$$Cx = \frac{2U_{21}V_{21}}{S_{21}}\alpha + \frac{D_{21}(V_1U_2 - U_1V_2)}{S_{21}^2}\log\left(1 + \frac{S_{21}}{S_1}\alpha\right),$$

wenn die Differenzen $U_2 - U_1$, $V_2 - V_1$, $S_2 - S_1$ usw. kurz mit U_{21}, V_{21}, S_{21} usw. bezeichnet werden. Der Wert von C ergibt sich aus der Bedingung, daß für $\alpha = 1$ $x = \delta$ wird; demnach lautet das Resultat:

$$x = \frac{\alpha + \lambda\log\left(1 + \frac{S_{21}}{S_1}\alpha\right)}{1 + \lambda\log\frac{S_2}{S_1}}\cdot\delta, \tag{23}$$

wobei zur Abkürzung die Konstante

$$\frac{D_{21}\cdot(V_1U_2 - U_1V_2)}{2U_{21}V_{21}S_{21}} = \lambda \tag{24}$$

gesetzt ist.

Wie man sieht, besteht nur dann zwischen x und α eine lineare Abhängigkeit und damit der in den Hendersonschen Formeln (5) angenommene Zustand der Grenzschicht, wenn $\lambda = 0$, d. h. wenn entweder $U_2 - V_2 = U_1 - V_1$ oder $U_2 : U_1 = V_2 : V_1$, wie z. B. bei der Berührung zweier Lösungen eines einzigen Elektrolyten, die sich nur durch ihren Verdünnungsgrad unterscheiden.

Der entgegengesetzte Grenzfall $\lambda = \infty$ ergibt einen logarithmischen Zusammenhang zwischen x und α, er tritt dann ein, wenn entweder $U_2 = U_1$ oder $V_2 = V_1$ oder $U_2 + V_2 = U_1 + V_1$. Die erste Bedingung ist in dem oben betrachteten Fall gleichkonzentrierter Lösungen HCl | KCl verwirklicht. Hier besteht also die größte Abweichung von den Formeln (5) für den Zustand der Grenzschicht. Das entspricht ganz dem obigen Befund, daß für diesen Fall die Formeln (5) zu unannehmbaren Resultaten bezüglich der Zeitabhängigkeit der Potentialdifferenz E führen.

§ 10. Mit Benutzung der Formel (23) für den charakteristischen Parameter α der Grenzschicht sind wir nun imstande, für den allgemeinen Fall zu berechnen, wie sich die ursprüngliche, durch die Hendersonsche Formel (1) bestimmte Potentialdifferenz E mit der Zeit ändert, wenn die Grenzschicht, bei Vermeidung aller Konvektionsströme, aus dem ursprünglichen Mischungszustand in den stationären durch die Gleichungen (7) bedingten Zustand übergeht.

Wir gehen aus von der allgemein gültigen Gleichung (13) und ersetzen darin $\frac{\partial\phi}{\partial x}$ durch (11). Dies ergibt:

$$\frac{\partial^2\phi}{\partial x\partial t} = \frac{R^2T^2}{\varepsilon S^2}\cdot\frac{\partial D}{\partial x}\cdot\frac{\partial}{\partial x}\left(\frac{\partial S^*}{\partial x} - \frac{1}{S}\frac{\partial D}{\partial x}D^*\right)$$
$$- \frac{R^2T^2}{\varepsilon S}\frac{\partial^2}{\partial x^2}\left(\frac{\partial D^*}{\partial x} - \frac{1}{S}\frac{\partial D}{\partial x}S^*\right). \tag{25}$$

Nun integrieren wir nach x von 0 bis δ und erhalten auf der linken Gleichungsseite $\frac{\partial E}{\partial t}$. Rechts treten, entsprechend den beiden Zeilen der Gleichung, zwei Integrale auf. Wenn wir das zweite derselben durch partielle Integration umformen und dann statt x die Integrationsvariable S nach (23) und (21) einführen, mit den Grenzen S_1 und S_2, so ergibt sich nach einigen umständlichen, aber elementaren Rechnungen der folgende Ausdruck:

$$\frac{\partial E}{\partial t} = \rho \left(\frac{D_{21}}{S_{21}} A - B \right) \cdot J - \rho B \cdot \left(\frac{1}{(S_2 + \lambda S_{21})^3} - \frac{1}{(S_1 + \lambda S_{21})^3} \right). \qquad (26)$$

Hierbei ist zur Abkürzung gesetzt:

$$\rho = \frac{R^2 T^2}{\varepsilon \delta^2} \left(1 + \lambda \log \frac{S_2}{S_1} \right)^2$$

$$A = \lambda S_{21} (S_{21} S_{21}^* - D_{21} D_{21}^*) + D_{21} (S_2 D_1^* - S_1 D_2^*)$$

$$B = \lambda S_{21} (S_{21} D_{21}^* - D_{21} S_{21}^*) + D_{21} (S_2 S_1^* - S_1 S_2^*).$$

Endlich:

$$J = \int_1^2 \frac{dS}{S \cdot (S + \lambda S_{21})^3} = \left[\frac{1}{\lambda^3 S_{21}^3} \log \frac{S}{S + \lambda S_{21}} + \frac{2 S + 3 \lambda S_{21}}{2 \lambda^2 S_{21}^2 (S + \lambda S_{21})^2} \right]_1^2.$$

Der Ausdruck (26) ergibt also die Größe der zeitlichen Änderung der Potentialdifferenz, welche an die Stelle des oben berechneten Ausdrucks (16) tritt, wenn man den anfänglichen Mischungszustand der Grenzschicht nicht durch die Formeln (14), sondern durch die Formeln (21) und (22) als bedingt ansieht. Die Formel (16) mußten wir verwerfen, weil sie in der Anwendung auf den Fall HCl | KCl, für den der stationäre Wert der Potentialdifferenz E_P übereinstimmt mit dem anfänglichen Wert E_H, für $\frac{\partial E}{\partial t}$ einen von Null verschiedenen Wert liefert. Von diesem Mangel ist die neue Formel (26) frei; denn aus ihr ergibt sich, wie man direkt berechnen kann, für den genannten Fall der Wert $\frac{\partial E}{\partial t} = 0$.

Für den allgemeinen Fall bleibt zu prüfen, ob die Formel (26) für $\frac{\partial E}{\partial t}$ dasselbe Vorzeichen ergibt, welches die Differenz $E_P - E_H$ besitzt, da doch zu erwarten ist, daß, wie bei andern irreversiblen Prozessen, die ursprüngliche Potentialdifferenz E_H im Laufe der Zeit monoton und asymptotisch sich dem stationären Wert E_P annähern wird.

Sollte die Prüfung unbefriedigend ausfallen, so müßte die durch die Formel (22) ausgedrückte Hypothese über den Anfangszustand der Grenzschicht durch eine andere ersetzt werden.

Über die zeitliche Änderung der Potentialdifferenz E sind, wie ich einer freundlichen Mitteilung des Hrn. W. NERNST entnehme, Versuche im hiesigen physikalischen Institut im Gange. Es wird von Interesse sein, den aus (26) zu berechnenden Wert von $\frac{\partial E}{\partial t}$ mit dem gemessenen zu vergleichen. Allerdings gehört zu den für die Berechnung erforderlichen Daten auch die Kenntnis der Schichtdicke δ, da der Koeffizient ρ dem Quadrat von δ umgekehrt proportional ist. Indessen ist doch der Wert von δ von vorneherein in gewissen Grenzen eingeschlossen, so daß immerhin auch eine quantitative Prüfung der Theorie auf diese Weise möglich erscheint.

Über die Grenzschicht verdünnter Elektrolyte

(Dritte Mitteilung)

I.

Die Anregung zur Fortsetzung meiner Studien über die Grenzschicht verdünnter Elektrolyte gaben mir die unter dem gleichen Titel als Berliner Doktordissertation veröffentlichten Messungen von Shu-Tsu Chang (China)[1], durch welche der Nachweis erbracht wurde, daß die Potentialdifferenz E der beiden Elektrolyte bei sorgfältiger Vermeidung aller Konvektionsströmungen ihren anfänglichen, dem »Mischungszustand« der Grenzschicht[2] entsprechenden, durch die Hendersonsche Formel gegebenen Wert E_H infolge der eintretenden Ionendiffusion mit der Zeit verändert und sich dem aus dem »stationären« Zustand der Grenzschicht zu berechnenden Wert E_P nähert. Insofern ist also die aus der Theorie abgeleitete Erwartung bestätigt worden. Doch hat sich dabei in bezug auf die Art der zeitlichen Schwankung der Potentialdifferenz eine gewisse Auffälligkeit gezeigt, die mir einer näheren Untersuchung wert erschien.

Das Hauptproblem ist hier die Frage nach der Beschaffenheit des Mischungszustandes der Grenzschicht. Ganz allgemein ist der Mischungszustand der Grenzschicht, deren Dicke hier mit δ^* bezeichnet sein möge, dadurch charakterisiert, daß an jeder Stelle x der Grenzschicht das Volumen 1 der Lösung sich zusammensetzt durch Vermischung des Volumens $1-\alpha$ des Elektrolyten 1 mit dem Volumen α des Elektrolyten 2, wobei der echte Bruch α eine gewisse Funktion von x ist, die für $x = 0$ verschwindet und für $x = \delta^*$ den Wert 1 besitzt. Aber die Frage ist: wie hängt α von x ab? Diese Frage kann durch die Messung der Potentialdifferenz nicht entschieden werden. Denn der Wert von E_H ist unabhängig von der Art, wie α von x abhängt. Henderson hat α einfach proportional x gesetzt — eine Annahme, die theoretisch nicht zu begründen ist und die zu unannehmbaren Folgerungen führt[3]. Die allgemeinen Gleichungen für die Ionenbewegungen lassen hier im Stich, da sie unverträglich sind mit der Voraussetzung des Mischungszustandes. Daher

---

[1] Ann. d. Phys. 16, S. 513, 1933.

[2] Sitz.-Ber. d. Akad. d. Wiss. S. 114, 1931. Auf diese Mitteilung bezieht sich auch die Numerierung der Formeln im folgenden.

[3] l. c. S. 118.

ist man auf eine willkürliche, mehr oder weniger plausible Annahme angewiesen. Ich habe versuchsweise die Bedingung:

$$\frac{\partial c}{\partial t} = 0 \tag{22}$$

eingeführt, welche ausspricht, daß die Gesamtkonzentration:

$$c = c' + c'' + \cdots = \bar{c}' + \bar{c}'' + \cdots$$

an jeder Stelle der Grenzschicht schon im Mischungszustand, nicht erst im stationären Zustand, sich bei der Berührung der beiden Elektrolyte sofort ausgleicht, und habe daraus die Ortsabhängigkeit von α und weiterhin die durch die fortschreitende Ionendiffusion bedingte Änderung der Potentialdifferenz $\frac{\partial E}{\partial t}$ der beiden Elektrolyte[1] für den Anfangszustand berechnet.

Die Anwendung auf den speziellen Fall

$$\mathrm{HCl} \mid 0.01\ \mathrm{KCl}$$

mit den Konzentrationen $c_1 = 1$, $c_2 = 0.01$ und den Beweglichkeitszahlen

$$u' = 294 \qquad u'' = 60.7 \qquad v = 55.8,$$

wobei

$$U_1 = u'c_1, \quad V_1 = vc_1, \quad U_2 = u''c_2, \quad V_2 = vc_2,$$

ergab aus (26) folgendes Resultat:

$$\frac{1}{\varrho}\frac{\partial E}{\partial t} = +1.02 \cdot 10^6. \tag{27}$$

Da

$$\varrho = \frac{R^2 T^2}{\varepsilon \delta^{*2}} \left(1 + \lambda \log \frac{S_2}{S_1}\right)^2 \tag{28}$$

positiv ist, so nimmt danach die Potentialdifferenz E anfänglich mit wachsender Zeit zu. Das ist deshalb unerwartet, weil die anfängliche Potentialdifferenz $E_H = 97.7$ mV des Mischungszustandes größer ist als die Potentialdifferenz $E_P = 87.7$ mV des stationären Zustandes, und man daher annehmen sollte, daß, wie bei andern irreversiblen Prozessen, die Potentialdifferenz von ihrem Anfangswert monoton auf ihren Endwert herabsinkt.

Das Ergebnis erschien mir so auffallend, daß ich anfangs an einen Fehler in der Ableitung der Formel oder in der Ausführung der Rechnung dachte. Eine nochmalige genaue Durcharbeitung ergab aber wieder das nämliche

[1] l. c. S. 121, Gleichung (26).

Resultat. Zur Erleichterung einer Kontrolle füge ich hier noch die Zahlenwerte einiger Hilfsgrößen bei, deren Bedeutung aus der Formel (26) meiner zitierten Arbeit[1] zu ersehen ist.

$$\lambda S_{21} = 0.956$$
$$A = -1.17 \cdot 10^7, \quad B = -1.15 \cdot 10^7, \quad J = -0.054.$$

II.

Um dem gefundenen Paradoxon noch näher auf den Grund zu kommen, untersuchte ich den Wert von $\frac{\partial E}{\partial t}$ für den speziellen Fall, daß sich die Konzentrationen der beiden Lösungen nur sehr wenig unterscheiden, also:

$$c_1 = 1, \quad c_2 = 1 + \delta, \quad \delta \ll 1. \tag{29}$$
$$U_1 = u', \quad V_1 = v, \quad U_2 = u''(1+\delta), \quad V_2 = v(1+\delta).$$

Dann läßt sich nicht nur E_H, sondern auch E_P explizite angeben, und es folgt:

$$E_H = \frac{RT}{\varepsilon} \cdot \left\{ \left(1 + \frac{2v\delta}{u' - u''}\right) \cdot \log \frac{u'+v}{u''+v} - \delta \right\} \tag{30}$$

$$E_P = \frac{RT}{\varepsilon} \cdot \left\{ \log \frac{u'+v}{u''+v} - \frac{2\delta}{\log \frac{u'+v}{u''+v}} \cdot \frac{v(u''-u')}{(u'+v)(u''+v)} - \delta \right\}. \tag{31}$$

Folglich:

$$E_H - E_P = \frac{RT}{\varepsilon} \cdot 2v\delta \left\{ \frac{1}{u'-u''} \cdot \log \frac{u'+v}{u''+v} + \frac{u''-u'}{(u'+v)(u''+v)} \cdot \frac{1}{\log \frac{u'+v}{u''+v}} \right\}. \tag{32}$$

Eine Kontrolle für die Richtigkeit dieses Ausdrucks ergibt sich, wenn man darin die Differenz $u'' - u' = \Delta u \ll u'$ annimmt und das Ergebnis vergleicht mit der Formel (9) S. 11 der Sitz.-Ber. vom Jahre 1929, welche mit $\Delta v = 0$ den nämlichen Ausdruck liefert, nämlich

$$E_H - E_P = -\frac{RTv\delta}{6\varepsilon(u+v)^3} (\Delta u)^2. \tag{33}$$

Für $\delta = 0$ wird $E_H = E_P$. Wenn $\delta < 0$, wie in dem oben behandelten Zahlenbeispiel, so ist, wie dort, $E_H > E_P$.

[1] Nur in der Gleichung (18) habe ich einen einzelstehenden Druckfehler bemerkt. Es muß dort heißen $D_1 = 238.2$ statt $D_1 = 338.2$.

Was nun die zeitliche Änderung betrifft, welche die Potentialdifferenz E im ersten Augenblick erfährt, wenn die Grenzschicht aus dem anfänglichen Mischungszustand in den stationären Zustand übergeht, so ergibt sich für den angenommenen Fall aus der Gleichung (26) mit den Ausdrücken:

$$\varrho = \frac{R^2 T^2}{4\varepsilon\delta^{*2}\delta^2}\left(\log\frac{u''+v}{u'+v}\right)^2$$

$$\lambda S_{21} = \frac{(u''-u')+(u''-u'-v)\delta}{2\delta}$$

$$A = -u'u''(u''-u')^2 + u'u''(u''-u')(u'-2u'')\delta$$

$$B = A, \quad J = \frac{8\delta^3}{(u''-u')^3}\log\frac{u''+v}{u'+v}$$

der Wert:

$$\frac{1}{\varrho}\frac{\partial E}{\partial t} = \frac{16\delta^4 u'u''}{(u''-u')^2}\left[v\log\frac{u''+v}{u'+v} - 3(u''-u')\right], \tag{34}$$

folglich

$$\frac{\partial E}{\partial t} = \frac{4\delta^2 R^2 T^2 u'u''}{\varepsilon\delta^{*2}(u''-u')^2}\left(\log\frac{u''+v}{u'+v}\right)^2\left[v\log\frac{u''+v}{u'+v} - 3(u''-u')\right]. \tag{35}$$

Das ist mit den oben benutzten Beweglichkeitszahlen u', u'', v wiederum ein positiver Wert, also wieder entgegengesetzt dem erwarteten negativen, dem Abfall von E_H auf E_P entsprechenden Vorzeichen. Was aber noch auffallender ist und der Erwartung noch schroffer widerspricht, ist der Umstand, daß die zeitliche Änderung von E sich nicht proportional δ, sondern proportional δ^2 ergibt, also sogar unabhängig von dem Vorzeichen der Konzentrationsdifferenz, während doch die Differenz $E_H - E_P$ nach (33) zugleich mit δ ihr Vorzeichen wechselt. Dies deutet darauf hin, daß die Richtung, in welcher sich die Potentialdifferenz E beim Beginn der Diffusion ändert, gar nichts zu tun hat mit der Differenz der Potentiale im Mischungszustand und im stationären Zustand der Grenzschicht.

III.

Eine der Möglichkeiten, diesen unerwarteten Folgerungen zu entgehen, erblickte ich eine Zeitlang in der Preisgabe der ohne besondere Begründung eingeführten Gleichung (22) für den anfänglichen Mischungszustand und Ersetzung derselben durch eine andere Beziehung. Indessen zeigte mir eine nähere Überlegung, die ich im folgenden wiedergebe, daß sich für diese

Gleichung doch mancherlei anführen läßt, und daß sie daher nicht leicht zu verlassen sein dürfte.

Gehen wir aus von den Ausdrücken für die Zahlen der Kationen und Anionen, die an irgendeiner Stelle x in der Zeit 1 durch den Querschnitt 1 der Lösung gehen:

$$\left.\begin{aligned} n' &= -u' RT \frac{\partial c'}{\partial x} - u' \varepsilon c' \frac{\partial \varphi}{\partial x} \\ n'' &= -u'' RT \frac{\partial c''}{\partial x} - u'' \varepsilon c'' \frac{\partial \varphi}{\partial x} \\ &- - - - - - - - - - \\ \bar{n}' &= -v' RT \frac{\partial \bar{c}'}{\partial x} + v' \varepsilon \bar{c}' \frac{\partial \varphi}{\partial x} \\ \bar{n}'' &= -v'' RT \frac{\partial \bar{c}''}{\partial x} + v'' \varepsilon \bar{c}'' \frac{\partial \varphi}{\partial x} \\ &- - - - - - - - - - \end{aligned}\right\} \tag{36}$$

Da diese Gleichungen mit den Bedingungen (21) des Mischungszustandes unverträglich sind, so dürfen sie zur Charakterisierung desselben, d. h. zur Berechnung von α als Funktion von x, nicht benutzt werden. Wohl aber muß die Beziehung, welche sich ergibt, wenn man die Ausdrücke (36) addiert und in die Bedingung für die Stromlosigkeit:

$$n' + n'' + \cdots = \bar{n}' + \bar{n}'' + \cdots \tag{37}$$

einsetzt, nämlich die Beziehung:

$$-RT \frac{\partial U}{\partial x} - \varepsilon U \frac{\partial \varphi}{\partial x} = -RT \frac{\partial V}{\partial x} + \varepsilon V \frac{\partial \varphi}{\partial x}$$

als für den Mischungszustand gültig angenommen werden. Denn diese Beziehung ist ja identisch mit der durch die Messungen bestätigten Formel (4) für $\frac{\partial \varphi}{\partial x}$ für den Mischungszustand.

Da nun andererseits nach der Kontinuitätsbedingung:

$$\frac{\partial n'}{\partial x} = -\frac{\partial c'}{\partial t}, \quad \frac{\partial n''}{\partial x} = -\frac{\partial c''}{\partial t}, \cdots$$

$$\frac{\partial \bar{n}'}{\partial x} = -\frac{\partial \bar{c}'}{\partial t}, \quad \frac{\partial \bar{n}''}{\partial x} = -\frac{\partial \bar{c}''}{\partial t}, \cdots$$

so folgt mit Rücksicht auf (3):

$$\frac{\partial c}{\partial t} = \frac{\partial}{\partial x}\left(RT\frac{\partial U}{\partial x} + \varepsilon U \frac{\partial \varphi}{\partial x}\right) = \frac{\partial}{\partial x}\left(RT\frac{\partial V}{\partial x} - \varepsilon V \frac{\partial \varphi}{\partial x}\right). \quad (38)$$

Nun ist im Mischungszustand:

$$c = c_1 + (c_2 - c_1) . \alpha ,$$

also

$$\frac{\partial c}{\partial t} = (c_2 - c_1) \cdot \frac{\partial \alpha}{\partial t} .$$

Mithin ergibt sich aus (38) direkt die zeitliche Änderung des Mischungsparameters α für irgendeinen beliebig gegebenen Mischungszustand.

Unter allen Mischungszuständen der Grenzschicht, d. h. unter allen Arten der Abhängigkeit des Mischungsparameters α von x, wird aber derjenige der endgültige sein, für welche sich α mit der Zeit nicht ändert. Daraus folgt für den endgültigen Mischungszustand wieder die Bedingung (22).

Ich glaube daher, daß man sich, solange nicht von irgendeiner Seite her eine neue Einsicht eröffnet wird, mit dieser Bedingung für den Mischungszustand und den aus ihr fließenden Folgerungen wird abfinden müssen. Eine Erklärung für die unerwartete Verschiedenheit der Vorzeichen von $\frac{\partial E}{\partial t}$ und von $E_P - E_H$ läßt sich vielleicht durch die folgende Betrachtung geben.

Wenn der stationäre Zustand der Grenzschicht ein thermodynamischer Gleichgewichtszustand wäre, dann müßte wohl allerdings beim Übergang in diesen Zustand die Potentialdifferenz sich notwendig in der Richtung nach ihrem stationären Wert hin ändern. Aber der stationäre Zustand der Grenzschicht ist ja kein Gleichgewichtszustand, er verschiebt sich fortdauernd, da die Diffusion der beiden Elektrolyten unaufhörlich vorwärtsschreitet. Die Änderung erfolgt im Sinne einer Abnahme der freien Energie, aber die durch Diffusion bewirkte Änderung der freien Energie steht in keiner direkten Beziehung zur Potentialdifferenz. Deshalb ist es wohl verständlich, daß die Potentialdifferenz sich nicht notwendig immer in der Richtung nach ihrem endgültigen Wert hin ändert, sondern sich unter Umständen auch einmal von ihm entfernen kann.

In diesem Zusammenhang ist es von besonderem Interesse, daß die eingangs angeführten Messungen von Shu-Tsu Chang in einigen Fällen tatsächlich einen anfänglichen Anstieg der Potentialdifferenz statt der erwarteten Abnahme gezeigt haben. Allerdings läßt sich nach den Messungen noch nicht mit Sicherheit entscheiden, ob dieser Anstieg wirklich für den vorliegenden Fall typisch ist oder ob er nicht vielleicht nur durch zufällige Umstände bewirkt wurde.

Eine direktere Prüfung der Eigenschaften der Grenzschicht zweier Elektrolyte als durch die Messung der Potentialdifferenz *E* dürfte sich durch die direkte Messung ihrer chemischen Zusammensetzung, am genauesten wohl durch eine optische Methode, ermöglichen lassen. Ich habe bereits bei einer früheren Gelegenheit[1] gefunden, daß eine Verschiedenheit in der Beschaffenheit der Grenzschicht, wie sie bei den hier behandelten Elektrolyten in Frage steht, recht beträchtliche Unterschiede in der chemischen Zusammensetzung bedingt und sich daher in den Messungen deutlich bemerkbar machen muß. Vielleicht wird sich auf diesem Wege neues Material zur Prüfung der Frage gewinnen lassen.

[1] Sitz.-Ber. d. Akad. d. Wiss. 1930, S. 367.

Zur Theorie der Diffusion von Elektrolyten

(Eingegangen am 15. Januar 1935)

In dieser Zeitschrift[1]) hat Kurt Sitte eine interessante und sorgfältig durchgeführte Messungsreihe über die Diffusion von Flüssigkeiten mitgeteilt. In einem theoretischen Teil bespricht er auch die von P. Henderson und die von mir für die Potentialdifferenz zwischen Elektrolyten entwickelte Theorie und kommt zu dem Ergebnis, daß keine von ihnen einen Anspruch auf Richtigkeit erheben dürfe, denn auch die meinige weise innere Widersprüche auf[2]). Deshalb entwirft er eine neue Theorie der Elektrizitätserregung und gelangt durch sie zu einer Formel[3]) für die Potentialdifferenz, die sowohl von der Hendersonschen als auch von der meinigen abweicht, und die er für die Praxis als die angemessenste empfiehlt[4]).

Da ich hinsichtlich der Theorie anderer Meinung bin als Sitte, so liegt mir daran, meinen Standpunkt kurz zu begründen. Der Meinungsunterschied nimmt seinen Ausgang von der sogenannten Poissonschen Gleichung für den Zusammenhang des Potentials mit der freien elektrischen Ladung. Wenn φ das Potential, ε die Dielektrizitätskonstante der Lösung, e das elektrische Elementarquantum, $c', c'', \ldots$ bzw. $\bar{c}', \bar{c}'', \ldots$ die Konzentrationen der als einwertig angenommenen Kationen bzw. Anionen bedeuten, so lautet die Poissonsche Gleichung bei Benutzung des elektromagnetischen Maßsystems:

$$\varepsilon \cdot \Delta \varphi = -4 \pi c^2 e \,(c' + c'' + \cdots - \bar{c}' - \bar{c}'' - \cdots). \qquad (1)$$

c ist hierin die Lichtgeschwindigkeit im Vakuum.

Da diese Gleichung für den allgemeinen Fall zu unüberwindlichen mathematischen Schwierigkeiten führt, so ist es nötig, sie durch eine Näherung zu ersetzen. Mit Rücksicht auf die ungeheure numerische Größe des Faktors c^2 habe ich daher, ebenso wie Nernst[5]), statt der Poissonschen Gleichung stets die folgende benutzt:

$$c' + c'' + \cdots = \bar{c}' + \bar{c}'' + \cdots \qquad (2)$$

Das ist die Beziehung, welche Sitte beanstandet, und zwar auf Grund der folgenden Überlegung.

---

[1]) Kurt Sitte, ZS. f. Phys. **91**, 617, 1934. — [2]) l. c. S. 626. — [3]) l. c. S. 627. — [4]) l. c. S. 656. — [5]) W. Nernst, ZS. f. phys. Chem. **4**, 134, 1889.

Benutzt man für die Ladung und für das Potential das elektrostatische Maßsystem: $e_s = ce$ und $\varphi_s = \frac{\varphi}{c}$, so lautet die Poissonsche Gleichung einfacher:

$$\varepsilon \cdot \Delta \varphi_s = -4\pi e_s (c' + c'' + \cdots - \bar{c}' - \bar{c}'' - \cdots). \tag{3}$$

Diese Gleichung führt aber nach Sitte, falls man (2) als zutreffend voraussetzt, zu der Beziehung:

$$\Delta \varphi = 0, \tag{4}$$

welche offenbar der Formel für das Potentialgefälle[1])

$$\text{grad}\, \varphi = -\frac{R\,T}{e} \cdot \frac{\text{grad}\,(U - V)}{U + V} \tag{5}$$

im allgemeinen widerspricht, da die Funktionen U und V der Ionenkonzentrationen ganz beliebig mit dem Ort variieren können.

Demgegenüber möchte ich folgendes bemerken: Die Beziehung (2) folgt aus der Poissonschen Gleichung (1) bzw. (3), wenn man in ihr die Lichtgeschwindigkeit c bzw. die elektrostatisch gemessene Elementarladung e_s unendlich groß annimmt. In der Tat wird dann der Übergang von (2) über (3) nach (4) hinfällig. Da nun die Lichtgeschwindigkeit c bzw. der Unterschied zwischen dem elektrostatischen und dem elektromagnetischen Maßsystem in den Grundgleichungen für die Ionenbewegungen gar keine Rolle spielt, so kann diese Annahme keinen inneren Widerspruch enthalten, ebensowenig wie etwa die klassische Mechanik einen inneren Widerspruch enthält, welche sich als Näherung aus der allgemeinen relativistischen Mechanik dadurch ergibt, daß man die Lichtgeschwindigkeit gleich unendlich setzt.

Das nämliche läßt sich von der Sitteschen Theorie nicht behaupten. Denn die Gleichung (4), welcher Sitte gegenüber (2) als einer besseren Näherung den Vorzug gibt, ist, wie schon oben bemerkt, im allgemeinen nicht verträglich mit dem gleichfalls von ihm benutzten Ausdruck (5) für den Potentialgradienten, welcher seinerseits nur mit Hilfe von (2) abgeleitet werden kann.

Berlin-Grunewald, Dezember 1934.

---

[1]) l. c. S. 623.

Zur Theorie der Elektrizitätserregung[1] *in Elektrolyten*

(Eingegangen am 18. März 1935)

Es wird die Frage untersucht, ob es Fälle gibt, in welchen die räumliche freie Ladungsdichte in einem Elektrolyten so groß ist, daß die Konzentrationen der entgegengesetzt geladenen Ionen nicht mehr überall als einander gleich betrachtet werden können. Als Antwort ergibt sich der Satz, daß, solange die Konzentrationen als stetig behandelt werden können, der Unterschied der beiden Konzentrationen stets vernachlässigt werden kann.

In der von Nernst begründeten Theorie der Elektrizitätserregung in Elektrolyten bildet eine wesentliche Voraussetzung die Annahme, daß im Innern der Lösung die Konzentrationen der Kationen und Anionen sich an jeder Stelle stets nahezu kompensieren, daß also, wenn wir die Konzentrationen der Kationen mit $c', c'', \ldots$, die der Anionen mit $\bar{c}'$, $\bar{c}'', \ldots$ bezeichnen und nur einwertige Ionen als vorhanden annehmen, stets und überall mit genügender Annäherung gesetzt werden kann:

$$c' + c'' + \cdots = \bar{c}' + \bar{c}'' + \cdots \tag{1}$$

Nur mit Hilfe dieser Gleichung gelangt man auf Grund der allgemeinen Bewegungsgleichungen für die Ionen zu dem Ausdruck für das Potentialgefälle bei beliebig gegebenen Konzentrationen im stromlosen Zustand:

$$\operatorname{grad} \varphi = -\frac{R\,T}{e} \cdot \frac{\operatorname{grad}(U - V)}{U + V}, \tag{2}$$

wo R die absolute Gaskonstante, T die Temperatur, e die Ladung eines positiven g-Ions bedeutet, während die Funktionen

$$\left.\begin{aligned} U &= u'\,c' + u''\,c'' + \cdots, \\ V &= v'\,\bar{c}' + v''\,\bar{c}'' + \cdots \end{aligned}\right\} \tag{3}$$

durch die Konzentrationen und durch die Beweglichkeitszahlen $u', u'', \ldots$ der Kationen, $v', v'', \ldots$ der Anionen definiert sind.

Eine nähere Begründung für die Gleichung (1) hat Nernst bei ihrer Aufstellung[2]) nicht gegeben. Genaue Gültigkeit kann sie offenbar nicht beanspruchen. Denn wenn die entgegengesetzten elektrischen Ladungen sich überall vollständig kompensieren würden, könnten innerhalb der Lösung gar keine elektromotorischen Kräfte zustande kommen und das

[1]) Auszugsweise veröffentlicht in den Sitzungsber. d. Preuß. Akad. d. Wiss. Sitzung vom 7. März 1935. — [2]) W. Nernst, ZS. f. phys. Chem. **4**, 134, 1889

elektrische Feld wäre homogen. In der Tat besteht zwischen den Ladungen der Ionen und dem Potential φ allgemein die sogenannte Poissonsche Beziehung, welche, wenn φ und e im elektromagnetischen Maß ausgedrückt werden, folgendermaßen lautet:

$$\varepsilon \cdot \Delta \varphi = -4\pi e c^2 (c' + c'' + \cdots - \bar{c}' - \bar{c}'' - \cdots), \tag{4}$$

wo ε die Dielektrizitätskonstante der Lösung, c die Lichtgeschwindigkeit im Vakuum bedeutet.

Nun besitzt die Konstante c einen äußerst großen Zahlenwert. Die Folge davon ist, wie ich früher gezeigt habe[1]), daß φ sich im allgemeinen ungeheuer schnell mit der Zeit ändert, und nur dann statisch gemessen werden kann, wenn die Gleichung (1) befriedigt ist. Man kann auch unmittelbar aus (4) ablesen, daß, wenn c unendlich groß genommen wird, ein endlicher Wert von $\Delta \varphi$ nur mit der genauen Gültigkeit von (1) vereinbar ist. Diese Gleichung führt dann, zusammen mit den Bewegungsgleichungen der Ionen, in welchen die Konstante c gar keine Rolle spielt, da in ihr e und φ nur miteinander multipliziert vorkommen, zu einer in sich widerspruchsfreien Theorie der Elektrizitätserregung.

Ich erwähne dies hier besonders, weil Sitte kürzlich die Meinung ausgesprochen und auch weiterhin vertreten hat[2]), daß diese Theorie innere Widersprüche aufweise.

Eine andere Frage als die nach der Widerspruchslosigkeit der Theorie ist die nach ihrer Übereinstimmung mit der Wirklichkeit. Denn da c tatsächlich einen endlichen Wert besitzt, so folgt aus der Poissonschen Beziehung (4), daß im allgemeinen die Gesamtkonzentrationen der Kationen und die der Anionen voneinander verschieden sind, und man muß von vornherein jedenfalls die Möglichkeit zugeben, daß Fälle eintreten können, in welchen die Differenz nicht mehr vernachlässigt werden darf. Ob solchen Fällen eine praktische Bedeutung zukommt, soll im folgenden untersucht werden.

Wenn wir nach den Bedingungen fragen, welche dem Zustandekommen eines beträchtlichen Wertes der Konzentrationendifferenz $c' + c'' + \cdots - \bar{c}' - \bar{c}'' - \cdots$ günstig sind, so muß man selbstverständlich nach großen Werten der freien elektrischen Ladungsdichte suchen, und solche werden vorzugsweise da auftreten, wo die Konzentrationen räumlich stark variieren. Dieser Fall findet sich verwirklicht in der Übergangsschicht zwischen zwei endlich verschiedenen Elektrolyten. Ja, es ist sogar leicht zu sehen, daß,

[1]) M. Planck, Ann. d. Phys. **39**, 167, 1890. — [2]) K. Sitte, ZS. f. Phys. **91**, 626, 1934; **93**, 698, 1935.

wenn die Übergangsschicht hinreichend dünn genommen wird, der Betrag der elektrischen Ladungen, die dann zusammen eine Doppelschicht bilden, sogar beliebig große Werte annehmen kann, so daß dann auch die Abweichung von der Gleichung (1) eine beliebige Steigerung erfahren muß. Daher wollen wir jetzt die folgende Frage untersuchen: Welche Größenordnung darf die Dicke δ der Übergangsschicht zwischen zwei verschiedenen Elektrolyten nicht unterschreiten, wenn die Gleichung (1) mit der aus ihr folgenden Gleichung (2) noch angenähert Gültigkeit bewahren soll?

Die Antwort auf diese Frage ist enthalten in der Forderung:

$$c' + c'' + \cdots - \bar{c}' - \bar{c}'' - \cdots \ll c_0, \tag{5}$$

wenn c_0 die Gesamtkonzentration der Lösung an der betreffenden Stelle bedeutet. Dann folgt aus (4):

$$\frac{\varepsilon \cdot \Delta \varphi}{4 \pi c^2 e} \ll c_0. \tag{6}$$

Da für die Übergangsschicht nur eine einzige räumliche Koordinate x, die Normale ihrer beiden Begrenzungsflächen, in Betracht kommt, so reduziert sich grad φ auf $\frac{\partial \varphi}{\partial x}$ und $\Delta \varphi$ auf $\frac{\partial^2 \varphi}{\partial x^2}$, und wir erhalten aus (6) und (2):

$$\frac{\varepsilon R T}{4 \pi c^2 e^2} \frac{\partial}{\partial x} \left(\frac{\frac{\partial (U - V)}{\partial x}}{U + V} \right) \ll c_0$$

oder:

$$\frac{\frac{\partial^2 (U - V)}{\partial x^2}}{U + V} - \frac{\left(\frac{\partial U}{\partial x}\right)^2 - \left(\frac{\partial V}{\partial x}\right)^2}{(U + V)^2} \ll \frac{4 \pi c^2 e^2 c_0}{\varepsilon R T}.$$

Indem wir die einzelnen Glieder links von gleicher Größenordnung annehmen, reduziert sich diese Bedingung auf:

$$\frac{\left(\frac{\partial U}{\partial x}\right)^2}{U^2} \ll \frac{4 \pi c^2 e^2 c_0}{\varepsilon R T}. \tag{7}$$

Wenn für die eine Grenzfläche der Übergangsschicht $x = 0$ und $U = U_1$, für die andere $x = \delta$ und $U = U_2$ gesetzt wird, so kann man als Größenordnung von U annehmen:

$$U \approx U_1 + (U_2 - U_1) \cdot \frac{x}{\delta}.$$

Mithin:

$$\frac{\left(\frac{\partial U}{\partial x}\right)^2}{U^2} \approx \frac{1}{\delta^2} \tag{8}$$

und aus (7):

$$\delta \gg \frac{1}{c e} \sqrt{\frac{\varepsilon R T}{4 \pi c_0}} = \delta_0. \tag{9}$$

Die Länge δ_0 stellt also diejenige Größenordnung dar, auf welche die Dicke der Übergangsschicht nicht herabsinken darf, wenn die Bedingung (1) angenähert gültig bleiben soll. Je konzentrierter die Lösung ist, desto kleiner wird δ_0, um so dünner darf also die Übergangsschicht angenommen werden. Den gesuchten kritischen Fall werden wir also am ehesten bei sehr schwach konzentrierten Lösungen antreffen.

Als kleinste praktisch in Betracht kommende Konzentration werden wir wohl die einer Lösung vom Gehalt $^1/_{1000}$ normal, d. h. 1 g-Ion in 1000 Litern, annehmen dürfen. Dann ist die Anzahl der g-Ionen in 1 ccm: $c_0 = 10^{-6}$. Mit diesem und den folgenden Werten: $\varepsilon = 80$, $R = 8{,}31 \cdot 10^7$, $T = 291$, $c = 3 \cdot 10^{10}$, $e = 9650$ erhält man aus (9):

$$\delta \gg 1{,}36 \cdot 10^{-6} = \delta_0. \tag{10}$$

Damit also die Gleichung (1) angenähert Gültigkeit beanspruchen kann, darf bei Lösungen vom Gehalt $^1/_{1000}$ normal die Dicke der Übergangsschicht nicht auf die Größenordnung von 10^{-6} cm herabsinken. Für Lösungen von höherem Prozentgehalt wird dieser Grenzwert noch kleiner, und daher die Bedingung weniger scharf.

Berechnen wir nun die Anzahl der wirklichen Moleküle, die sich in einem Kubus von der Seitenlänge δ_0 befinden. Sie beträgt:

$$N_0 = \delta_0^3 \cdot c_0 \cdot 6{,}06 \cdot 10^{23},$$

d. h. in dem betrachteten speziellen Falle einer Lösung vom Gehalt $^1/_{1000}$ normal ist $N_0 = 1{,}5$, also nur 1 bis 2 Moleküle. Zieht man in Betracht, daß die ganze Theorie auf der räumlichen Stetigkeit der Konzentrationen aufgebaut ist, so erhellt, daß von einer Anwendung der Theorie auf eine derartig dünne Übergangsschicht gar nicht die Rede sein kann. Da bei größeren Konzentrationen c_0 die Zahl N_0 nicht etwa größer, sondern wegen (9) noch kleiner wird, so glaube ich daraus allgemein den Schluß ziehen zu dürfen, daß, solange die Konzentrationen als stetig behandelt werden können, die Gleichung (1) stets in großer Annäherung gültig ist.

Bemerkungen über Quantitätsparameter, Intensitätsparameter und stabiles Gleichgewicht

Im diesjährigen Juli-Heft der Physica haben Frau T. Ehrenfest-Afanassjewa und Frau G. L. de Haas-Lorentz eine Definition des Begriffs „Intensitätsparameter" vorgeschlagen, welcher sie gegenüber der von mir kürzlich benutzten[1]) den Vorzug geben. Da ich in diesem Punkte teilweise anderer Meinung bin, so sei es mir gestattet, meinen Standpunkt in dieser Frage hier kurz zu begründen.

Zunächst muss betont werden, dass es sich bei einer Definition, abgesehen von der unerlässlichen Forderung ihrer Correctheit, immer nur um die Frage ihrer Zweckmässigkeit handelt, und dass ich daher auch im vorliegenden Falle mich nur auf Zweckmässigkeitsbetrachtungen stützen kann. In dieser Beziehung möchte ich nun meinen, dass die von den Verfassern aufgestellte Definition des Intensitätsparameters zwar den Vorzug der Anschaulichkeit besitzt, dass aber dieser Vorzug erkauft ist durch die Einführung gewisser spezieller etwas künstlich scheinender Voraussetzungen und Vorstellungen, da man nicht leicht von vorneherein einsieht, wie sie zu Stande gekommen sind und inwiefern sie auch für den allgemeinen Fall Verwendung finden können.

Vor allem aber scheint es mir nicht zweckmässig zu sein, wenn die Definition des Intensitätsparameters vorangestellt und dann erst auf sie die Formulierung des Criteriums für das stabile Gleichgewicht gegründet wird, da doch dem Begriff des stabilen Gleichgewichts eine weit fundamentalere und noch dazu unmittelbarer fassliche Bedeutung zukommt als dem des Intensitätsparameters. Aus diesem Grunde habe ich a.a.O. umgekehrt den Begriff des stabilen Gleichgewichts zum Ausgangspunkt genommen und aus ihm die Definition des Intensitätsparameters abgeleitet. Da meine Ausführungen darüber leider, wie ich gesehen habe, zu einem Missverständnis Anlass geben können, so möchte ich sie hier noch etwas deutlicher gestalten.

Das stabile Gleichgewicht eines Gebildes ist allgemein charakterisiert durch das absolute Minimum der Energie. Dieser Satz, den ich in meinem Aufsatz [2]) nur kurz als bekannt citiert habe, ist freilich nicht so zu verstehen, als ob im stabilen Gleichgewicht die Energie des betrachteten Gebildes für sich allein ein Minimum wäre. Man spricht ja auch kurz von der Gültigkeit des Prinzips der Erhaltung der Energie für irgend ein Gebilde, ohne damit behaupten zu wollen, dass die Energie des betrachteten Gebildes für sich allein konstant bleibt. Um den Erhaltungssatz anwenden zu können, muss man vielmehr noch diejenigen Gebilde hinzunehmen, mit welchen das betrachtete Gebilde in Zusammenhang steht.

Ganz ebenso muss man, um die Minimumbedingung der Energie für das stabile Gleichgewicht aussprechen zu können, zu dem betrachteten Gebilde noch diejenigen Gebilde der Umgebung hinzunehmen, welche zur Aufrechterhaltung des Gleichgewichts dienen. Deren Einfluss macht sich geltend durch bestimmte feste Nebenbedingungen, welchen gewisse Zustandsparameter des betrachteten Gebildes von vornherein zu genügen haben. Jeder derartige Zustandsparameter ist eine Quantitätsgrösse, die Abgeleitete der Energie nach ihm ist die entsprechende Intensitätsgrösse.

Das gesagte möge an einem speziellen Beispiel näher erläutert werden. Das zu betrachtende Gebilde sei ein in einem vertikalen Zylinder befindliches Gas, das sich mit einem Wärmereservoir von der Temperatur T_0 und von sehr grosser Capazität im Wärmeaustausch befindet und nach oben durch einen beweglichen Kolben vom Gewicht G abgeschlossen ist.

Die Bedingung für das stabile Gleichgewicht des Gases ist, dass für eine beliebige Zustandsänderung des Gases die Grösse

$$E \doteq \varepsilon + \varepsilon' + \varepsilon'' \qquad (1)$$

ein absolutes Minimum besitzt, wenn ε die Energie des Gases, ε' den Wärmeeinhalt des Reservoirs, ε'' die potentielle Energie des Gewichts bezeichnet. Die Nebenbedingungen sind hier:

$$\left.\begin{array}{lll} \text{(nach Gibbs)} & \partial\eta + \partial\eta' = 0 & (\eta \text{ Entropie des Gases, } \eta' \text{ Entropie des Reservoirs}) \\ \text{und} & \partial v = Q \,.\, \partial z & (v \text{ Volumen des Gases, } Q \text{ Querschnitt, } z \text{ Höhe des Kolbens}) \end{array}\right\} \qquad (2)$$

Daher sind η und v Quantitätsgrössen.

Die Bedingung des Energieminimums erfordert zunächst:

$$\left(\frac{\partial E}{\partial \eta}\right)_v = 0 \qquad \text{und} \qquad \left(\frac{\partial E}{\partial v}\right)_\eta = 0.$$

oder

$$\left(\frac{\partial \varepsilon}{\partial \eta}\right)_v + \left(\frac{\partial \varepsilon'}{\partial \eta}\right)_v = 0 \qquad \text{und} \qquad \left(\frac{\partial \varepsilon}{\partial v}\right)_\eta + \left(\frac{\partial \varepsilon''}{\partial v}\right)_\eta = 0. \tag{3}$$

Nun ist wegen der Nebenbedingungen (2):

$$\left(\frac{\partial \varepsilon'}{\partial \eta}\right)_v = -\left(\frac{\partial \varepsilon'}{\partial \eta'}\right)_v = -T_0$$

und

$$\left(\frac{\partial \varepsilon''}{\partial v}\right)_\eta = \frac{G \,.\, \partial z}{\partial v} = \frac{G}{Q}$$

Andererseits ist:

$$\left(\frac{\partial \varepsilon}{\partial \eta}\right)_v = T \qquad \text{und} \qquad \left(\frac{\partial \varepsilon}{\partial v}\right)_\eta = -p \tag{4}$$

(T Temperatur, p Druck des Gases, die zu η und v gehörigen Intensitätsgrössen).

Dadurch gehen die Gleichungen (3) über in:

$$T = T_0 \qquad \text{und} \qquad p = \frac{G}{Q}\,. \tag{5}$$

Ausserdem erfordert das Energieminimum, wenn man berücksichtigt, dass die zweiten Differentialquotienten von ε' und von ε'' gegen die von ε nicht in Betracht kommen, die drei Ungleichungen:

$$\left(\frac{\partial^2 \varepsilon}{\partial \eta^2}\right)_v > 0, \quad \left(\frac{\partial^2 \varepsilon}{\partial v^2}\right)_\eta > 0, \quad \left(\frac{\partial^2 \varepsilon}{\partial \eta\, \partial v}\right)^2 < \left(\frac{\partial^2 \varepsilon}{\partial \eta^2}\right)_v \cdot \left(\frac{\partial^2 \varepsilon}{\partial v^2}\right)_\eta,$$

welche, wie man leicht erkennt, darauf hinauslaufen, dass:

$$\left(\frac{\partial \varepsilon}{\partial T}\right)_v > 0 \qquad \text{und} \qquad \left(\frac{\partial p}{\partial v}\right)_T < 0.$$

Das sind die bekannten Bedingungen für das stabile Gleichgewicht eines Gases.

Ich glaube, dass diesen Überlegungen keinerlei Unbestimmtheit anhaftet, und dass daher die auf sie zurückgehende Definition der Quantitäts- und der Intensitätsgrössen zu der grundlegenden Arbeit von P. Ehrenfest[3]), welcher die Bedeutung dieser Begriffe für die Anwendung des Prinzips von le Chatelier-Braun als erster erkannt und ausgesprochen hat, eine sachliche Ergänzung bildet, über deren Notwendigkeit ja kein Zweifel zu bestehen scheint.

Eingegangen 1 Oktober 1935.

Berlin-Grunewald, September 1935.

1) Ann. Physik **19**, p. 759, 1934.

2) l.c. p. 764.

3) Z. phys. Chem. **77**, p. 227, 1911.

OSTWALDS KLASSIKER DER EXAKTEN WISSENSCHAFTEN

Band 206

M. Planck

Die Ableitung der Strahlungsgesetze

Sieben Abhandlungen aus dem Gebiete der elektromagnetischen Strahlungstheorie

Einl.: D. Hoffmann
Anm.: F. Reiche
117 Seiten, kt.,
ISBN 978-3-8171-3419-9

Beeinflußt durch die Arbeiten von Clausius befaßte sich Planck mit den Gesetzen der Wärmestrahlung. Er entwickelte die Ableitung des Gesetzes der schwarzen Strahlung und entdeckte dabei, daß sowohl die Emission als auch die Absorption von Strahlung sprunghaft, in winzigen Energiequanten erfolgt. Diese Entdeckung führte zur Entwicklung der Quantentheorie und zur Revolutionierung des physikalischen Denkens. Die wichtigsten Abhandlungen auf dem Wege zu dieser Entdeckung sind hier mit einem Vorwort und Anmerkungen abgedruckt.

Max Planck (1858–947) war einer der führenden theoretischen Physiker seiner Zeit. Seine Entdeckung der Energiequantelung ebnete den Weg zum Verständnis der Vorgänge im atomaren Bereich und war die Geburtsstunde der Quantentheorie. 1918 wurde er für diese Entdeckung und deren Auswirkungen auf die Entwicklung der Physik mit dem Nobelpreis ausgezeichnet. Auch zur Thermodynamik, Relativitätstheorie und Elektrolyttheorie lieferte er wertvolle Beiträge.

OSTWALDS KLASSIKER
DER EXAKTEN WISSENSCHAFTEN

Band 286
L. BOLTZMANN
Entropie und Wahrscheinlichkeit
Bearb.: D. Flamm
305 Seiten, kt.,
ISBN 978-3-8171-3286-7

D. Flamm, ein Enkel Boltzmanns, hat in diesem Band die wichtigsten Arbeiten Boltzmanns zusammengestellt und eingeleitet. Die wesentlichen Themen des Werkes von Boltzmann werden abgehandelt: Die Boltzmanngleichung und das H-Theorem; Loschmidts Umkehreinwand mit Boltzmanns Erwiderung; das Boltzmannsche Prinzip; die Ableitung des Stefan-Boltzmannschen Gesetzes; Ergodentheorie und statistische Ensemble; Boltzmanns Erwiderung auf Zermelos Umkehreinwand; Boltzmanns Empfehlung an Planck, wie er zur Strahlenformel gelangen solle; Boltzmanns evolutionäre Erkenntnis- und Wissenschaftstheorie, die viel von K. Lorenz und K. Popper vorwegnimmt.

Der österreichische Physiker Ludwig Boltzmann (1844–1906) gilt als einer der Begründer der klassischen statistischen Physik. Seine bedeutendsten Arbeiten gehören in die Gebiete der kinetischen Gastheorie, der Thermodynamik und der Strahlungstheorie.

OSTWALDS KLASSIKER
DER EXAKTEN WISSENSCHAFTEN

Band 290
W. NERNST
Begründung der Theoretischen Chemie
Neun Abhandlungen 1889–1921
Einl. u. Anm.: H. Berg
321 Seiten, kt.,
ISBN 978-3-8171-3290-4

Der Band führt chronologisch durch das wissenschaftliche Schaffen Nernsts und gibt somit Beispiel für sein vielfältiges Wirken von fundamentaler Bedeutung für die Entwicklung von Chemie und Physik. Die Aufsatzsammlung enthält folgende Artikel: Über freie Ionen (1889); Erwiderung auf einige Bemerkungen der Herren Arrhenius, Kohnstamm, Cohen und Noyes (1901); Zur Theorie der Lösungen (1901); Über die elektrische Nervenreizung durch Wechselströme (1904); Über das Ammoniakgleichgewicht; Untersuchungen über die spezifische Wärme (1912); Die theoretischen und experimentellen Grundlagen des neuen Wärmesatzes (1918); Theoretische Chemie vom Standpunkte der Avogadroschen Regel und der Thermodynamik. Einleitung in einige Grundprinzipien der jetzigen Naturforschung. (1921). Der Physiker und Chemiker Walther Nernst (1864–1941) war Professor in Göttingen und Berlin und von 1922–24 Präsident der physikalisch-technischen Reichsanstalt in Berlin. Er gehörte zu den Mitbegründern der physikalischen Chemie. Seine bedeutendste Entdeckung ist das nach ihm benannte Nernstsche Wärmetheorem (3. Hauptsatz der Thermodynamik). Weitere wichtige Arbeitsgebiete waren die Theorie der Lösungen und die Messung spezifischer Wärmen bei tiefen Temperaturen. Für seine thermodynamischen Arbeiten erhielt er 1920 den Nobelpreis für Chemie.